Veröffentlichungen der
Carl Friedrich von Siemens Stiftung
herausgegeben von
Heinz Gumin und Heinrich Meier

Band 3
Zur Diagnose der Moderne

Für Cathrine Facheret
mit herzlichem Gruß

Heinrich Meier

Mai 1993

SERIE PIPER
Band 1143

Zu diesem Buch

Solange die Moderne nicht der Vergangenheit angehört, stehen wir vor der Aufgabe, zu einer angemessenen Diagnose der Moderne zu gelangen. Wir müssen uns über die Moderne klarwerden, wenn wir uns über uns selbst Klarheit verschaffen wollen. Wir müssen sie aus der Nähe betrachten, um unsere Vorurteile zu erkennen. Wir müssen Distanz zu ihr gewinnen, um unsere eigenen Möglichkeiten richtig einschätzen zu können. Die Diagnose der Moderne stellt sich uns als Aufgabe der Selbsterkenntnis. Das macht sie dringlich.

Daß die Beiträge zur Diagnose der Moderne unterschiedlich ausfallen, liegt in der Natur der Sache. Eine Diagnose ist keine Autopsie. Die Mehrzahl der Diagnosen besagt indes nichts gegen die Möglichkeit, zutreffend zu diagnostizieren. Zudem können die unterschiedlichen Diagnosen ihren Gegenstand auch in ihrer Verschiedenheit und Widersprüchlichkeit erhellen.

Der vorliegende Band enthält die überarbeiteten und zum Teil stark erweiterten Beiträge einer Vortragsreihe der Carl Friedrich von Siemens Stiftung in München, die international angesehene Philosophen, Historiker, Sozial- und Literaturwissenschaftler zusammenführte und große Beachtung fand.

Heinrich Meier, geboren 1953 in Freiburg i. Br., studierte Philosophie, Politische Wissenschaft und Soziologie. Promotion an der Universität Freiburg. Seit 1985 leitet er die Carl Friedrich von Siemens Stiftung in München. Veröffentlichungen: Jean-Jacques Rousseau: *Discours sur l'inégalité / Diskurs über die Ungleichheit.* Kritische Edition mit deutscher Übersetzung und ausführlichem Kommentar. Paderborn 1984; *Carl Schmitt, Leo Strauss und »Der Begriff des Politischen«. Zu einem Dialog unter Abwesenden.* Stuttgart 1988; (als Hrsg.) *Die Herausforderung der Evolutionsbiologie* (SP 997).

Heinrich Meier (Hrsg.)

Zur Diagnose der Moderne

Mit Beiträgen von
Daniel Bell, Joseph Cropsey, Hans-Martin Gauger,
Agnes Heller, Jean-François Lyotard, Kenneth Minogue
und Winfried Schulze

Piper
München Zürich

In den Veröffentlichungen der
Carl Friedrich von Siemens Stiftung
im Rahmen der Serie Piper liegen außerdem vor:

Band 1
Die Herausforderung der Evolutionsbiologie (997)

Band 2
Die Zeit (1024)

Weitere Bände sind in Vorbereitung.

ISBN 3-492-11143-2
Originalausgabe
Juli 1990
© R. Piper GmbH & Co. KG, München 1990
Umschlag: Federico Luci
Gesamtherstellung: Clausen & Bosse, Leck
Printed in Germany

Inhalt

Heinrich Meier

Die Moderne begreifen –
die Moderne vollenden?

> »Gesammt-Einsicht: der zweideutige Charakter un-
> serer modernen Welt, – eben dieselben Symptome
> könnten auf Niedergang und auf Stärke deuten.«
>
> Friedrich Nietzsche: Nachgelassene Fragmente,
> Herbst 1887

Die Moderne begreifen heißt weder die Moderne bewundern noch die Moderne beklagen. Es heißt auch nicht, sie sein zu lassen, in der Hoffnung, so ihrer schließlichen Verwindung den Boden zu bereiten oder sich für die Schickung des unergründlichen Seins offenzuhalten. Heißt es, im Gegenteil, eingreifen, verändern, vorantreiben? Geht es um Handeln und Herrschen? Aber unter welchem Gebot oder zu welchem Ende? Muß, wer die Moderne begreifen will, sie vollenden wollen? Wenn die Eule der Minerva erst mit der einbrechenden Dämmerung ihren Flug beginnt, scheint ein Begreifen der Moderne nur im Horizont ihres Endes möglich: wir könnten sie nicht fassen, wir hätten sie denn hinter uns gebracht. Die Moderne begreifen hieße demnach, auf die Moderne zurückblicken. Sollte sie im Zurückblicken, sollte die Moderne in der Betrachtung ihre Vollendung erreichen?

Indes, kann von Vollendung gesprochen werden, wo von der Moderne die Rede ist? Hat sie nicht alles dazu getan, die Ausrichtung des Denkens an Vollendung und Vollkommenheit zu dementieren? Setzte sie nicht ganz auf Bewegung und Veränderung, auf Relativität und Vorläufigkeit, auf fortwährende Erneuerung? War der Glaube an einen Prozeß unendlichen Fortschritts, der sich ebendadurch perpetuierte, daß er sich beständig selbst überholte, nicht *ihr Glaube*? Die bedeutendsten Philosophen der Moderne haben ihn freilich nicht geteilt, sowenig wie sie in der entscheidenden Rücksicht die Orientierung an Vollendung, Selbstgenügsamkeit, Vollkommenheit aufgaben. Man mag einwenden, daß sie dies nicht *als Moderne* taten, daß sich darin vielmehr ihre Unabhängigkeit, eine unbesiegbare Resistenz *gegen die Moderne* erwies. Die Differenz besage mithin viel über die Philosophen und wenig über die Moderne. Doch besagte es wenig über die Moderne, wenn sich bei näherer Betrachtung herausstellen sollte, daß das Wichtigste in der Moderne nichts spezifisch Modernes, nichts von ihr Hervorgebrachtes und an sie Gebundenes wäre? Kann die Moderne begreifen, wer beiseite läßt, was über sie hinausragt, wer das Nichtmoderne von vornherein ausblendet, wer sich allein innerhalb ihres Koordinatensystems bewegt?

Sei dem wie dem sei. Ehe wir auf die Moderne zurückblicken, tun wir gut daran, uns zu vergewissern, ob wir sie tatsächlich hinter uns haben. Präziser gefragt: Überschauen wir einen Teil, oder steht uns das Ganze vor Augen? Wenn wir den modischen Parolen Glauben schenken wollen, die uns aus progressiven wie aus konservativen Quartieren entgegenschallen, leben wir bereits *nach der Moderne*, oder wir sind zumindest auf dem besten Wege, uns endgültig aus ihr zu verabschieden. Der Tod der Moderne gilt als eine ausgemachte Sache. Nun wissen wir, daß nicht alle Wesen, Dinge und Einrichtungen, die während der vergangenen 150 Jahre für tot erklärt worden sind, in der Tat der Vergangenheit angehören. An voreilig ausgestellten Totenscheinen herrscht kein Mangel, und wir brauchen nur den Staat, die Philosophie oder das Reich der Notwendigkeit zu erwähnen, um uns daran zu erinnern, daß Totgesagten zuweilen ein langes Leben beschieden ist. Der Gegenspieler, der die Moderne zu verdrängen, die Erbin, die sie als ein von ihr unterschiedenes Anderes zu ersetzen in der Lage wäre, ist auch nicht von Ferne erkennbar.

Die sogenannte Postmoderne war zu keinem Zeitpunkt ein ernsthafter Anwärter auf die Nachfolge. Wenn sie überhaupt in einem Gegensatz zur Moderne stand – und ihre Protagonisten sind sich keineswegs einig gewesen, ob sie in einem Gegensatz zu ihr stehen *wollten* –, so zählte sie zu den am wenigsten bedrohlichen Gegnern, auf die die Moderne bisher traf. Was immer die Postmoderne war oder noch zu sein beanspruchen mag, sie taugt gewiß nicht als Beleg für den »Tod der Moderne«. Weit eher ist sie geeignet, aufs neue vor Augen zu führen, wie schwer es den meisten Kritikern der Moderne fällt, sich von deren Voreingenommenheiten zu befreien. Wenn wir in den diffusen postmodernen Theorien und Erzählungen nach verbindlichen oder wenigstens verbindenden Orientierungspunkten Ausschau halten, begegnet uns allenthalben die moderne Hochschätzung für Kreativität, Subjektivität und Relativität wieder. Mit dem Unterschied, daß die modernen Prinzipien und »Wertsetzungen« nach ihrer postmodernen »Verwandlung« einen nurmehr derivativen Charakter haben. Was zuvor als begründungsbedürftig erschien, was als Problem erkannt und als Herausforderung begriffen wurde, wird jetzt als Selbstverständlichkeit fraglos vorausgesetzt und als gültiger Besitz umstandslos in Anspruch genommen. Auch dort, wo man sich in Auflehnung gegen den modernen Rationalismus mit Leib und Seele dem Irrationalismus verschreibt, in der Hoffnung, er werde einen Ausweg aus der Moderne eröffnen, ist kein Schritt über die modernen Grundpositionen hinaus getan. Wer die Irrationalität der Moderne überbietet, hat die Moderne deshalb noch nicht »überwunden«, und wer sich, um der Langeweile oder dem Überdruß zu entfliehen, in der eklektischen Umgruppierung ihrer Bestandteile versucht, hat die Moderne keineswegs hinter sich gelassen. Die Sehnsucht nach dem »ganz Anderen« ist gleichfalls keine postmoderne Besonderheit. Als Sehnsucht nach einem Schutz und Halt gewährenden Widerpart oder einer Erlösung verheißenden Zuflucht begleitet sie den Siegeslauf der Moderne seit langem. Sie hat ihn bisher nicht geschwächt oder aufgehalten, sondern belebt und immer weiter beschleunigt. Ihre Virulenz in den postmodernen Bestrebungen deutet daher weder auf das nahe Ende der Moderne noch etwa darauf hin, daß wir in der Postmoderne selbst der Erfüllung der alten

Sehnsucht begegneten. Allenfalls ist sie ein zusätzliches Indiz dafür, wie bruchlos sich die Postmoderne der Moderne einfügt.

Nachdem Gianni Vattimo das »schwache Denken« ausdrücklich zu einem postmodernen Postulat erhoben hat, mag es nicht unbillig sein zu sagen, die Postmoderne sei, weit davon entfernt, »das Andere« der Moderne zu sein, die Moderne noch einmal, nur in einer schwächeren Spielart. Angesichts einer Rhetorik der universellen Emanzipation, die das Partikulare gegen alle übergreifenden Totalitäten verteidigen, das Individuum vor jeder verpflichtenden Inanspruchnahme bewahren, das Subjekt von der Herrschaft der Vernunft, aus der Ordnung der Natur und schließlich von sich selbst befreien will, angesichts der großen egalitären Gebärde, mit der postmoderne Theoretiker jedermann »seine Wahrheit« zusprechen, um jede ernste Auseinandersetzung im Medium subjektiver Beliebigkeit zum Erliegen zu bringen, angesichts solcher und ähnlicher Tendenzen, moderne Präokkupationen zu forcieren, bis sie buchstäblich leer laufen, ist man geneigt, dem kritischen Beobachter beizupflichten, der dem Ausdruck *Submoderne* den Vorzug gibt vor der selbstgewählten Bezeichnung *Postmoderne*[1]. Nietzsches Urteil wäre vermutlich sehr viel schärfer ausgefallen. In der postmodernen Vorliebe für das Fragmentarische, das epigonale Vielerlei, die historische Reminiszenz, die verspielte Kombination heterogenster Bruchstücke hätte er die Erschöpfung der stilbildenden Kraft erkannt. Darüber hinaus hätte er allenthalben ein Erlahmen des Willens – zur Form, zur Distanz, zur Wahrheit, zur Rangordnung – festgestellt, und es bedarf keiner sonderlichen Phantasie, um sich auszumalen, wie er die Postmoderne, die sich zu großen Teilen auf ihn beruft, in der modernen Welt eingeordnet hätte: schwerlich als einen Aufbruch zu neuen Ufern, mit einiger Wahrscheinlichkeit dagegen als ein fortgeschrittenes Stadium im Prozeß der Dekadenz. Eine Haltung, die das *Laisser-faire* zum letzten Prinzip macht, wäre ihm als später Ausdruck des europäischen

---

1 Heribert Boeder: *Das Vernunft-Gefüge der Moderne*. Freiburg–München 1988, S. 361, 364, 366, 370.

Nihilismus, der Slogan »Anything goes« als eine schwache Übersetzung der prägnanten Aussage »Alles ist erlaubt« erschienen. Wie man annehmen darf, daß Nietzsche bei den postmodernen Autoren insgesamt einen »Mangel an Philologie« konstatiert hätte.

Könnte sich die Postmoderne, in zeitlichem Abstand gesehen, nicht gleichwohl als Beschleuniger auf dem Wege aus der Moderne, als Katalysator ihrer Selbstdestruktion erweisen? Gerade *weil* sie der Moderne in wechselnder Transposition beständig deren eigene Melodie vorspielt. Und wie, gehen dem »anderen Anfang« nicht notwendig Auflösung und Zerfall voraus? Bereitet die schrankenlose Emanzipation nicht der um so stärkeren Bindung, der Hingabe an (irgend)ein größeres Ganzes, der Bereitschaft, sich einer Autorität unterzuordnen, den Boden? Muß, wo die große Wende einsetzen, das alles neu machende Wort Gehör finden soll, nicht zuerst »die Tenne gefegt« werden? An Erwägungen dieser Art haben Generationen von Opponenten und Kritikern der Moderne ihre Hoffnungen geknüpft. Konservative Revolutionäre setzten schon vor Jahrzehnten auf die »Magie des Umschlags«, und manche stehen nach wie vor in ihrem Bann. Die Moderne (oder der Liberalismus, die Dekadenz, der Nihilismus) sei am sichersten dadurch zu überwinden, so lautet die Prognose, daß die bisherige Entwicklung fortgesetzt und das Tempo solange verschärft werde, bis sie »umschlage« und das Neue aus sich hervortreibe. Alles komme darauf an, den »magischen Nullpunkt« zu passieren, man müsse sich »streng nihilistisch« voranarbeiten, wie der Ernst Jünger des *Abenteuerlichen Herzens* oder des *Arbeiters* meinte, um dem Nihilismus seinen verborgenen Sinn abzuringen. Der heroische Realismus, der sich selbst zugute hält, nicht der Vergangenheit, sondern ganz der Zukunft zugewandt zu sein, der den äußersten Schmerz ertragen will, um sich »trotz allem an der Rüstung zu beteiligen«[2], hat sich auf seine Weise, d. h. »rückhaltlos« und die »letzte Konsequenz« ziehend, das moderne Vertrauen in den »Gang der Geschichte« zu eigen ge-

---

2 Ernst Jünger: Über den Schmerz, in: *Blätter und Steine*. Hamburg 1934, S. 213; cf. S. 173 und *Das Abenteuerliche Herz*. Berlin 1929, S. 24, 51.

macht. Er gründet in dem Grund-losen Glauben, daß ein Scheitern im Ganzen oder im Wichtigsten ausgeschlossen sei. Diese metaphysische Voraussetzung enthebt ihn der Notwendigkeit, sich Rechenschaft darüber abzulegen, *was* beim ersehnten »Umschlagen« des Prozesses »herausspringen« kann, und *wie* sich die neue Qualität von allem Früheren unterscheiden wird – oder auch nur unterscheiden soll.

Zumindest in solcher Unbestimmtheit begegnen sich die konservativ-revolutionären Vorstellungen von der Herrschaft, die das »Interregnum« der Moderne ablösen, von dem Reich, das nach deren Überwindung neu erstehen soll, und jene postmodernen Erwartungen, die um »das Ereignis« kreisen, das, so es eintritt, der »Wüstenwanderung« ein Ende setzen wird, welches aber, soll es sich unverstellt in seiner Andersheit offenbaren, d. h. jemals als »das Ereignis« eintreten, nicht zum Gegenstand des vorstellenden, unterscheidenden, mithin auf Herrschaft zielenden Denkens gemacht werden kann. Das Ereignis »wird« jede Festlegung durchbrechen. Es »muß« aller vorwegnehmenden Bestimmung entzogen bleiben, wenn es dem »Logozentrismus« widerstehen »soll«. Jean-François Lyotard hat das göttliche Gebot, das an Abraham erging, Isaak zu opfern, und Abrahams glaubenden Gehorsam als Paradigma »des Ereignisses« – des unvorhersehbaren Rufes wie der Haltung, in der auf ihn zu antworten sei – in Erinnerung gebracht. Sollte die Postmoderne ihre Orientierung in der Zukunft aus diesem Vorbild gewinnen, hätte sie das verspielte Vielerlei hinter sich gelassen und wäre sie in eine ernste Zone vorgestoßen. Sie befände sich dann tatsächlich im Widerstreit mit den modernen Grundpositionen. Allerdings bewegte sie sich deshalb nicht etwa auf »postmodernem« Terrain. Ein Leben, das das Eine, was not tut, im glaubenden Gehorsam findet, ist weder prä- noch postmodern, sondern eine »ewige Möglichkeit«. Der Versuch, die Frage nach der Ordnung der menschlichen Dinge auf der Grundlage der Offenbarung zu beantworten, war im übrigen von allem Anfang an eine anspruchsvolle und nicht zu übersehende Alternative zum Projekt der Moderne. Die Postmoderne hätte schließlich einen sicheren Halt gefunden und festen Boden erreicht. Aber sie befände sich nicht allein im

Widerstreit mit der *modernen* Philosophie. Sie stünde im Gegensatz zu aller Philosophie. Denn *Betrachten ist nicht Gehorchen*.[3]

Daß die Moderne nicht zu Ende ist, hindert uns nicht, auf sie zurückzublicken. Daß sie uns nicht als Ganzes vor Augen steht, verwehrt uns nicht, sie in ihren Anfängen zu betrachten, sie aus ihren Prinzipien zu begreifen, nach ihren Grenzen zu fragen. *Daß* wir sie betrachten und befragen, *daß* wir die Moderne zu begreifen suchen, hat seinen ernsten Grund darin, daß wir die Moderne *nicht* hinter uns haben. Weil die Moderne weder abgeschlossen noch abgetan ist, stehen wir vor dem Erfordernis, zu einer *Diagnose der Moderne* zu gelangen. Wir müssen uns über die Moderne klarwerden, wenn wir uns über uns selbst Klarheit verschaffen wollen. Wir müssen sie aus der Nähe besehen und genau untersuchen, um unsere Vorurteile zu erkennen. Wir müssen Distanz zu ihr gewinnen, um unsere eigenen Möglichkeiten wahrnehmen zu können. Die Diagnose der Moderne ist eine dringliche Aufgabe, weil sie sich uns als Aufgabe der Selbsterkenntnis stellt. Im selben Sinne stellte sie sich im vorigen Jahrhundert Nietzsche oder Hegel, im Jahrhundert davor Lessing oder Rousseau, und in diesem Sinne wird sie sich auch in der Zukunft stellen, solange die Moderne nicht ganz und gar der Vergangenheit angehört. Sie ist weder das Privileg noch die Last eines einmaligen geschichtlichen Augenblicks, weder an den absoluten Moment der Hegelschen Vollendung noch an jenen der höchsten Gefahr und der weitreichendsten Entscheidung Nietzsches gebunden. Es liegt dabei in der Natur der Sache – der Aufgabe selbst wie der Menschen, die sie in Angriff nehmen –, daß die Diagnose unterschiedlich ausfällt: zu unterschiedlichen Zeiten wie in ein und demselben ge-

---

3 *Inter auctoritatem et philosophiam nihil est medium.* Siehe dazu Heinrich Meier: *Carl Schmitt, Leo Strauss und »Der Begriff des Politischen«. Zu einem Dialog unter Abwesenden.* Stuttgart 1988, S. 49 ff. Eine eingehende Auseinandersetzung mit der grundsätzlichen Alternative, die durch die beiden Sätze bezeichnet ist, hoffe ich in Kürze unter dem Titel *Die Lehre Carl Schmitts. Vier Kapitel zur Unterscheidung Politischer Theologie und Politischer Philosophie* vorzulegen.

schichtlichen Augenblick. Eine Diagnose ist keine Autopsie. Die Mehrzahl der Diagnosen besagt indes nichts gegen die Möglichkeit, zutreffend zu diagnostizieren. Die unterschiedlichen Beiträge zur Diagnose der Moderne können sich ihrem Gegenstand zudem nicht nur in unterschiedlichem Grade als angemessen erweisen, sondern ihn auch in ihrer Verschiedenheit und Widersprüchlichkeit erhellen. Wir müssen selbst erkennen, welche Diagnose Bestand hat. Wer die Sicherheit einer autoritativen, abschließenden Antwort dem eigenen Fragen, Prüfen und Urteilen vorzieht, mag das beklagen. Aber sollten wir nicht eben in dem, was uns niemand abnehmen kann, zu erreichen vermögen, was *das Wichtigste für uns* ist?

Wenn wir auf die Moderne zurückblicken können, ohne daß wir sie hinter uns gebracht haben[4], so ist dieses Zurückblicken, und folglich das Begreifen der Moderne, doch allein im Horizont ihres Endes möglich: Nicht nur, daß wir die Frage, was der Moderne ein Ende setzen, wie oder wodurch sie überwunden werden könnte, stellen müssen, um uns des Gegenstandes zu versichern, den wir diagnostizieren wollen, denn wir haben es nicht mit einem natürlichen Wesen zu tun, dessen Leben durch Geburt und Tod begrenzt wird. Die Frage nach dem Ende ist zugleich der erste Schritt zur angemessenen Diagnose. Was muß zu Ende gehen, wenn die Moderne zu einer Sache der Vergangenheit werden soll? Worauf beruht die offenbar erhebliche Suggestivkraft all jener Behauptungen und Erwartungen, die, sosehr sie sich im einzelnen unterscheiden, darin übereinstimmen, daß sie das Ende der Moderne mit dem Ende der Geschichte in eins setzen? Die naheliegendste Antwort lautet, sie beruhe auf dem beispiellosen Erfolg der Moderne. Der Sieg der

---

4 Wir können auf die Moderne zurückblicken, wie wir auf unser eigenes Leben zurückblicken können, und wir müssen beides aus dem gleichen Grunde tun. Im einen wie im anderen Fall können wir zu einem begründeten Urteil und zu einer im *Entscheidenden* keineswegs bloß vorläufigen Einsicht gelangen, ohne darum die Klugheit der Maxime Solons geringzuachten, daß wir nichts und niemanden glücklich preisen sollten, bevor wir dessen Ende kennen. Plutarch: *Solon*, 27; cf. 2.2 und 31.3, beachte Jean-Jacques Rousseau: *Les Rêveries du promeneur solitaire*, *Œuvres complètes* I, S. 1011, 1039, 1045–1047, 1077–1081.

Moderne sei so vollständig, daß es keine Alternative mehr zu ihr gebe: Sie hat ihre Kontrahenten Zug um Zug ausmanövriert und, indem sie sich selbst die Kräfte, die gegen sie gerichtet waren, dienstbar machte, alle Widerstände gebrochen. Sie hat alles erfaßt und alles durchdrungen. Sie hat eine uneingeschränkte Herrschaft über die Menschen erlangt, über ihre Sprache und ihre Vorstellungen, über ihre Bedürfnisse und über ihre Wünsche. Sie hat sich in jeder Hinsicht als unwiderstehlich erwiesen.

Aber unterliegen wir damit nicht einer Täuschung? Nehmen wir nicht den Anspruch der Moderne kurzerhand für die Wirklichkeit? Besteht ihre Unwiderstehlichkeit etwa zuallererst in der Unwiderstehlichkeit ihrer Rhetorik, der wir – paradox genug – bereits zum Opfer fallen, wenn wir von *der* Moderne sprechen und nach dem Ende eines Zeitalters fragen, das in Wahrheit keineswegs *Eines* ist? Das Epitheton *modern* erhält seinen Sinn aus der polemischen Stoßrichtung gegen das, was als *vormodern* abgelöst werden soll und als *nichtmodern* bekämpft wird. Sobald der ursprüngliche Gegner – die klassische Philosophie – überwunden oder vergessen und der wirkliche Feind – die Kirche, der Feudalismus, schließlich die absolute Monarchie – besiegt ist, verliert die Bezeichnung *modern*, so hat es den Anschein, ihre Trennschärfe. Mit dem Triumph über ihren Widerpart büßte die Moderne ihre inhaltliche Bestimmtheit, ihre Einheit und ihren Zusammenhang ein. Sie zerfiele in eine Abfolge von Einzelmomenten, denen gemeinsam ist, daß sie jeweils »modern«, nämlich moderner als das bisher Moderne, zu sein beanspruchen. Das Neue verdrängt das Alte. Das Neue von gestern ist das Alte von heute, und das Neue von heute wird das Alte von morgen sein. Wenn die Moderne sich in diesem Sinne fortzeugte – weil alles »modern« sein soll und alle »modern« sein wollen –, dann wäre freilich leicht plausibel zu machen, weshalb das Ende der Moderne und das Ende der Geschichte zusammenfallen müssen. Selbst wenn dieser Einwand stichhaltig wäre, könnten wir ihm indes einiges über *die* Moderne entnehmen, denn der Heterogenität sind offenkundig Grenzen gesetzt, solange »alle« Wert darauf legen, modern zu sein (und sei es auf »postmoderne« oder »postpostmoderne«

Weise). Das Beharren auf der eigenen Modernität bezeugt zumindest die fortwirkende Kraft des modernen Glaubens an die Geschichte und an deren alles entscheidende Bedeutung. So wie sie durch den Umstand beleuchtet wird, daß noch die Abwendung vom Fortschrittsoptimismus als *Fortschritt* und die Abkehr von der Geschichtsphilosophie als *geschichtliche Errungenschaft* (oder als Zuspiel des weiter vorangeschrittenen Geschicks) gelten soll.

Die Rhetorik der Moderne verweist uns auf eine keineswegs »bloß rhetorische« Einheit; sie erinnert uns an den alles andere als »bloß formalen« Zusammenhang, der das moderne Zeitalter ausmacht. Denn sie ist selbst Ausdruck eines höchst realen Unternehmens, eines harten Kerns, den man mit guten Gründen als das *moderne Projekt* bezeichnen kann: der methodisch in Angriff genommenen Eroberung der Natur und der bewußt ins Werk gesetzten Umgestaltung der menschlichen Lebensverhältnisse im ganzen. Die Rede ist mithin weder von einer erst im geschichtlichen Rückblick erkennbaren »Tendenz« noch von einer nachträglich supponierten Wünschbarkeit oder »Zielgerichtetheit«, hinter der die Wirklichkeit »bisher« zurückblieb, sondern von einer Konzeption, die in ihren Prinzipien durchdacht und aktiv vorangetrieben wurde. Die prägnantesten Formulierungen des Vorhabens, das der Moderne zugrundeliegt, Machiavellis *tenere sotto la fortuna* und Descartes' *rendre nous comme maîtres et possesseurs de la nature*, gehen nicht zufällig auf die Philosophen zurück, denen wir mit dem *Principe* und den *Meditationes* die beiden Grundbücher des Selbstbewußtseins und der Selbstbehauptung des modernen Subjekts zu verdanken haben.[5] Wer sich davon überzeugen will, in welchem Umfang das moderne Projekt zu Beginn der

---

5 Niccolò Machiavelli: *Il Principe*, XXV, Ed. Bertelli, S. 101; René Descartes: *Discours de la méthode*, VI, Ed. Gilson S. 62, cf. S. 61, 63, 65, 67. Machiavelli hat mit der Orientierung an der *cosa utile* und der Konzentration auf die *verità effetuale della cosa* einen weiteren Grundsatz des modernen Projektes benannt (*Il Principe*, XV, S. 65). Seine extreme Version lautet: »Die Philosophen haben die Welt nur verschieden *interpretiert*, es kömmt drauf an, sie zu *verändern*.« Karl Marx: *Thesen über Feuerbach*, 11 (*MEW* III, S. 7).

Neuzeit ins Auge gefaßt, wie präzise die wichtigsten Schritte auf dem Weg zur schließlichen Herrschaft über die Natur, zur Befreiung der Menschheit und zur Prosperität der Gesellschaft vorgezeichnet, wie deutlich die dafür erforderliche Freisetzung der Wissenschaft, ihre Herauslösung aus der Philosophie und ihre Entwicklung zu einer unmittelbar wirksamen gesellschaftlichen Macht tatsächlich gesehen wurden, kann noch vor dem *Discours de la méthode* Francis Bacons *Novum organum, Advancement of Learning* oder *New Atlantis* konsultieren.

Die Neuheit ihres Beginnens war den philosophischen Gründervätern der Moderne wohl bewußt. Wir können uns daher an ihrem Urteil orientieren, wenn wir auf die Anfänge zurückschauen. Es bedarf auch keines umständlichen Beweises, daß an dem Bauwerk, das sie entwarfen, noch immer gearbeitet wird, obschon inzwischen neue Seitentrakte hinzugekommen sind, die ursprünglich nicht vorgesehen waren, und anderes bald einstürzte oder nach einiger Zeit wieder eingerissen wurde. Das moderne Projekt läßt sich in allen seinen Verwandlungen und über alle geschichtlichen Brüche hinweg als Eines identifizieren. Wie aber steht es mit dem Ende? Wenn die Moderne zu einer Sache der Vergangenheit werden soll, muß offenbar das Projekt aufgegeben werden, das sie in Bewegung hält, oder es muß heillos gescheitert sein. Doch *kann* es noch aufgegeben werden? Ist seine Verwirklichung nicht längst so weit fortgeschritten, daß nichts grundsätzlich Anderes an seine Stelle zu treten vermag? Das Ende der Moderne bedeutete dann so oder so das Ende der Geschichte, wenn auch nicht notwendigerweise im Sinne jener apokalyptischen Visionen, die aktiv herbeizuführen die Moderne die Menschen erstmals in den Stand gesetzt hat.

Das moderne Projekt hält die Moderne in Bewegung. Es verbürgt die Kontinuität der historischen Konfiguration. Aber es ist nicht mit der Moderne identisch. Das moderne Zeitalter umfaßt sehr viel mehr und sehr viel anderes, das nicht ausgeblendet werden darf, wenn wir zu einer angemessenen Diagnose gelangen wollen. Die Moderne beruht auf Voraussetzungen, die sie nicht geschaffen, sie lebt von Beständen, die sie nicht hervorgebracht hat und die sie, wenn überhaupt, nur teilweise zu regenerieren vermag. Sie ist daher nicht zu begreifen, solange das spezifisch Moderne allein in den Blick kommt. Erforderlich ist eine eingehende Betrachtung des modernen Projektes selbst: der Grundlinien, die sich von den Anfängen bis zur Gegenwart durchhalten, wie der Wendungen und der Auffächerungen, die es erfahren hat; desgleichen jedoch der Widerstände, gegen die es durchzukämpfen war, des vormodernen Horizontes, in dem es konzipiert wurde, und der nichtmodernen Unterstützung, ohne die seine Umsetzung nicht möglich gewesen wäre. Die Diagnose der Moderne verlangt mit einem Wort eine *historische* Analyse des spezifisch Modernen. Zu den Gegenständen einer solchen Analyse zählte etwa der Zusammenhang, der zwischen dem modernen Projekt und der einzigartigen Hochschätzung der Geschichte besteht, oder die Frage, aus welchen Gründen die moderne Aufklärung im Unterschied zur Sokratischen *keine* »Aufklärung der zurückhaltenden praktischen Erwartungen« war.[6] Darüber hinaus verlangt sie aber eine Untersuchung des nichtmodernen Potentials unserer Moderne, die Berücksichtigung der vormodernen Potenzen, die in ihr enthalten sind, und die Erweiterung des Blickes auf unsere *natürlichen* Möglichkeiten. Denn noch ist es der Moderne nicht gelungen, die »Naturschranke«, die sie beständig vor sich »zurückweichen« sieht, zu *überwinden*.

Eine solche Untersuchung und eine derartige Analyse sind für sinnvolle Korrekturen am modernen Projekt unabdingbar. Und allein Korrekturen oder eine Verlangsamung des Tempos scheinen in der Tat möglich. Da das moderne Projekt aufs Ganze geht, ist es im ganzen gefährdet. Aus dem gleichen Grund kann es aber durch kein neues, umfassenderes Projekt

---

6 Siehe Joseph Cropsey: Über die Alten und die Modernen, in diesem Band S. 237. – Wenn man verstehen will, was die philosophischen Gründerväter der Moderne veranlaßte, das Bündnis mit der politischen Autorität zu suchen, muß man berücksichtigen, welchem Feind sie sich gegenüber sahen. Die Machtmittel und die Wohltaten, die sie ihren Verbündeten mit dem modernen Projekt in Aussicht stellten, waren der Preis (wie sich später erweisen sollte: der geringere Teil des Preises), den sie für die Verwirklichung ihres eigenen Zieles in der »theologisch-politischen« Auseinandersetzung zu entrichten hatten. (Vergleiche den Untertitel von Spinozas *Tractatus theologico-politicus*.)

aufgehoben, sondern »nur« im einzelnen revidiert, verändert und aufgegeben werden. Wie einschneidend die praktisch-steuernden Eingriffe sein mögen, sie werden die Moderne nicht in dem Sinne »überwinden«, in dem die Moderne ihre »Vorläufer« überwunden hat. Wenn wir die Moderne im Horizont ihres denkbaren Endes betrachten, erkennen wir, daß wir sie nicht beenden können. Die Moderne begreifen heißt in diesem Verstande, sich von hochgespannten Erwartungen an die Geschichte zu befreien. Die historische Analyse des spezifisch Modernen und die Erweiterung des Blickes auf die natürlichen Möglichkeiten erlauben uns außerdem, der Moderne, und insbesondere den großen Modernen, Gerechtigkeit widerfahren zu lassen. Ich beschränke mich auf ein einziges Beispiel. Nur die Verbindung beider Elemente erlaubt uns, die philosophischen Protagonisten des modernen Projektes als die wirkungsmächtigen Gründerväter, Wegbereiter oder Beschleuniger der Moderne zu sehen, als die sie sich historisch erwiesen haben, ohne deshalb außer acht zu lassen, was sie *zuerst* waren und was sie für uns noch immer sein *können*. Die berühmte *Querelle des Anciens et des Modernes* verdient unsere ungeteilte Aufmerksamkeit.[7] Wir müssen die Positionen, die in ihr zusammentreffen, so scharf gegeneinanderhalten und so gründlich prüfen, wie wir es

---

7 Ihre bedeutendste philosophische Wiederaufnahme hat die *Querelle* in diesem Jahrhundert zwischen Leo Strauss und Alexandre Kojève erlebt. Was auf den ersten Blick als ein Disput über die angemessene Interpretation von Xenophons *Hieron* erscheint (Leo Strauss: *On Tyranny*. New York 1948; frz. Ausgabe *De la tyrannie*. Paris 1954, darin S. 217–280 Kojèves *Tyrannie et Sagesse* und S. 283–344 die Antwort von Strauss; das englische Original von Strauss' Erwiderung ist mit der Übersetzung von Kojèves Beitrag wiederveröffentlicht in *On Tyranny. Revised and Enlarged*. Glencoe, Ill. 1963), ist tatsächlich der eindringlichste öffentliche Dialog zweier Philosophen über das Verhältnis von Philosophie und Politik und über das Ende der Geschichte. Kojève vertritt darin, wie zuvor in der *Introduction à la lecture de Hegel* (Paris 1947), die Position der geschichtlichen Vollendung der Weisheit: Die Geschichte erreicht ihr Ende im homogenen Weltstaat, in dem das Streben nach universeller Anerkennung seine Erfüllung findet. Der homogene Weltstaat setzt der Politik und *damit auch* der Philosophie ein Ende. »En fait, la fin du Temps humain ou de l'Histoire, c'est-à-dire l'anéantissement définitif de l'Homme proprement dit ou de l'Individu libre et histo-

vermögen. Aber wir sollten, wenn wir von »den Modernen« und »den Alten« sprechen, niemals vergessen – oder was ebensoviel besagt: als »Selbstverständlichkeit« unbedacht lassen –, daß Descartes und die Vorsokratiker, Platon und Nietzsche, Hegel und Aristoteles ungleich mehr miteinander verbindet, als sie jeweils mit der großen Mehrzahl ihrer modernen oder antiken Zeitgenossen gemeinsam haben. Schließlich: Wir müssen die einzelnen Schritte der modernen Entwicklung verfolgen und den geschichtlichen Konsequenzen der großen Weichenstellungen nachgehen. Solange wir indes die mittlere Linie der »Wirkungsgeschichte« nicht überschreiten und über die »historische Verortung« der philosophischen Weichensteller der Moderne nicht radikal hinausfragen, nehmen wir uns selbst die Möglichkeit, uns von ihnen anders denn historisch oder modern belehren zu lassen. Wenn wir bei der Frage nach ihrem kreativen, individuellen oder geschichtlichen Beitrag zur Moderne stehen bleiben, werden wir ihrer Individualität nicht gerecht. Nur wenn wir uns ganz auf sie einlassen und uns ihrem Wahrheitsanspruch stellen, können wir zu dem vorstoßen, was tiefer reicht als ihre Kreativität und was über die Moderne hinausragt.

---

rique, signifie tout simplement la cessation de l'Action au sens fort du terme. Ce qui veut dire pratiquement: – la disparition des guerres et des révolutions sanglantes. Et encore la disparition de la *Philosophie*; car l'Homme ne changeant plus essentiellement lui-même, il n'y a plus de raison de changer les principes (vrais) qui sont à la base de sa connaissance du Monde et de soi. Mais tout le reste peut se maintenir indéfiniment; l'art, l'amour, le jeu, etc., etc.; bref, tout ce qui rend l'Homme *heureux*« (*Introduction*, S. 435; cf. dazu *Note de la Seconde Edition*, S. 436–437). Strauss hält dem Freund entgegen: »›There is no longer fight nor work; History is completed; there is nothing more to *do*‹: man is at last free from all drudgery and for the highest and most divine activity, for the contemplation of the unchangeable truth (Kojève, *op. cit.* p. 385). But if the final state is to satisfy the deepest longing of the human soul, every human being must be capable of becoming wise. The most relevant difference among human beings must have practically disappeared. We understand now why Kojève is so anxious to refute the classical view according to which only a minority of men are capable of the quest for wisdom... The classics thought that, owing to the weakness or dependence of human nature, universal happiness is impossible, and therefore they did not dream of a fulfillment of History and hence not of a meaning of History« (*On Tyranny*, S. 224 f.).

DANIEL BELL

Zur Auflösung der Widersprüche von Modernität und Modernismus: Das Beispiel Amerikas

I

Die Jahre der Moderne – jene Periode, die schlagartig mit der Französischen Revolution und der Überzeugung einsetzte, daß eine Menschheitsreligion an die Stelle der traditionellen Glaubensvorstellungen treten würde; der Glaube an einen unbegrenzten Fortschritt der materiellen Errungenschaften des Menschen und an die Ausbreitung, wenn nicht an die Vorherrschaft der Rationalität; die schöpferische Periode eines kulturellen Modernismus, der die geordneten Wahrnehmungen von Raum und Zeit sprengte und eine Syntax der disjunktiven Formen einführte – das alles nähert sich dem Ende. Die Russische und die Chinesische Revolution, die ihre Anhänger noch für die Erfüllung der Französischen Revolution hielten, werden heute als unerhört gewaltsame Anstrengungen rücksichtsloser Führer gesehen, »rückständige« Agrarländer in »historische Nationen« zu verwandeln. Die säkularen Ideologien klingen heute hohl. Die Technik als Motor des Fortschritts wurde aufgrund der Befürchtungen jener, die ihre Übertreibungen betonen und ihr Übermaß herausstreichen, dämonisiert. Aus der Experimentierlust der Avantgarden wurde eine triviale Abfolge einander ablösender Moden. Es scheint, als seien alle Hoffnungen betrogen worden. Die Eule der Minerva, die einst bei Einbruch der Dämmerung ihren Flug begann, hat ihre Flügel eingeschlagen, weil die Geschichte keine eindeutige Richtung mehr hat und sie nicht weiß, was sie uns sagen soll. Wir stehen wieder allein und müssen selbst unseren Weg finden. Welche Kräfte haben uns dorthin gebracht, wo wir heute stehen? Gibt es in dem Schwall der Worte, die uns umschwirren,

Trittsteine, die uns auf festeren Boden bringen können? Was bedeuten *Moderne, Modernität, Modernismus* (in seiner ästhetischen und katholischen Spielart), *Modernisierung, Postmoderne* oder gar (Klio stehe mir bei) *Prä-Postmoderne*, jener Imperfekt-Übergang zur neuen Grammatik des Diskurses?

Man kann zunächst fragen, wann und in welcher Weise das hervortrat, was wir »die Moderne« nennen. Historisch kann man sie mit dem Ausgang des Mittelalters beginnen lassen, mit dem Aufstieg dessen, was Benjamin Nelson als neue »Bewußtseinsstrukturen« bezeichnet hat, mit der kritischen Logik der Kasuistik und des Gewissens, in der sich trotz der Fortgeltung der Dogmen die individuelle Interpretation anmeldet. Für Jacob Burckhardt beginnt die Moderne natürlich in der Renaissance, in der man die Einzigartigkeit, die Originalität betont und seinen Namen in Stein hauen läßt; doch Burckhardt ging es mehr um den Künstler und die *condottieri*, um den Willensakt und nicht um die Institution. Ästhetisch kann man die Moderne mit dem Aufstieg des Museums beginnen lassen, das Werke der Kultur ihren angestammten Plätzen entreißt und sie in einem neuen Kontext des Synkretismus zeigt, der die Geschichte durcheinanderbringt und das Bewußtsein verwirrt; so kann man die Moderne beginnen lassen mit Napoleon, der Ägypten und Europa ausplünderte, um den Louvre mit seinen Trophäen zu füllen – freilich haben Imperatoren immer ihre Macht dadurch zur Schau gestellt, daß sie ihre Köpfe auf Münzen und ihre Stiefel auf Kultur setzten. Und wenn man meint, der Prüfstein des Verstandes sei epistemologischer (und nicht poetischer) Natur, müßte man die Schöpfung bei Kant und seiner aktiven Erkenntnistheorie beginnen lassen, die sich von den kontemplativen Theorien des Altertums (und noch Descartes') welche die Erkenntnis aus vorgefundenen Formen ableiteten, abhebt; so heißt es bei Kant in den *Prolegomena*: »Der Verstand schöpft seine Gesetze (a priori) nicht aus der Natur, sondern schreibt sie dieser vor« – ein Theorem, das in der modernen Kunst wie auch in der Politik befolgt wird.[1]

Was in all diesen unterschiedlichen Beispielen die Moderne auszeichnet, ist offensichtlich ein Gefühl der Offenheit für den Wandel, der Loslösung von Ort und Zeit, der sozialen und geographischen Mobilität und eine nicht selten eifernde Bereitschaft, das Neue auch auf Kosten der Tradition und der Vergangenheit zu begrüßen. Es ist die Behauptung, daß Ziele oder Zwecke nicht »in der Natur« gegeben sind, daß der Einzelne und seine Selbstverwirklichung der neue Urteilsmaßstab ist und daß man zur Erreichung dieser Ziele sich selbst und die Gesellschaft verändern kann. Hatte die Revolution zuvor die Bedeutung eines *ricorso* in einem endlosen Kreislauf, so bedeutet sie jetzt einen Bruch mit dem sich drehenden Rad, und sie wird zu einer Triebkraft, alte Welten zu zerstören und neue zu erschaffen.

Dies gibt uns jedoch noch kein »Ordnungsprinzip«, mit dessen Hilfe wir diese Veränderungen fassen und uns über die oben erwähnten Begriffe Klarheit verschaffen können. Ich möchte zwei Prinzipien voranstellen, eines metaphysischer, das andere soziologischer Natur.

Unter metaphysischem Aspekt bedeutet Modernität die Abwendung von Gott und der Natur, jenen beiden Achsen des christlichen und des klassischen Denkens, und die Hinwendung zur Geschichte als dem Streben nach der Selbstverwirklichung des Menschen. Sie bedeutet den Übergang vom natürlichen Gesetz, welches das Göttliche und das Menschliche in einem Prinzip zu vereinen suchte, zur Philosophie der Geschichte als der Grundlage des Urteils.

Philosophie war einst die Suche nach dem Aufbau der Natur. Der Ausdruck »Philosophie der Geschichte« wäre für die Alten ein Widerspruch in sich gewesen, galt Philosophie doch als der Bereich des Zeitlosen, während die Geschichte jener Bereich war, in dem Kronos sich entfaltete. Es bedurfte eines Voltaire mit seiner Vorliebe für Paradoxe, um den Ausdruck zu erfinden, und Hegels, um die Logik der Geschichtsphilosophie zu entwickeln, die frühere Weisen, die unvollendete Existenz des Menschen in dieser Welt zu betrachten, ersetzte. Die Differenz lag in der Aussage Hegels, daß man den Sinn jetzt *in* der Geschichte suchen müsse, als Teil des menschlichen Prozesses der Entfaltung der Vernunft, während es in der Theologie Augustins die Vorsehung gewesen war, die der Geschichte ihren Sinn *vor*gegeben hatte. Damit war die Geschichte zum Schicksal geworden: Die Weltgeschichte ist das Gericht der Weltvernunft. Da das Urteil erst gefällt werden kann, wenn die Geschichte vollendet ist, ist das natürliche Gesetz, ja selbst die Religion kein angemessener Maßstab für Moral und Recht. Erst nach dem Ende der Geschichte (und dem Ende der Kunst als einem unvollkommenen Streben nach einer ästhetischen Ordnung) wird die Philosophie als die Verwirklichung der vervollkommneten Form, durch keinerlei Interessen oder Leidenschaften entstellt, zu sich selbst kommen.

Das Genie Hegels trieb – darin liegt die List der Philosophie – das Prinzip der Transzendenz auf die Spitze und fügte das scheinbar Inkommensurable, den *absoluten Historismus* und den *historischen Relativismus*, zu einem System zusammen. Der absolute Historismus war das *telos* der Geschichte, der Fixpunkt am Ende einer Geschichte, an dem die zahlreichen Dualismen, in die das menschliche Leben zerfallen war, versöhnt sein würden. Der historische Relativismus erklärte den zeitlichen Wandel von Gesellschaften und Völkern und gab dessen Gründe an. Er ist ein schlagender Beleg dafür, daß man mit der Dialektik alles beweisen kann, und das eine haben kann, ohne das andere zu lassen.

Dies alles war möglich, weil Hegel, so paradox es klingt, der letzte der Alten und erste der Modernen war. Er war der letzte der Alten, weil er an ein *telos* glaubte, an die »Verwirklichung« eines Zwecks, von dem man einst geglaubt hatte, er sei der Natur immanent, der nun aber in der Geschichte gefunden werden sollte. Er war der erste der Modernen, weil er begriffen hatte, daß, wenn die Geschichte erst einmal von der Natur (oder von Gott) abgelöst war, der Geist des Menschen, der in sich selbst keine Grenze findet, der Wissensdrang eines Faust, der Impuls, alle Schranken – der Moral, des Gesetzes, der Religion – zu überwinden, zum Kainsmal auf der Stirn der Moderne werden würde.[2]

Das zweite Ordnungsprinzip im Wirrwarr der Modernität ist der Übergang vom natürlichen Gesetz zur Naturgeschichte. Das beginnt nicht mit Vico, von dem die Idee eines *ricorso*, eines metaphysischen Zusammenhangs, stammt, sondern mit

Montesquieu und dem *Geist der Gesetze*. Um Moral und Philosophie zu verstehen, müsse man, so Montesquieu, die Variabilität der Gesellschaften und deren jeweiligen »Geist« oder Charakter verstehen. Vieles forme die Menschen: das Klima, die Religion, die Vorbilder der Vergangenheit, die Sitten und eine Vielzahl weiterer Faktoren. Im Zusammenwirken derartiger Faktoren entstehen die Gesellschaften als Ergebnis einer natürlichen (d. h. für Montesquieu historischen) Entwicklung, die man sinnvoll nur begreifen kann, wenn man weiß, wie diese Faktoren zusammengewirkt und die spezifische Form der jeweiligen Gesellschaft geprägt haben. Gesetze, die ein politisches Regime erläßt, müßten, wenn sie dauerhafte Geltung bekommen sollen, am spezifischen »Geist«, d. h. am Charakter der jeweiligen Gesellschaft anknüpfen. Ohne diese Einsicht seien die Gesetze zum Scheitern verurteilt.[3] Mit Montesquieu trat die Soziologie unter den Fittichen der Philosophie hervor und rückte in den Mittelpunkt der historischen Bühne.

Die auf die Vorderbühne gerückte Soziologie vertrat eine Sichtweise, die zum Denken des Altertums und des Mittelalters – zu den Weisen, die Welt zu betrachten, zu der Art, wie die Menschen ihr Leben zu rechtfertigen suchten, und zu ihrem Verständnis der menschlichen Natur – in völligem Widerspruch stand. Diese Sichtweise läßt sich durch eine Reihe von Behauptungen charakterisieren, die, wenn man sie zusammennimmt, einen enormen Bewußtseinswandel anzeigen, eine bestimmte Sicht von gesellschaftlicher Ordnung und Freiheit, die, in einem eng begrenzten Teil der westlichen Welt entstanden, in den folgenden zweihundert Jahren im wirtschaftlichen und politischen Bereich die ganze übrige Welt eroberte. Wollte man sie in einen einzigen Ausdruck fassen, müßte man sie mit *Modernität* bezeichnen, obwohl dieser Ausdruck mehr eine Einstellung, eine Haltung charakterisiert und nichts über institutionelle Strukturen sagt. Doch vielleicht geben die folgenden fünf Dimensionen eine nähere Bestimmung:

   1. Die Gesellschaft ist keine natürliche, durch ein *telos* definierte Ordnung, sondern ein Gesellschaftsvertrag; die primäre Einheit der Gesellschaft ist nicht die Polis oder die Gemein-

schaft, sondern das Individuum, und die (natürlichen und unveräußerlichen) Rechte des Individuums, nicht die einer verfaßten Körperschaft, werden zur Grundlage der politischen Ordnung. Die neuen Fragen der politischen Philosophie sind dementsprechend die Formen der Konsensfindung: Welche Rechte dürfen aufgegeben werden und welche nicht? Wie ist die Freiheit negativ und positiv abzugrenzen? Wo liegen die Grenzen des Öffentlichen und des Privaten? Diese Fragen wurden von Hobbes und Locke, Bentham und Mill, Isaiah Berlin und John Rawls erörtert, und sie sind heute noch die zentralen Probleme des Liberalismus in einer kollektiven Welt.

2. Das gesellschaftliche Leben wurde verstanden als eine Bewegung von der Natur zur Kultur, in der die menschliche Natur zu einer »zweiten Natur« wurde, die sich einer ursprünglichen menschlichen Natur überlagerte. Das gesellschaftliche Leben war demnach etwas Künstliches, zusammengesetzt aus zahlreichen Rollen (vielfach Lastern), so daß es schwierig wird, das wahre oder »authentische« Selbst zu definieren. Für Rousseau (wie später für Freud) bedeutete das gesellschaftliche Leben einen Verlust an »natürlicher Freiheit« im Dienste der Zivilisation. Für Diderot gab es – in *Rameaus Neffe* – das Dilemma des gespaltenen Selbst, der zwei Stimmen in ein und demselben Menschen, ein Thema, das Hegel in der *Phänomenologie* (auf der Grundlage von Goethes Übersetzung des postumen Werkes Diderots) in dem eindrucksvollen Abschnitt über den »sich entfremdeten Geist« entwickelte, die *angoisse* des entfremdeten Bewußtseins, das – wenn schon nicht mehr in der Religion, so doch in der Kunst – Wiederversöhnung oder Einheit anstrebt.

3. Die Kritik der Religion als eines Schleiers, der den Menschen daran hindert, sich selbst zu verstehen. Für alle Denker der Aufklärung von Voltaire bis Marx war die Religion ein Aberglaube, ein Überbleibsel aus der Kindheit des Menschengeschlechts, das verschwinden würde, wenn die gereifte Menschheit die Welt nicht mehr undeutlich, sondern klar erkennen würde. Es war gewissermaßen kein Zufall, daß die Religionskritik die Grundlage der Gesellschaftskritik war und daß umgekehrt in den Erwiderungen von de Maistre und Bonald die Religion als der notwendige Schutz vor den Tendenzen des

Menschen zur Anarchie und zur Selbstvergötzung verteidigt wurde. In der radikalen Gesellschaftskritik wich dann die Theologie der Anthropologie, und die Bemühungen des Menschen, die Welt umzugestalten, dem Versuch, den Himmel auf Erden zu verwirklichen. Die Religionskritik, die Entmystifizierung der Heiligen Schrift war so der Ausgangspunkt *der* Ideologie, und das Bemühen, die Welt zu verändern, die Ersetzung der Religion *durch* Ideologie.

4. Die Autonomie der Bereiche. Ethik und Politik, Recht und Moral, die im klassischen Denken eine Einheit bilden, treten im modernen Denken auseinander. So ist die Wirtschaft nicht länger traditionellen oder moralischen Geboten (z. B. dem »gerechten Preis«) unterworfen, sondern ein autonomes, eigenen Gesetzen unterworfenes Geschehen innerhalb eines in sich geschlossenen Bereichs, und die Wirtschaftswissenschaft wird zu einer Reihe in sich geschlossener, von den Institutionen abgelöster Gleichungen. Innerhalb der Kultur löst sich das Ästhetische vom Moralischen, und das Bestreben, zu experimentieren und das Neue bis in alle Einzelheiten zu erkunden, kennt keine Grenzen, das Sinnliche und das Schockierende unterliegt keinerlei Einschränkungen, es gibt »nichts Heiliges«. Im politischen Gemeinwesen ist das Recht unabhängig von der Moral: Es ist rein formales Verfahrensrecht, das die Spielregeln festlegt, nach denen die Individuen frei aushandeln können, wie sie sich einigen wollen, und so wird im wirtschaftlichen Verkehr wie im Sexualverhalten die Moral zur Privatsache. Angesichts dieser Trennung der Bereiche gibt es nicht länger einen einzelnen moralischen oder religiösen Kodex, aus dem alle Urteile fließen. Entsprechend wird die Idee eines natürlichen Gesetzes wie die natürliche Ordnung als sinnlos verworfen.

5. Die Wandelbarkeit der menschlichen Natur. An die Stelle der klassischen Idee einer allgemein-menschlichen Natur, die bestimmt ist durch eine Reihe von Konstanten oder von menschlichen Universalien, tritt der Glaube an eine durch Geschichte oder Kultur bestimmte Wandlungsfähigkeit. Für Marx war der Mensch weniger durch sein Gattungswesen als durch die Geschichte bestimmt, eine Geschichte, die in der Entfal-

tung der durch *techne* erworbenen Fähigkeiten des Menschen besteht. Mit dem Erwerb neuer Fähigkeiten entdeckt der Mensch zugleich neue Horizonte, neue Bedürfnisse und Wünsche, und dadurch verändert er sich. Für die anthropologische Theorie ist der Mensch nicht so sehr von der Biologie als vielmehr von Kultur und Umwelt abhängig, so daß es außer den elementaren Merkmalen des Nahrungs- und des Fortpflanzungstriebes keine *essentiellen* Merkmale gibt, die den Menschen definieren. Nur zu oft hat die Anthropologie allerdings wandelbare *Praktiken* mit der menschlichen Natur gleichgesetzt, und wenn man den darin zum Ausdruck kommenden Historismus und kulturellen Relativismus akzeptiert, stehen wir vor dem Problem, wie wir die Vergangenheit und Menschen aus anderen Kulturen in bezug auf *uns selbst* verstehen können, sofern ein solches Verstehen überhaupt möglich ist. Mit der Ablehnung der Biologie und der Vergangenheit kam eine neue psychologische Sicht des »modernen Menschen« auf, die zur Folge hatte, daß dieser neue Mensch auf die Frage: »Wer bist du?« nicht, wie in der traditionellen Gesellschaft, antwortet: »Ich bin der Sohn meines Vaters« (und damit die Kontinuität der Generationen betont), sondern: »Ich bin ich«, ein Quasi-Palindrom, das den selbstbezüglichen Charakter der modernen Persönlichkeit unterstreicht.

Bisher habe ich von der Modernität als dem großen, proteusartigen und diffusen Bewußtseinswandel gesprochen, der auf ein einziges Thema hinausläuft: die Ablehnung einer geoffenbarten oder natürlichen Ordnung und die Einsetzung des Individuums, des Ichs, des Selbst als Leitstern des Bewußtseins.

Was wir hier vor uns haben, ist merkwürdigerweise die gesellschaftliche Umkehrung der Kopernikanischen Revolution: Während unser Planet nicht länger den Mittelpunkt des physischen Universums bildet und unsere irdische Heimat in den Horizonten der Natur zusammenschrumpft, besteigt das Ich/Selbst den Thron als Mittelpunkt des moralischen Universums und macht sich zum Schiedsrichter über alle Entscheidungen. An der moralischen Autorität des Selbst besteht kein Zweifel, sie wird einfach als »gegeben« angenommen. Die einzige Frage ist, worin die Erfüllung des Selbst besteht: in endlosem Vergnügen, wie im Reigen des Don Juan, in der Anhäufung materieller Reichtümer oder in der persönlichen Entscheidung über den moralischen Lebenswandel, beispielsweise in der gegen eine »öffentliche« Moral oder gegen die »natürlichen« Gesetze getroffenen Entscheidung für die Abtreibung. Kurz, das Prinzip der Modernität fordert zwar Autonomie für jeden Bereich, es durchsetzt aber die Kultur, die Wirtschaft und die Politik und verwandelt sie im Namen des einen, gebieterischen Impulses, der hinter seinem in sich selbst keine Grenze findenden Streben steht. Wenn wir die Modernität verstehen wollen, müssen wir also diesem Impuls auch in diesen drei Bereichen, und sei es nur schematisch, nachgehen.

Im Kulturbereich trägt dieser Impuls den Namen »Modernismus«. Modernismus bedeutet, verkürzt gesagt, Ablehnung des Klassizismus: der Ordnung, der Symmetrie, der Proportion; des Realismus; der »Korrespondenztheorie der Wahrheit«, die eine exakte Beziehung zwischen Zeichen und Objekt unterstellt. Er bedeutet die Hinwendung zu einer pragmatischen Theorie, nach der Interpretation und Bedeutung vom Sprachgebrauch und vom Experiment abhängen. Es ist sozusagen kein Zufall, daß der Wandel in der Kultur seine Parallele findet in der Philosophie, in der Peirce auf die Mehrdeutigkeit der Zeichen hinwies und William James die Welt als einen momentan in verschiedenen Begriffssystemen festgehaltenen Wahrnehmungsfluß sah, eine Vorwegnahme der Vielfalt in der Malerei, etwa im Kubismus, und des Bewußtseinsstroms im Roman. Die Darstellung, ja schon die bloße Bezugnahme wird im Modernismus zu etwas Untergeordnetem oder sie wird ganz eliminiert. Die Objekte sind Dinge an sich. Mallarmé erklärte, eine Rose in einem Gedicht beziehe sich nicht auf eine Rose, sondern sei ein eigenständiges »Farbwort«, und Magritte erklärte später in einer Bildunterschrift: »Dies ist keine Pfeife« (was ja auch stimmt, denn es ist ein Abbild oder ein Wahrnehmungsreiz); beide proklamierten damit die Autonomie des Wortes beziehungsweise des Zeichens als Signifikant und Signifikat.

Wenn es für diesen Wechsel vom Kontemplativen und Gebundenen zur Moderne eine einzige Achse gibt, dann ist es die

Abschaffung der *Mimesis*, die Zerschlagung des Spiegels der Natur, insbesondere in der Kunst. Das Geschehen folgte weitgehend dem, was die englische Vorsilbe *re* beschreibt, der Fähigkeit des Künstlers, wie John Dewey in *Art as Experience* gesagt hat, das *re* zu diktieren: Die Neuanordnung (*re*-arrangement) der Formen, die Umorientierung (*re*-orientation) des Blicks, den Neuentwurf (*re*-design) von Objekten; ganz allgemein folgte es aus dem Bemühen von Reformern und Revolutionären, die Gesellschaft und das Selbst um- und neuzugestalten (*re*-make). Die Kultur wird also »modern« durch den Übergang von der Außenwelt und einer Abbildtheorie der Erkenntnis zum subjektiven Standpunkt des Erkennenden und des Künstlers als dem Zentrum der Imagination.

Jede aufsteigende Bewegung hat ihre imperialistische Phase und ihre Hybris. Als Marcel Duchamp ein Urinal (ein »Pissoir«) nahm und es als ein ästhetisches Objekt bezeichnete, sprach er vom neuen Thron der Kunst. Das war teils als ein dadaistischer Scherz gemeint (noch ein Hohn auf die Bourgeoisie, die das Urinal sofort erwarb und es in ein Museum brachte), teils als ernste philosophische Frage danach, wodurch etwas zu einem ästhetischen Objekt wird: Liegt es am Charakter des Objekts selbst oder an der Entscheidung des Künstlers? Aber dies ist nur ein Aspekt des Problems, das noch eine andere, verhängnisvolle Dimension hat. Wenn der Ästhetizismus zur Ideologie wird und die Ideologie die Religion verdrängt, tritt der Künstler an die Stelle des Priesters und erklärt sich zum *Voyant* und Propheten.

Um die Jahrhundertwende wurde der Ästhetizismus zu einem Tempel und einem Kult (etwa bei Swinburne und Huysmans). Schließlich aber wurde er zu einer revolutionären Aufwallung und wollte die festgelegten Grenzen der Wahrnehmung und die alltägliche Routine des Lebens in Frage stellen. Der Futurismus eines Marinetti in Italien, eines Chlebnikow und Majakowskij in Rußland und der Vortizismus eines Wyndham Lewis in England betonten auf der formalen Ebene der Kunst die Veränderung und die Bewegung, die Vielfalt und die Montage, die Einheit der Kinesis in dem Durcheinander auf einer Filmleinwand. Wenn aber eine solche Kunst sich ins Leben ergießt, dann vergießt sie auch Blut. Was sie anbot, war ein übelriechendes Gemisch aus Technik und biologischem Vitalismus, war ein (wie es bei Wyndham Lewis heißt) »animalisches Bewußtsein«, das durch Maschinenmetaphern (und Maschinengewehre) in ein destruktives Bewußtsein verwandelt wurde, welches sich selbst als schöpferisch feierte.

Das alles begann als Verherrlichung des Theatralischen, ist doch für Marinetti (wie für Majakowskij) »alles, was von Wert ist, theatralisch«, eine Pose der großen Geste und der Deklamation. In Italien wollte man den Krieger und den Künstler miteinander verschmelzen, um die durch den modernen Rationalismus hervorgerufene Spaltung zwischen Denken und Handeln aufzuheben. D'Annunzio benutzte die *arditi*, die *jeunesse dorée* Italiens, um als eine Form des politischen Dramas Fiume zu erobern. Und in Deutschland war es der »Triumph des Willens« mit seinem martialischen Marschrhythmus, der den expressionistischen Dichter Gottfried Benn und den völkischen Philosophen Martin Heidegger für den Nationalsozialismus einnahm, als eine Möglichkeit, Verachtung gegenüber den Fadheiten des bourgeoisen Lebens auszudrücken. (Kann man, auch wenn es vielleicht zu einfach ist, sagen, daß so, wie der Marxismus eine Verknüpfung von Wirtschaft und Politik, der Faschismus eine Verbindung von Kultur und Politik ist?)

So bringt Modernität in reinster Form die Extreme des Modernismus in der Kultur hervor, doch offenbaren Extreme, wenn auch vergröbert, oft ein wesentliches Merkmal. Wie in der Ästhetik, so in der Wirtschaft. Dort spricht man von *Kapitalismus*. Mit welchen Worten wird die moderne kapitalistische Wirtschaftsweise gekennzeichnet? Akkumulation, Optimierung, Maximierung, höchster Kapitalertrag und andere Ausdrücke bezeichnen den Impuls, die Fesseln des Traditionalismus (die zurückgehende Angebotskurve der Arbeitskraft) zu sprengen und im unablässigen Streben nach »Erneuerung« Arbeit, Produkte und Märkte »neu zu ordnen« (»*re*-order«).

Ist es (wiederum?) ein Zufall, daß Keynes von den »animalischen Geistern« sprach, die den Unternehmer, den Financier und den Spekulanten antreiben zu dem, was Schumpeter die

»schöpferische Zerstörung« der traditionellen Welt genannt hat? Max Weber hat das Nüchterne, das Praktische, das Methodische, die rationale (und einengende) Organisation des kapitalistischen Alltagsbetriebes betont, und während wir in seinem Bann standen, haben wir die anderen Wurzeln übersehen, die Werner Sombart aufdeckte, nämlich die Abenteurer und großen Freibeuter des Handels und des Bergbaus (wie etwa Cecil Rhodes), die die Naturschätze der Welt ausgeplündert haben, und die skrupellosen Kapitalisten, die die Eisenbahnen und die Wolkenkratzer der modernen Ära errichteten (Männer, die in der Prosa und der Philosophie von Ayn Rand ihre Apotheose erfuhren).

In der Politik lautet das Wort für Modernität *Liberalismus*. Im klassischen Denken ist (zumindest unter normativem Aspekt) das Politische zugleich das Gesellschaftliche, und die *polis* ist das dem Individuum übergeordnete gemeinsame Band. In der Neudefinition der Polis, die man im bürgerlichen Humanismus der Renaissance findet, ist die republikanische Tugend das normative Ideal, und in der Bestimmung des Gemeinwohls hat die *civitas* den Vorrang.

Doch der moderne Mensch ist, wie Rousseau so scharfsinnig darlegte, sowohl *bourgeois* als auch *citoyen*, von seinem Eigennutz angetrieben und dennoch dem Gemeinwesen verantwortlich. Liberalismus in seiner frühmodernen Form ist das Bestreben, das Politische einzugrenzen, das Gesellschaftliche vom Politischen zu trennen, den privaten Bereich zu fördern und den öffentlichen zurückzudrängen. Doch der Liberalismus geriet zwischen die einander widerstreitenden Ansprüche von Wirtschaft und Moral. Dort, wo die Wirtschaft sich ungehemmt entfaltet hatte, führte der Liberalismus (in dieser Hinsicht eine Form von Sozialdemokratie) gegen private Wirtschaftsmacht das »öffentliche Interesse« ins Feld und erhob moralische Forderungen nach gesetzlicher Regulierung. Zugleich hat er im Bereich des Moralverhaltens (besonders in den persönlichen und sexuellen Beziehungen) Übergriffe der öffentlichen Moral in den Privatbereich zu beschränken gesucht und auf der uneingeschränkten Freiheit der persönlichen Entscheidung in Fragen der Lebensweise bestanden. Wegen dieses

Dilemmas war der Liberalismus außerstande, eine schlüssige Philosophie der moralischen Pflicht und der klaren Abgrenzung zwischen dem öffentlichen und dem privaten Wohl zu formulieren.

Ich habe hier drei Bereiche durchleuchtet, doch gibt es, wie schon angedeutet, ein verbindendes Thema: das Verlangen nach *Autonomie*. Und darin liegen die Gründe für die heutige Krise, denn die Forderungen nach Autonomie sind gleichbedeutend mit der Forderung, Zwecke verfolgen zu dürfen, die sich aus der Eigenart des jeweiligen Bereichs herleiten: traditionelle moralische Schranken im Namen der Ästhetik zu überschreiten; wirtschaftliche Zwecke dadurch zu verfolgen, daß man das Alte zerstört – Gebäude, Denkmäler, sogar Friedhöfe, wenn sie einem maximalen Profit im Wege stehen; schließlich um seiner persönlichen Verwirklichung und der eigenen Vorlieben willen die Idee einer öffentlichen Moral zu leugnen.

Gibt es in all diesen Bereichen keine Grenzen für die Bestrebungen und die Autonomie? Und wenn es sie gibt, wo werden sie gezogen und von wem? Falls wir gewisse Forderungen der Tradition anerkennen, wie soll ihnen wieder Geltung verschafft werden (»*re*-established« – hier hat die Verwendung der Vorsilbe *re*, wie ich gestehe, etwas Ironisches)? Und falls wir die Forderungen der Religion und die Konzeptionen des natürlichen Gesetzes weiterhin unzureichend finden – liefert uns etwa die Moralphilosophie eine Grundlage für eine neue Konzeption der *polis* und des öffentlichen Wohls?

II

Um von der soziologischen Verallgemeinerung zur historischen Besonderheit zu kommen, gehe ich nun auf die Vereinigten Staaten und die Brüche in ihrer Geschichte ein, auf die Spannungen zwischen wirtschaftlicher Modernität und kulturellem Modernismus und auf die Widersprüche innerhalb der Modernität selbst, wie sie in der Geschichte des amerikanischen Gemeinwesens deutlich werden.

Vielen Autoren galten die Vereinigten Staaten stets als Verkörperung der Modernität, als »das Land der Zukunft... ein Land der Sehnsucht für alle die, welche die historische Rüstkammer des alten Europa langweilt«, wie es bei Hegel heißt. Doch in der Einleitung zu seinen Vorlesungen über die Philosophie der Geschichte sagte Hegel auch, Amerika sei bisher nur ein Traum, und um der Geschichte des Begriffs nachzugehen, griff er zurück auf »die Alte Welt – den Schauplatz der Weltgeschichte«. Heute müssen wir, wenn es uns um das geht, was *ist* (auch wenn es nicht rational ist), uns für die Vereinigten Staaten interessieren, mag es auch im näherrückenden 21. Jahrhundert zu einer großen historischen Verlagerung der wirtschaftlichen Macht in die Randgebiete des Pazifiks kommen und Klio dann im Gewande eines Samurai auftreten. Sollte es dazu kommen, könnte weit mehr auf dem Spiel stehen, denn das könnte bedeuten, daß die Weltgeschichte, deren Herzstück während der letzten 2500 Jahre die eurozentrischen Zivilisationen ausgemacht haben, einen neuen kulturellen Angelpunkt findet.

Doch ramponiert und verschlissen, wie es ist, bleibt dieses Jahrhundert das amerikanische Jahrhundert, wie die Historiker werden zugeben müssen, auch wenn aus den Träumen derer, die einst diese Idee entwarfen, ein Alptraum geworden ist. Die Vereinigten Staaten sind noch immer die militärisch und technisch führende Macht, und der Dollar ist noch immer das unsichere Fundament der Weltwirtschaft. Zudem sind die Vereinigten Staaten, ohne daß ich Paris und London zu nahe treten möchte, der kulturelle Marktplatz, wenn nicht das Kulturzentrum der Welt. Wenn nicht geradezu von einer Hegemonie gesprochen werden kann, so sind die Vereinigten Staaten doch noch immer die überragende Macht, unerreicht von der Sowjetunion. Sie sind, was noch wichtiger ist, zusammen mit dem Vereinigten Königreich eines der wenigen Länder der Welt, die institutionelle Stabilität schaffen konnten und seit zweihundert Jahren (mit Ausnahme des Bürgerkrieges) friedliche Wahlen und bürgerliche Ordnung gewährleistet haben. Dieses »Geheimnis« zu erklären, ist einer der wesentlichen Beiträge der Soziologie zur politischen Theorie.

Das Unterscheidungsmerkmal der Vereinigten Staaten, das während ihrer ganzen Geschichte ihre Stärke gewesen und jetzt möglicherweise zu ihrer Schwäche geworden ist, worin besteht es? Es besteht einfach darin, daß die Vereinigten Staaten die vollendete *bürgerliche Gesellschaft* waren, vielleicht die einzige in der politischen Geschichte. Für Hegel verkörperte England als eine bourgeoise Nation mit ihrer Eigennützigkeit und ihrem utilitaristischen Charakter die bürgerliche Gesellschaft. Doch Hegel hat zu Beginn des 19. Jahrhunderts (wie später Marx, der fast sein ganzes Leben als Erwachsener in England verbrachte) die Eigenart Englands nicht verstanden: die symbolische Bedeutung der Krone, die Stärke der Grundbesitzerklassen, das zentrale Gewicht einer Staatskirche, den Wunsch der Bourgeoisie oder ihrer Söhne, zur Gentry und zum Adel zu gehören, das Gewicht des Establishments und die Verlockung, die von Titeln und Ehren ausgeht – kurz, die Tatsache, daß in der englischen Gesellschaft die politische und wirtschaftliche Ordnung von einer ständischen Ordnung überlagert war. Die Manchester-Liberalen wie Cobden und Bright wollten *nicht* an die Macht, und zwar nicht nur (wie sie sagten) weil sie nichts vom Regieren verstanden; ihnen ging es vornehmlich um die Autonomie der Wirtschaftsordnung gegenüber dem Staat, um die Freiheit, sich ungehindert Handel, Gewerbe und Reichtum zu widmen. Im Unterschied zum Kolonialismus des 18. war der britische Imperialismus des ausgehenden 19. Jahrhunderts, wie Schumpeter überzeugend gezeigt hat, eine Verlängerung der mit der Finanz verbündeten Ständeordnung, ein Betätigungsfeld, das den durch das Erstgeburtsrecht benachteiligten »zweiten Söhnen« in der Armee und der Verwaltung in Übersee eine Stellung bot, sowie ein Mittel, um durch Betonung der Überlegenheit des Empire (und durch Glanz und Glorie) die gesetzten bürgerlichen Schichten bei der Stange zu halten.

Die Vereinigten Staaten waren von Anfang an eine Zurückweisung der alten Gesellschaftsordnung durch eine bunt zusammengewürfelte Klasse von *novi homines*, Vagabunden, Abenteurern, Sträflingen, enteigneten Edelleuten und andersgläubigen Protestanten, von den Quäkern bis hin zu den Puritanern, zu denen im folgenden Jahrhundert eine Flut von Einwanderern aus allen Ländern Europas kamen, von Italien im Süden bis nach Skandinavien im Norden. Sie waren eine offene Gesellschaft. Jedermann hatte die Möglichkeit, »etwas zu werden« und, so hoffte er, ein Vermögen zu erwerben. Marx hat die deutschen Radikalen immer wieder davor gewarnt, in die Vereinigten Staaten zu gehen, denn er sah voraus, daß – wie es bei Hermann Kriege, August Willich und Dutzenden anderer geschah – die demokratische Atmosphäre der Vereinigten Staaten und ihr grundlegender Egalitarismus die alten, aus Europa mitgebrachten sozialistischen Überzeugungen verdrängen würden.

Für Hegel – und das ist ein zentraler Ausgangspunkt – gab es in den Vereinigten Staaten keinen *Staat*, keinen einheitlichen, rationalen Willen, sondern nur den Eigennutz der Einzelnen und einen Drang nach Freiheit. In allen Ländern Europas – England machte teilweise eine Ausnahme – herrschte der Staat *über* die Gesellschaft, übte er, verstärkt durch eine Militärkaste und eine Bürokratie, eine geschlossene oder doch beinahe geschlossene Macht aus, und der Staat selbst war das einzige Zentrum der Macht. Revolution bedeutete, wie Marx und Engels erkannten, die Eroberung der *Staats*macht. Paradoxerweise haben die Vereinigten Staaten (vom Bürgerkrieg einmal ganz abgesehen) wahrscheinlich mehr gewaltsame innere Auseinandersetzungen, ja sogar Klassenkämpfe erlebt als die meisten Länder Europas, aber das waren keine Kämpfe um die Staatsmacht, sondern organisierte Aktionen, die sich, paradox genug, unterstützt von der Administration des New Deal, gegen die Macht der großen Konzerne richteten.

Wenn es keinen Staat gab, was gab es dann? Es gab, um eine semantische, aber dennoch reale Unterscheidung zu treffen, eine *Regierung*. Die Regierung war ein *politischer Marktplatz*, eine Arena, in der Interessen (nicht immer gleichberechtigt) miteinander rangen und in der Abkommen getroffen werden konnten. Zufällig, weil ungeplant (und ohne daß diese Vollmachten in der Verfassung vorgesehen gewesen wären), wurde das Oberste Bundesgericht zum letzten Schiedsrichter in Streitfällen und zum Mechanismus für die Anpassung von Regeln, die es dem politischen Marktplatz erlaubten, weiterhin entsprechend dem Zusatz zur Verfassung zu funktionieren, der dann wiederum vom Bundesgericht interpretiert wurde. Die Verfassung und das Bundesgericht wurden zum Fundament der bürgerlichen Gesellschaft.[5]

In der Unabhängigkeitserklärung kam ein tieferes philosophisches Thema zum Ausdruck, das Thema der *Rechte*, der unveräußerlichen, von der Natur verliehenen Rechte. Diese Rechte wohnten jedoch jedem einzelnen Menschen und nicht einer Gruppe inne, und das Gesetz hatte sie zu schützen, und es wurden Institutionen geschaffen, um sie zu verkörpern und zu schützen.[6] Die Verfassung der Vereinigten Staaten war ein *Gesellschaftsvertrag*, ursprünglich ein Vertrag zwischen den einzelnen Staaten, der aber im Laufe der Zeit umgedeutet wurde als ein Gesellschaftsvertrag zwischen der Regierung und dem Volk. Es ist vielleicht der einzige erfolgreiche Gesellschaftsvertrag, den wir aus der politischen Geschichte kennen, vielleicht deshalb, weil der Staat so schwach und oft nicht existent war.

Hinter diesem Vertrag stand eine bestimmte politische Kultur. In den ersten Jahren der Entstehung des Landes gab es ein Selbstbewußtsein, die erste *neue* Nation zu sein: nicht eine neue Gesellschaftsordnung, wie sie in der Französischen Revolution proklamiert wurde, sondern die Verwirklichung, wie es bei Jefferson heißt, eines Deismus, einer Konzeption, nach der Gott ein Handwerker ist, dessen Entwurf für ein freies Volk zum ersten Mal auf dem jungfräulichen und fruchtbaren Kontinent ausgeführt werden konnte; deshalb heißt es auch auf dem Großen Siegel der Vereinigten Staaten: *Novus Ordo Seclorum*, eine neue Ordnung der Zeitalter.[7] Daneben gab es einen starken republikanischen Akzent und ein bürgerliches (nicht staatliches) Bewußtsein der republikanischen Tugend, das auf dem Studium der Geschichte der römischen Republik und dem Wunsch aufbaute, die Degenerationskrankheiten – aus Zwietracht entstandener innerer Hader, Verwendung von Söldnern anstelle eines Bürgerheeres und eine despotische Machthäufung – zu vermeiden, die die Republiken der Vergangenheit gelähmt hatten. Dieses doppelte Bewußtsein ist erkennbar in den *Federalist Papers* mit ihren Anklängen an

Montesquieu und in den Schriften von John Adams, in denen er über Davila und die Revolution reflektiert.

Selbstbewußt hatten die Gründerväter der neuen Ordnung eine intellektuelle (und *intellektualistische*) Grundlage gegeben. Doch mit der Expansion des Landes und der Entwicklung politischer Parteien – diese hatten die Gründerväter weder vorhergesehen noch gar gewünscht – förderte die Konkurrenz auf dem politischen Markt jenen Egalitarismus und Populismus, der seit den dreißiger Jahren des vorigen Jahrhunderts die amerikanische Politik auszeichnet. Von manchen Autoren wird deshalb behauptet, die politische Struktur der Vereinigten Staaten habe sich von einer Republik zu einer Massendemokratie gewandelt. Wie ich später zeigen werde, stimmt das, aber nur in einer Hinsicht.

Tatsächlich hat es eine Verschiebung gegeben, weg vom Intellektualismus und vom Denken (vom Einfluß Lockes gewissermaßen) hin zur Empfindung und zur Emotion (eine eigentümliche Hinwendung zu Rousseau); während es nämlich für den Intellektualismus so etwas wie eine Hierarchie im Denken und Respekt vor der Bildung gibt, fördert die Empfindung den Egalitarismus und ein Gemeinschaftsgefühl unter allen Menschen. Das kam auch zum Ausdruck in einer Abwendung von der Geschichte und von Europa, in der Hinwendung zum Land selbst und der vorrückenden Grenze. Daneben veränderte sich die amerikanische Politik durch die Herrschaft des Geldes, den Aufstieg der Plutokratie und den umstandslosen Einsatz von Geld, mit dem man sich Politiker kaufte, Einfluß sicherte oder regelrecht Bestechung verübte.

Das Resultat dieser Veränderungen ist die seltsame Struktur der amerikanischen Innenpolitik, die von kaum einem Ausländer und selbst von vielen Amerikanern nicht verstanden wird. Die politische Ordnung Amerikas hat eine zweischichtige Struktur: Der Präsident wird in einem plebiszitären Referendum gewählt, bei dem die Person und nicht die Partei im Mittelpunkt der Identifikation und der Beurteilung steht, die *Leidenschaften* der Massen auf sich zieht, während der Kongreß von *Interessen* gewählt wird und für sie empfänglich ist, und das müssen heute nicht unbedingt die Kapitalinteressen sein.

Es ist kein Zufall, daß ein Land, das nie ein großes stehendes Heer besessen hat, von Washington bis Eisenhower so viele »Helden« oder Berühmtheiten, so viele Generäle zu Präsidenten gemacht hat, die zumeist nach einem Krieg gewählt wurden, weil man glaubte, sie stünden »über den Parteien«; in normalen Zeiten waren die Präsidenten dagegen farblose Neutren wie McKinley, Harding oder Coolidge. (Der einzige beglaubigte Intellektuelle im Präsidentenamt, Woodrow Wilson, ein Professor der Politischen Wissenschaft, der zuvor Präsident der Princeton-Universität gewesen war, wurde 1912 wegen einer Spaltung unter den Republikanern gewählt, der einzige Fall dieser Art in der amerikanischen Geschichte, und er wurde während des Krieges in Europa wiedergewählt, weil er versicherte, Amerika aus dem Krieg herauszuhalten.) Präsidenten aus der Zeit nach dem Zweiten Weltkrieg wie Truman, Nixon, Carter und Reagan gaben sich unverhüllt als Populisten, die gegen das Establishment antraten und sich in der Regel nicht auf ihre Partei festlegen ließen.

Die Wahlen zum Kongreß zeigen dagegen ein ganz anderes Bild. Verblüffend deutlich wird diese zweischichtige Struktur im Jahre 1984. Ronald Reagan, einer der populärsten Präsidenten der Geschichte, der alle Bundesstaaten mit einer Ausnahme (Walter Mondales Heimatstaat Minnesota) eroberte, siegte im Staate New Jersey mit einer Stimmenmehrheit von einer Million, doch der Demokrat Bill Bradley eroberte den Senatssitz in diesem Staat mit einer Mehrheit von einer Million Stimmen. Reagan gewann in Massachusetts mit einem Stimmenvorsprung von einer halben Million, doch der Demokrat John Kerry wurde gegen einen republikanischen Geschäftsmann, der sich vollständig mit Reagan identifizierte, mit einer Mehrheit von einer halben Million zum Senator gewählt. Seit dem Zweiten Weltkrieg wurden die Präsidenten überwiegend von den Republikanern gestellt, doch im Kongreß, besonders im Repräsentantenhaus, hatten zumeist die Demokraten die Mehrheit.

Die populistische Mentalität in der Politik hat auch die populäre Kultur (nicht die Kultur der modernen Massenmedien), die weitgehend eine religiöse Kultur war, beeinflußt. Protestantisch, pluralistisch und fundamentalistisch, war sie bei ihrer buchstäblichen Auslegung des Evangeliums zugleich antiintellektuell und antiinstitutionell. Natürlich gab es keine aristokratische Tradition und kein machtvolles künstlerisches Erbe: die Künste waren Handwerke, schlicht, einfach und nützlich. Die katholische Tradition, die in Europa in Theologie und Dogmatik eine feste intellektuelle Grundlage, in Litanei und Liturgie etwas Schönes und in Architektur und Bildhauerei eine Reihe von ausgeprägten Stilen, also insgesamt eine historische Hochkultur hervorbrachte, wurde in den Vereinigten Staaten verkörpert von der irischen Kirche, die überwiegend aus Einwanderern oder ungebildeten Emporkömmlingen bestand, und so fehlte ihr – wenn wir einmal von einem John Courtney Murray absehen – bis in die jüngste Zeit hinein das intellektuelle Gewicht, und sie hat zur amerikanischen Kultur wenig beigetragen.

Wir finden somit eine zutiefst individualistische und populistische Gesellschaft, deren Modernität geprägt ist von der offenen Weite der Geographie (eine Natur, die man leicht und ohne Gewissensbisse ausplündern konnte) und, in wirschaftlicher Hinsicht, von der Herrschaft des Geldes, wobei die Reichtümer jenen robusten Männern zufielen, die rücksichtslos ihre eigenen Ziele verfolgten. Beide Bereiche blieben vom Staat unbehelligt. Bemühungen um eine Sozialgesetzgebung und Regulierung hat das Bundesgericht – mit Ausnahme der Antitrust-Gesetze – von den 1870ern bis in die 1930er Jahre durchweg abgelehnt. Die Freiheit wurde grundsätzlich individualistisch-ökonomisch definiert. Das war der Konsens. Das war der Rahmen der bürgerlichen Gesellschaft.

III

Wie steht es mit der Kultur – wenn wir Kultur als eine Meditation über Sinn und Bedeutung oder als die Vermittlung zwischen dem Geschichtlichen und dem Transzendentalen oder zwischen Begriff und Erfahrung verstehen und nicht als eine Ware, die zur Unterhaltung und Zerstreuung oder als Objekt des demonstrativen Konsums produziert wird.

Die amerikanische Kultur, so wie sie sich im 18. und 19. Jahrhundert darstellte, war vorwiegend eine religiöse oder volkstümliche Kultur, wobei der Gegensatz am deutlichsten in den umgangssprachlichen Wendungen »high-brow« und »low-brow« von Van Wyck Brooks (1913) zum Ausdruck kommt. Inbegriff des seltenen »high-brow« war der finstere calvinistische Theologe Jonathan Edwards, der später zum ersten Präsidenten der Princeton-Universität wurde, während den verbreiteten »low-brow« der gerissene Publizist Benjamin Franklin verkörperte, dessen öffentliche Moralpredigten über Klugheit Max Weber irreleiteten und dessen private Laster die ausschweifenden Neigungen der gesetzten niederländischen Bürger von einst veranschaulichten. Das Schuldgefühl und die Düsterkeit von Jonathan Edwards wurden in den grüblerischen und metaphysischen Schriften von Hawthorne und Melville über Sünde und Hochmut verklärt. Das schlichte Idiom von Franklin fand seinen Niederschlag in der volkstümlichen Diktion Mark Twains in seinen Geschichten über den Mississippi und in der direkten, schmucklosen Prosa (keine Adjektive bitte) eines Ernest Hemingway; diese lakonische Prosa wurde zum Kennzeichen des spezifisch amerikanischen Genres, des Kriminalromans von Dashiell Hammett und Raymond Chandler.

In der amerikanischen Kultur gab es kaum Spuren des Modernismus und mit Sicherheit keine einheimischen Wurzeln, obwohl sich seine Ursprünge in Europa in den 1850er Jahren (bei Baudelaire) ansiedeln lassen und ein Höhepunkt um 1890 festzustellen ist. Der Modernismus in der Kultur ist zutiefst antibürgerlich; seine kulturellen Ressourcen liegen teils in der aristokratischen und der katholischen Tradition mit ihrer tiefen Verachtung für den prosaischen und den antiintellektuellen Charakter des auf Gelderwerb ausgerichteten bourgeoisen Lebens, teils in den faschistischen und kommunistischen revolutionären Impulsen, die die traditionelle (Museums-)Kultur verhöhnten und sich verbal zur Gewalt und zu heroischen Gesten bekannten. Aristokratische oder katholische Festungen, von denen aus man die Bourgeoisie attackieren konnte, gab es in der amerikanischen Kultur ebensowenig wie Enklaven der Boheme für solche, die sich ein freieres Leben wünschten; die Rastlosen konnten immer nach Westen gehen, wo die Entwurzelten in den Saloons und Tanzsälen eine Zuflucht fanden, oder sich bei der Handelsmarine anheuern ließen. Oder man konnte, wie es viele taten, nach Europa gehen.

Die amerikanische Kultur leitete sich vom protestantischen Verständnis der Sünde und vom kapitalistischen Erfolgsstreben her. Beiden Strängen gemeinsam war ein Antiintellektualismus, in zwei unterschiedlichen Bedeutungen: die eine bestand – und so benutzte Richard Hofstadter diesen Ausdruck – in einem buchstabengetreuen Festhalten am »Wort Gottes« und einer Abneigung gegen jegliche interpretierende Theologie; in der anderen, soziologischen Bedeutung wurden Intellektuelle als »weltfremd« verachtet. Wenn die Amerikaner, wie Santayana einmal bemerkte, keine Ahnung von Giften hatten, so hatten sie noch weniger Ahnung von der Aura der Sexualität – aber nicht vom Sex.

Wichtiger war, daß die kritische Literatur in den Vereinigten Staaten gegen Ende des 19. Jahrhunderts die brutale Gleichgültigkeit angriff, die der Kapitalismus gegenüber dem Elend zeigte, und sich gegen die Freudlosigkeit der persönlichen Lebensführung wandte. Realistisch und naturalistisch, wollte diese Literatur offen die bürgerliche Welt schockieren und ihre Heuchelei aufdecken, so etwa in den Romanen von Theodore Dreiser, Stephen Crane, Frank Norris und, in einem gemäßigteren Ton, Upton Sinclair. Der Spiegel des Realismus war für diese Schriftsteller nicht eine Oberfläche, die man durch syntaktische literarische Experimente oder durch prismatische Brechungen aufsprengen wollte, sondern ein greller reflektierender Scheinwerfer.

Amerikanische Modernisten, die sich für die Ästhetik des literarischen Experiments, für die feinsinnige Schilderung von Sitten und Moral oder die zwanglose Atmosphäre der Boheme interessierten, konnten das nur in Europa finden, und so gingen sie auch: Henry James von New York und Boston, Ezra Pound aus Idaho, T. S. Eliot aus St. Louis und Harvard, Gertrude Stein aus Baltimore, Ernest Hemingway aus Oak Park, Illinois. Im 19. Jahrhundert und bis hin zum Ersten Weltkrieg war London das Ziel derer, die freiwillig im Exil lebten; in den zwanziger Jahren zog die rastlose »verlorene Generation« Paris vor. Die Reize der modernistischen Malerei wurden zwar in einer Ausstellung im New Yorker Zeughaus 1913 vorgeführt, doch wer auf die neuen Formen reagierte, tat es, indem er nach Paris ging. Nicht anders machten es die Komponisten, die einen obligatorischen Aufenthalt im Ausland verbrachten.

Die spezifisch modernistischen Neuerungen in der Kultur waren der Jazz und der Film. Der Jazz galt jedoch im »Jazz-Zeitalter« der zwanziger Jahre als sündhaft und gelangte erst mit den großen kommerziellen Jazz-Bands der vierziger Jahre und anschließend durch das überlegene musikalische Können eines Benny Goodman oder eines Duke Ellington zu Einfluß. Die Fotografie war trotz Alfred Stieglitz in der amerikanischen Kultur von untergeordneter Bedeutung. Die große technische Neuerung, nämlich die Fotografie in Form des Films, galt in den Vereinigten Staaten überwiegend als eine Form der Massenunterhaltung und wurde von den Intellektuellen als Hollywood-Kitsch bespöttelt. Als eine Kunstform wurde der Film erst aufgenommen, nachdem die Cineasten in Frankreich ihn zum Gegenstand kritischer Kommentare gemacht hatten und ihn als eine Art von Ästhetik in die Vereinigten Staaten zurückexportierten.

Es gab also hier und dort in den Vereinigten Staaten modernistische Strömungen, doch gab es bis nach dem Zweiten Weltkrieg keine *modernistische Kultur*, die in irgendeinem Genre oder Bereich dominiert hätte. Von einer modernistischen Kultur konnte allenfalls in der Maschinenästhetik die Rede sein. Und das war wiederum, wie man so sagt, kein Zufall. In der Maschinenästhetik ging es vornehmlich um die *Form*, nicht um den Inhalt: Mit dem Selbst und der Person hatte sie nichts zu tun; sie war abstrakt und funktional, und ihr Interesse galt der Gestaltung. Die Fotografie erlangte die verdiente Anerkennung nicht durch die Zeitschrift *Camera Work* (die in ihrem Bemühen, »Kunst« zu werden, bewußt modern war), sondern in dem Magazin *Fortune*, dem Schaukasten der amerikanischen Geschäftswelt, in dem die Fotos dazu dienten, triumphierend die Stärke des amerikanischen Kapitalismus vorzuführen. In der Architektur wurden die aufstrebenden Wolkenkratzer und die großen Fabriken ebenso wie die geschwungenen Bänder und die Kleeblattmuster der Betonautobahnen zu den Wahrzeichen der neuen Kultur, ganz ähnlich wie die Kathedralen das religiöse Zeitalter symbolisiert hatten. Das Schlüsselwort zur Kennzeichnung dieser Formen war »funktional«. Ein modernistischer Künstler wie Charles Sheeler stellte die Gebäude in seinen »präzisionistischen Gemälden« und Fotos als abstrakte geometrische Muster dar. Abstrakte Künstler wie Stuart Davis verbanden lineare Gestaltung mit dem Jazz nachempfundenen Schnörkeln, um ein Gefühl von Rhythmus zu vermitteln, während futuristische Künstler wie Balla und Boccioni mit ihren konzentrischen Bildern ein Gefühl von Geschwindigkeit vermitteln wollten. So wie Könige einst ihr Bildnis auf Münzen geprägt hatten, prägte die Maschinenästhetik der Kultur den Charakter der Wirtschaft auf.

Das rasche Vordringen des Modernismus in der amerikanischen Kultur bis hin zu seiner Vorherrschaft vollzog sich überwiegend nach dem Zweiten Weltkrieg. Parallel kam es zu anderen Entwicklungen: Der kleinstädtische Protestantismus verlor seinen Einfluß auf das amerikanische Leben, ein neues Muster urbaner Befindlichkeit breitete sich aus, die Universitäten wuchsen explosionsartig, die New Yorker Intellektuellen wurden zur maßgeblichen Instanz in Dingen der Kultur, und es entstand ein neues Mittelschicht-Publikum, die *culturati*, die empfänglich waren für die offeneren gesellschaftlichen und sexuellen Ausdrucksformen, die von einer liberalen Kultur geduldet, wenn nicht gefördert wurden. Doch von größter Bedeutung war der Strom der Europäer, die kurz vor Kriegsausbruch und während des Krieges kamen und auf die empfänglichen Amerikaner großen persönlichen Einfluß ausübten: die Surrealisten wie Breton, Masson und Ernst, von denen Arshile Gorky, Jackson Pollock und Robert Motherwell lernten; die russischen Emigranten aus Paris wie Strawinsky und Balanchine, die sich in Musik und Ballett durchzusetzen begannen; Linguisten und Kunsthistoriker wie Roman Jakobson und Erwin Panovsky, die den Amerikanern eine neue Sprache der

Kritik beibrachten; schließlich Hunderte von deutschen und mitteleuropäischen Gelehrten, die die Soziologie, die Philosophie und das soziale Denken ebenso wie die Physik und die übrigen Wissenschaften nachhaltig veränderten. Bisher sind diese tausendfältigen Einflüsse noch nicht vollständig beschrieben worden.

Der stärkste Wandel vollzog sich symbolisch, wenn nicht tatsächlich in der Malerei – mit dem raketenartigen Aufstieg des abstrakten Expressionismus, durch den New York erstmals zu einem Zentrum der Kultur wurde. Dabei kommt es nicht so sehr auf den strahlenden Glanz der berühmten Namen an als vielmehr auf zwei entscheidende Tatsachen: Zum einen bestimmte erstmals im amerikanischen Leben der Künstler und nicht das Publikum die Definition der Kultur und die Bewertung kultureller Objekte; zum anderen war für die Intentionen und den Charakter des neuen Stils das *Formale* ausschlaggebend, obwohl die führenden Kritiker dieses Stils, etwa Clement Greenberg und Harold Rosenberg – und hinter ihnen der mit seiner universalen Bildung alles überragende Meyer Schapiro –, als Stars unter den New Yorker Intellektuellen politisch links standen. Dafür, daß der abstrakte Expressionismus so formalistisch war, mag es gute soziologische Gründe geben. Zuvor hatte bei den leicht verständlichen Malern des mittleren Westens und den sozialen Realisten von New York der »Inhalt« im Mittelpunkt gestanden. Der abstrakte Expressionismus war im Grunde ein »innerer Dialog« mit europäischen Richtungen wie dem Kubismus. Hatte der Kubismus das Reliefartige und das Flächige erkundet, so betonten die abstrakten Expressionisten den Materialcharakter und die Textur der Farbe; für einen Pollock oder einen de Kooning wurden die Eigenschaften des Pigments zum »Problem«. Außerdem wandten sie sich gegen die Linie und das Hell-Dunkel als Begrenzungen der Fläche und konzentrierten sich allein auf die Farbe – in ihren unterschiedlichen Hellwerten wie bei Rothko oder den monochromatischen Texturen von Barnett Newman und der Färbung der Leinwand bei Helen Frankenthaler und Morris Louis – auf die Farbe mit ihren weichen und harten Wirkungen.

Es gab aber auch das Argument, daß der Stil ästhetisch radikal sei. Meyer Schapiro hatte 1937 geschrieben: »In der abstrakten Kunst ... hat die angestrebte Autonomie und Absolutheit der Ästhetik eine konkrete Form angenommen. Hier war endlich eine Kunst des Malens, in der nur noch die ästhetischen Elemente eine Rolle zu spielen scheinen.« Harold Rosenberg schrieb über die gebieterische Natur der Geste: Die Aktionsmalerei befreie von der *Darstellung* der Farbe und übertrage statt dessen die physische Bewegung des Malers auf das Bild, wie beim Leichentuch von Turin. »Die Einwirkung auf die Leinwand wurde zu ihrer eigenen Darstellung.«

Diese Äußerungen enthalten eindrucksvolle Argumente über die Intentionen des Künstlers und die komplexe Natur der Malerei, aber es sind fast rein formale Argumente, in denen ästhetische Fragen hauptsächlich unter strukturellem oder plastischem Aspekt gesehen werden: die Darstellung des Raums als flach oder illusionistisch; die Dimensionalität der Bildebene als Aktionsfeld; die Textur und die Eigenschaften der Farbe (oder sonstiger Ausdrucksmaterialien), die den Stil des Malers bestimmen. Gewiß haben solche Fragen den Künstler immer schon interessiert. Auf dem Rembrandt zugeschriebenen Gemälde »Der Mann mit dem Goldhelm« im Dahlemer Museum verblüfft uns ein dicker Pigmentklecks, der unseren Blick sogleich auf den Helm lenkt. Auf Rubens' Gemälde der Diana (im Boston Museum of Fine Arts) fallen uns die schwungvoll aufgetragenen und wie ein Impasto aufgebauten Farbstriche auf, die die Falten des Gewandes andeuten. Immer waren dies jedoch stilistische Verfahren, die im Dienst der Darstellung standen. Jetzt gibt es nur noch die »Dinge an sich«, die kaum eine Beziehung zur Lebenswelt der Erfahrung aufweisen. Kann es eine vom gesellschaftlichen Umfeld losgelöste lebenssprühende Kultur geben, deren Erfahrung hauptsächlich über die formalen Interessen der Künstler selbst vermittelt ist, mögen diese auch noch so beeindruckend sein?[8]

Doch das gesellschaftliche Leben – denn ein Publikum ist ja immer da – rächt sich in paradoxer Weise. Mag der Künstler auch bestimmen, was Kunst ist, letztlich führt doch die Konkurrenz zwischen den Künstlern, besonders im Wirbel der Generationen, zu den erdrückenden Ritualen des Goldenen Bogens in den Wäldern von Nemi, und ein Stil löst in rascher Folge den anderen ab – das geht so weit, daß man einen Maler kaum noch an einem einzelnen Bild, sondern an seinem Stil erkennt, und der Stil zu einem Markenzeichen wird.

Hat sich erst die Mode der Sache bemächtigt, wird das, was zuvor schockierend und störend war, zur leblosen Dekoration, wie ein aufgespießter Schmetterling, und der Betrachter wird nicht länger in einen Bildraum hineingezogen, um durch neue Blickwinkel eine immer wieder neue Überraschung zu erleben, denn wenn alles nur noch Oberfläche und Stil, chromatische Farbe oder auf Leinwand geklebtes Geschirr ist, vermag diese Kunst nichts mehr zu evozieren. Und da es Mode *ist*, geraten die Museen in einen Wettlauf, mit dieser Mode Schritt zu halten, von jedem neuen Stil eine Auswahl zu zeigen, und stellen das triumphierend als den Fortschritt der Kultur dar, während sie in Wirklichkeit bloß noch mumifizierte Verwahrungsorte des Modernismus sind.

Die modernistische Kultur war ungemein kreativ, weil sie in Spannung mit der bürgerlichen Gesellschaft lebte, weil sie, wie Paul Tillich einmal bemerkt hat, bis zu den Pfahlwurzeln des Dämonischen hinabreichte und die von dort herrührenden ungezügelten und eigenwilligen Antriebe in die Ordnung der Kunst überführte. Die bürgerliche Kultur ist inzwischen zusammengebrochen, und das Dämonische treibt überall sein Unwesen, denn es gibt kaum noch Tabus. Alfred Jarry konnte einst seinen *Ubu Roi* damit beginnen lassen, daß der clownhafte König »Merdre« sagt, aber wen kann das heute noch schockieren, angesichts der Phantasien eines Genet oder eines Burroughs?[9]

Was übrig bleibt, ist eine eklektische und synkretistische Kultur, weil alles zertrümmert wurde: die Unterscheidung zwischen den Genres, die rationale Organisation von Raum und Zeit und der Spiegel der Natur. Die aus dem Niedergang der Mimesis erwachsene Auflösung der Formen hat etwas Beliebiges bekommen, und der Formalismus ist weitgehend selbstbezüglich geworden. Die zerstückelten und entfremdeten Erfahrungen sind inzwischen zu soziologischen Klischees geworden, die planlos von minimalistischen Autoren verwendet werden, denen es (mit einem Ausdruck von Jean Rhys) an »Gestalt« fehlt und die sich auf keine Erfahrung mehr berufen außer auf ihre eigene narzistische Reflexion.

Wurde der Modernismus, wie Herbert Marcuse behauptet hat, vom Kapitalismus »vereinnahmt«, oder war er ein Widerspruch zum Kapitalismus? Marcuse argumentierte vom Standpunkt der Kultur aus, doch lassen sich Gründe dafür anführen, daß die psychologische Kraft, die in diesem Jahrhundert aufgelöst wurde, nicht die Kultur, sondern die bourgeoise Gesellschaft war. Marcuse behauptete (in seinem *One-Dimensional Man*, 1964), alle Aspekte des Lebens – die Kunst, die Technik, die Rebellion der Arbeiterklasse, der Unmut der Schwarzen, der Sturm und Drang der Jugend – seien durch die Macht der technischen Rationalität eingeebnet worden; dennoch wurde er einige Jahre später von den heiseren Studenten von Berlin und Paris als der Rattenfänger der Kulturrevolution begrüßt. Der Kapitalismus, sagte Marcuse, beruhe psychologisch auf »übermäßiger Repression«, die dem Einzelnen, vermittelt durch die Familie, durch die Strenge des Über-Ichs aufgezwungen werde. In den Vereinigten Staaten verbringt heute fast jedes zweite Kind einen Teil seiner Jugend in einer unvollständigen oder vaterlosen Familie. Was die Rechte vor allem fürchtet, ist die Zerstörung der Familie. Angesichts des heutigen Kapitalismus kann man Marx auf den Kopf stellen. Die Kultur mit ihren wechselnden Ansprüchen ist zum Unterbau der westlichen kapitalistischen Gesellschaft geworden, und das Produktionssystem wurde umorganisiert, um ihre unersättlichen Neigungen zu befriedigen – das betrifft das Material, die Erotik und die Ästhetik, oben, die Mitte und unten, Punk und Rock, Hollywood-Spießer und Fernseh-Knallerei. Wer hat wen vereinnahmt?

Der jüngste Modeausdruck ist »Postmodernismus«. Seine Bedeutung ist ebenso unklar wie die des Modernismus selbst, doch enthält der Ausdruck darüber hinaus eine Reihe von Paradoxien, die ebenso verblüffend sind wie die Verbindung des Modernismus mit dem Kapitalismus in den letzten hundert Jahren.

Falls Postmodernismus das ist, was auf die unterirdischen

Schriften von Michel Foucault in Frankreich und Norman O. Brown in den Vereinigten Staaten zurückgeht, so verkündete er, wie Frank Kermode gesagt hat, »das Gefühl eines Endes«. Er proklamierte nicht nur die »Dekonstruktion des Menschen« und das Ende des humanistischen Credos, sondern auch den »epistemologischen Bruch« mit der Genitalität und die Auflösung der fokussierten Sexualität in die polymorphe Perversität oraler und analer Lüste. Der Postmodernismus war für diese Autoren die Befreiung des Körpers, so wie der Modernismus die Befreiung der Phantasie gewesen war. Die sich anschließende sexuelle Revolution zerfiel in zwei Strömungen: die homosexuelle und die lesbische Bewegung auf der einen und die sich mit ihr teilweise überschneidende Rock- und Drogenkultur auf der anderen Seite. Die Repression hatte ihre Heimlichkeit aufgegeben und lebte ihre Impulse offen aus – und das innerhalb der Freiheit der bourgeoisen, nicht der kommunistischen Gesellschaften.

Foucault und Brown hatten die Verletzung aller Tabus durchsetzen wollen. Durch eine seltsame Wendung des Schicksals der Kultur wurde der Ausdruck »Postmodernismus« dann von einer Generation von Architekten und Künstlern mit Beschlag belegt, die sich der Parole bedienten, um den modernistischen Formalismus zu verspotten und die Mauern der Hochkultur, die dem Ansturm der populären Kultur widerstanden, einzureißen. In der praktischen Anwendung des Postmodernismus wurde die Form durch den Mischmasch und die Kreativität durch die Schläue ersetzt. In der Architektur vermischt Michael Graves in seinem Gebäude in Portland, Oregon, maurische Phantasie mit schweren byzantinischen Bögen, während Philip Johnson, einst ein Hohepriester des Modernismus, in das Giebelfeld des A. T. & T.-Wolkenkratzers auf der Madison Avenue in New York ein Chippendale-Möbelmotiv setzt. In der Literatur schuf Ann Beattie die eintönige, affektfreie Prosa, die für die Belletristik des *New Yorker* tonangebend wurde. In der Malerei führen die Neoexpressionisten wieder eine schattenhafte, an Röntgenbilder erinnernde figürliche Darstellung ein. Und auf der Bühne begegnen wir den hypnotischen Traumbildern und den extrem verlangsamten Szenen von Robert Wilson, die von dem monotonen Minimalismus eines Philip Glass noch betont werden. Und die *culturati*, stets bereit, folgen den Winden der Mode.

Was heute als ernstzunehmende Kultur gilt, ermangelt sowohl des Inhalts als auch der Form, und so sind die bildenden Künste vorwiegend dekorativ, während die Literatur entweder maßloses Geschwätz oder gekünsteltes Experiment ist. Dekoration wird ihrer Natur nach, wie fröhlich und bunt sie auch sein mag, mit ihren endlichen, sich wiederholenden Mustern zur bloßen Tapete, zu einem zurücktretenden Hintergrund, von dem für den Betrachter keine Aufforderung ausgeht, seine Wahrnehmung einer immer wieder erneuten Revision auszusetzen. Eine selbstreferentielle Literatur, in der sowohl das Selbst als auch der Referent immer wieder die gleichen alten Kehrreime wiederholen, wird zur ermüdenden Langeweile, wie Uno im Zirkus, wenn er zeigt, daß er auf einem Finger stehen kann. Eine Kultur der wiederverwendeten Bilder und der zweimal erzählten Geschichten ist eine Kultur, die ihre Orientierung verloren hat.

Wenn Experiment und Rebellion zwei wesentliche Aspekte des Modernismus waren, dann findet man diese heute an unerwarteten Stellen wieder: die experimentellen Techniken werden von den visuellen Massenmedien genutzt, und die Rebellion wird in der Pop-Musik-Kultur der Jugend verkündet.

Die *Syntax* des Modernismus benutzt, wie ich einmal gesagt habe, vier verschiedene Modi: Sensation, Gleichzeitigkeit, Unmittelbarkeit und Wirkung. Unmittelbarkeit gibt einem das Gefühl, *da* zu sein und in den Strom der Ereignisse hineingerissen zu sein, wie etwa in der Prosa von Gertrude Stein, die alle Kommata beseitigte, um die Sturzflut der Worte nicht aufzuhalten. Gleichzeitigkeit, die Erfindung des Kubismus, wollte die vielfältigen und sich wandelnden Ansichten von einem dreidimensionalen Objekt auf einer einzigen Bildebene festhalten. Wirkung wurde erzielt mit den gebrochenen Rhythmen von Gerard Manley Hopkins oder mit der Länge einer Gedichtzeile, die nicht durch das Metrum, sondern durch den Atem bestimmt war wie in den Gedichten von Robert Creeley. Sensation war schließlich die visuelle und innere Empfindung, die die wirbelnden futuristischen Bilder von Balla oder der Vortizismus von Wyndham Lewis auslösten. Diese Modi, die Vorder- und Hintergrund auslassen und die Grenzen von Zeit und Raum sprengen, findet man in der Malerei, der Musik, der Dichtung und den Romanen des Modernismus.[10]

Während diese Syntax standardisiert und sogar zu einem Routineelement im Repertoire der Kunst wurde (womit sie ihre ursprüngliche Fähigkeit verlor, einen Betrachter zu schokkieren und zu »überwältigen«), ist es paradoxerweise – oder ist das einfach ein Beleg für die Soziologie der kulturellen Absorption? – das zeitgenössische Fernsehen, das diese Techniken überaus geschickt benutzt, um die Zuschauer zu manipulieren und ihre Aufmerksamkeit zu fesseln. Da die Aufmerksamkeit etwas Flüchtiges und Langeweile eine stets gegenwärtige Gefahr ist, wird die Nutzung dieser Modi zu einer Möglichkeit, den Zuschauer zu packen und mit Bildern zu überfluten, um dadurch, daß man die Aufmerksamkeit in 50-Sekunden-Abschnitte zusammendrängt, den Anschein von Intensität zu erwecken. Das Fernsehen muß in ständiger Bewegung sein, denn eine unbewegte Kamera oder ein unbewegtes Objekt bedeutet »Tod«, mit Ausnahme des Standbildes, das das Ende einer Geschichte anzeigt. Die Kamera gleicht dem Kopf des Zuschauers in einem Zirkus mit drei Manegen, der sich ständig dreht und wendet, gefesselt von der vorbeihuschenden Bewegung des Akrobaten oder den Possen der Clowns. Für das Fernsehen ist das Leben ein ständiges Schauspiel, und zum Schauspiel wird die Szene des Lebens selbst in der Politik, wo Krawall und Gewalttätigkeiten wie auf ein Signal hin ausbrechen, wenn die Kameras zu laufen beginnen. Doch das Ziel dieser Techniken ist nicht eine neue Ästhetik, sondern die Erregung. Nach einer Weile büßt das Mimen und das Sichaufspielen seine schockierende Wirkung ein, die Ereignisse werden trivial, und es droht eine neue und noch größere Langeweile. Wirkliche Betroffenheit und Katharsis ist mit solchen Techniken nicht zu erreichen, sondern lediglich Abstumpfung.

Die Seifenopern, jene Dauerserien, die das Fernsehen heute am Nachmittag ausstrahlt, sind die Straßen der Libido, die

Softpornographie, die Hausfrauen und Halbwüchsige angenehm erregt mit einem Phantasieleben, das sie zu Hause zu Ende spielen können. Heavy-metal und Hardrock sprechen junge Leute an, die, weil sie keine Aussicht haben, eine Arbeit zu finden, wütend und entmutigt sind. Die Sexbesessenheit, die Madonna oder Prince an den Tag legen, nimmt immer krassere Formen an. Man kann sich die Parole an die Wand gesprüht denken: »Genet lebt!«

Für die Unterhaltungsindustrie – Film, Fernsehen, Rockplatten und Verlage – ist das alles gleichbedeutend mit unternehmerischer Freiheit und Redefreiheit, und der Staat darf sich nicht einfallen lassen, in die libertäre Welt und den Libertinismus des Marktplatzes einzugreifen. Auch das ein kultureller Widerspruch des Kapitalismus? Vor etwas mehr als einem Jahrhundert verdammte die Bourgeoisie *Les Fleurs du Mal* als eine Verletzung des öffentlichen Anstands. Heute treten Foucault und die Zeitschrift *Hustler* vereint als Brüder der »Negation« auf.

Die kulturellen Moden kommen und gehen sprunghaft, besonders in der populären Kultur. Wenn man bedenkt, daß von Aids eine wachsende Gefahr ausgeht, daß gegen Drogen, Tabak und Alkohol Kampagnen geführt werden, daß die Häßlichkeit der sexuellen Gewalttätigkeit (wie sie der Film »Sid and Nancy« vorführt) nicht mehr zu überbieten ist, und wenn man hinzunimmt, daß die Jugendkultur in die Jahre kommt (Verbürgerlichung macht offenbar nicht zahm, sondern steigert nur den Konsumhunger), könnte man sich fragen, ob uns eine Zeit der neuen Nüchternheit ins Haus steht. Die Frage ist offen. Niemals zum Rückzug zu blasen ist eine Maxime des Ideologen, nicht der Kultur.

IV

Heute beobachten wir fast überall eine Revolte gegen die Modernität. Historisch und landesspezifisch tritt sie in unterschiedlichen Formen auf. Doch obwohl der sichtbare Ausdruck durch nationale und kulturelle Besonderheiten bedingt ist, scheint dieses durchgängige soziologische Phänomen ein typisches Element aufzuweisen, das auf eine latente gemeinsame Ursache zurückgeht.

Man hat behauptet, die Revolte gegen die Modernität sei eine Revolte gegen die Modernisierung und die Zerstörung »traditioneller Gesellschaften« durch die Technik. Aber das ist zu einfach. Eine Nation und Kultur wie Japan mit seinem starken Zusammenhalt hat eine neue Form der Modernisierung gefunden und damit Max Webers These widerlegt, daß ein radikaler Individualismus und das Aufbrechen der Tradition notwendige Bedingungen des kapitalistischen Unternehmertums und der wirtschaftlichen Entwicklung seien. Der Nationalsozialismus, der auf der einen Seite eine Pseudogemeinschaft, einen völkischen Mythos pflegte, konnte auf der anderen Seite eine Ästhetik, die auf antibürgerliche Empfindungen (zum Beispiel die von Ernst und Friedrich Georg Jünger) zurückging, mit einer technologischen Kriegsmaschinerie verschmelzen. Die italienischen Protofaschisten wie d'Annunzio und Marinetti proklamierten die Einheit des Künstlers und Kriegers und die Zerstörung der Vergangenheit im Namen des Futurismus. Selbst das alles ablehnende Regime des Ayatollah Chomeini, das gegen die verachtenswerte Verweltlichung des Westens wettert, verzichtet nicht auf die Technologie, mit der es das Öl aus dem Boden holt und seine Minen legt.

Wenn die Ideologie der historische Endpunkt des Übergangs von der Religion war, könnte die Revolte gegen die Modernität bedeuten, daß die Ideologie sich erschöpft hat und die Menschen des nüchternen Lebens ohne Ritual oder Transzendenz, das die weltlichen Kulturen geschaffen haben, überdrüssig sind. Sinnsuche heißt dann nicht mehr, nach Möglichkeiten des persönlichen Ausdrucks für das ungezügelte Selbst zu forschen, sondern es wäre die Suche nach neuen Institutionen und Gemeinschaften, denen die Menschen angehören möchten. Und wo noch alte Zusammenhänge bestehen, wird aus dieser Suche ein Bemühen, sich auf die Stammesidentität wiederzubesinnen und ursprüngliche Bindungen neu zu definieren.

Ich habe mich auf die Vereinigten Staaten konzentriert, die als die erste neue Nation die Spannung zwischen Offenheit und Mobilität auf der einen, Populismus und Konformität auf der anderen Seite erfahren haben; sie haben diese Spannung vornehmlich im wirtschaftlichen Bereich gelöst, wo sie Offenheit förderten, während sie im kulturellen Bereich dem Modernismus und einer freieren Lebensweise abgeneigt waren. Die Revolte gegen die Modernität – ich sehe in ihr hauptsächlich eine Aufwallung des religiösen Fundamentalismus – ist in mancher Hinsicht eine »Wiederkehr des Verdrängten«. Als solche hat sie zwei Dimensionen: die eine ist der Protest gegen das Ausufern der Regierung, ja sogar gegen das Entstehen eines Staates, wie er durch die Diktate der Außenpolitik und der militärischen Notwendigkeit geformt wurde; die andere ist ein Widerstand gegen Einmischungen in das eigene Leben, aber wiederum vor allem im wirtschaftlichen Bereich. Denn die Fundamentalisten sind selbstverständlich keine Verfechter der individuellen Freiheit, und die Kraft ihrer Überzeugung beruht teilweise auf der Verdrängung von Impulsen und auf der Notwendigkeit, diese Verdrängungen umzuwandeln in gesellschaftliche Werte, die sie der übrigen Gesellschaft aufzwingen möchten. Darin steckt ein historisches Paradoxon: In der Zeit von 1870 bis in die 30er Jahre des 20. Jahrhunderts hinein erlebten die Vereinigten Staaten einen praktisch ungezügelten wirtschaftlichen Aufschwung, und alle Bemühungen um eine gesetzliche Regulierung wurden vom Obersten Bundesgericht abgewiesen; gleichzeitig gab es im Bereich von Sitte und Moral eine weitgehende gesellschaftliche Regulierung, die sogar so weit ging, daß den Menschen durch einen Verfassungszusatz verboten wurde, Schnaps oder Bier mit mehr als einem minimalen Alkoholgehalt zu trinken. Seit den dreißiger Jahren dagegen wurde das Wirtschaftsleben einer immer weitergehenden gesetzlichen Regulierung unterworfen, während eine kulturelle Permissivität einzog, wie man sie vielleicht seit den Tagen der Messalina nicht gesehen hat.

Heute beobachten wir im gesellschaftlichen und kulturellen Bereich eine Revolte gegen eine kosmopolitische liberale Kultur, die sich seit dem Zweiten Weltkrieg in den Universitäten, den Künsten, den führenden Medien, der Verlagswelt und den Museen durchgesetzt hat und im Namen der künstlerischen Freiheit alles tolerierte, was der Imagination in den Sinn kam, aber keine Grenzen zu ziehen vermochte oder sich fürchtete, eine Grenze zu ziehen, als die Imagination mit ihren überspannten Phantasien auf die Lebensführung abfärbte.[11]

Zumindest im Westen ist die Revolte gegen die Modernität somit eine Revolte gegen den heutigen Liberalismus, und da die Revolte selbst keine Grenzen kennt, ist sie in extremem Maße rückschrittlich geworden. Ist es nicht Zeit, die Modernität neu zu behaupten und zu bekräftigen, wenn wir unter Modernität die einzigartige Leistung der Moderne verstehen – die Entfaltung einer philosophischen Anthropologie und Soziologie, die Kants Frage *Was ist der Mensch?* zu beantworten suchte?

Modernität ist im soziologischen Rückblick der Bruch mit der Askription (der Zuweisung der Stellung in der Welt durch die Geburt) und mit starren Hierarchien, die als natürliche Hierarchien ausgegeben wurden. Modernität ist Individualismus, das Bestreben von Individuen, sich und, wenn nötig, die Gesellschaft zu verändern, um dem Individuum Gestaltungs- und Wahlmöglichkeiten zu schaffen. Sie ist in gewissen Grenzen die Bedingung einer freien und mannigfaltigen Gesellschaft, in der Talent und künstlerische Visionen sich entfalten können. Sie ist das Beste, was uns das 19. Jahrhundert hinterlassen hat: Individuen, Freiheit und die Unantastbarkeit des Lebens.

In der »Naturgeschichte« der menschlichen Gesellschaften hat stets die Gruppe, das Kollektiv, der Stamm als Quelle der Bindung den Vorrang genossen. Der Mensch galt als *socius*, der sein Wesen in der gesellschaftlichen Welt verwirklicht. Angesichts der langen Geschichte der Sammler- und Jägergesellschaften und der durch diese Aktivitäten verstärkten »männlichen Bindung« ist das durchaus verständlich. Die Ackerbaugesellschaft engte, besonders dort, wo sich Privateigentum entwickelte, diese Ausrichtung auf die Familie und das Dorf ein, und Institutionen wie das Erstgeburtsrecht und die Erbfolge halfen, das Eigentum zu bewahren und die zentrale Stellung der Familie als Quelle der gesellschaftlichen Kontinuität zu sichern.

In der Sozialstruktur askriptiver Gesellschaften – in Stamm,

Clan, Kaste, sklavenhalterischem, feudalem und bürokratischem Despotismus – ist das »Individuum« ein ganz und gar gesellschaftlich determiniertes Wesen, dessen Platz in der hierarchischen Ordnung, dessen soziale und rechtliche Stellung und die Priorität in der Zuweisung von Wohltaten und Wohnsitz durch den ihm zugewiesenen Platz festgelegt ist. Ein Individuum ist es lediglich im biologischen Sinne, aber es ist keine Person – es ist, wie man sagen könnte, eine *persona*, eine Maske, eine Rolle oder ein Status, in die es seine Person einfügt.

Der Zusammenbruch dieser Art von Askription und das Aufkommen individueller Mobilität ist der Ursprungsakt der Modernität. Aber eine solche Mobilität kann auch nur eine Mobilität von Einzelnen innerhalb eines starren Rahmens sein, eine Zirkulation von Eliten, die die Hierarchie selbst intakt läßt. Der zweite Schritt war die Infragestellung der strukturellen Hierarchie, gesetzlich definiert als die Unterschiede in Vorrecht und Rang, im Namen der Idee der natürlichen Gleichheit aller Menschen, die unveräußerliche Rechte besitzen. Dies ist der Beginn des Individualismus im doppelten Sinne: Gleichheit aller Personen vor dem Gesetz und der materiellen und sozialen Belohnung auf der Grundlage der individuellen Leistung. Auch in dieser Hinsicht ist, wie Simmel überzeugend dargelegt hat, die Entwicklung einer Geldwirtschaft eine Quelle der Freiheit, denn mit seinem Geld konnte man leben, wo man wollte, oder sich seine Nahrung selbst kaufen, und war nicht mehr abhängig von den Wohltaten, die eine Institution – der Hof, ein Kollegium oder das Kloster – festlegte.

Die Idee, daß der Mensch nicht ein *socius*, sondern ein *solus* sei, daß der Einzelne die Grundeinheit der Gesellschaft sei (das Ich und sein Eigentum, ein Mann mit Eigenschaften und nicht ein Mann ohne Eigenschaften), taucht in der Neuzeit in den Fiktionen Lockes und in den Fabeln Defoes auf. Zum Teil wurzelt sie offensichtlich in der christlichen Auffassung von der Heiligkeit jeder einzelnen Seele und der Gleichheit aller (getauften) Menschen vor Gott, einer Auffassung, die in der Reformation starken Widerhall fand. Doch bei Luther (wie zuvor bei Paulus) ging es dabei um eine spirituelle Gleichheit, die erst im Jenseits und erst nach dem Jüngsten Gericht Wirklichkeit würde. Einige linke protestantische Sekten, von den Wiedertäufern bis hin zu den Fifth Monarchy Men, wollten das Himmelreich auf Erden verwirklichen und scheiterten damit. Doch in begrenzten Gebieten der westlichen Welt fand der Individualismus als legitimer gesellschaftlicher Grundsatz im *Diesseits* Anerkennung. Philosophische Rechtfertigung erhielt er von den einflußreichen Strömungen einer agnostischen Politischen Philosophie und Moralphilosophie von Hume bis Bentham. Institutionelle Durchsetzung verschaffte ihm die Entwicklung einer Marktgesellschaft, in der das Prinzip der individuellen Entscheidung und der individuellen Verantwortlichkeit wirtschaftliche und politische Realität wurde. Von einer kleinen geographischen Enklave ausgehend, hat er durch seine prinzipielle Identifikation mit dem Kapitalismus, der Wissenschaft und der Rationalität die übrige Welt erobert. Unter anthropologischem Aspekt muß die Modernität als eine Mutation in der sozialen Evolution betrachtet werden. Das wurde auch sofort erkannt, denn von allen Seiten – aus dem katholischen, dem ständischen und dem sozialistischen Lager – hagelte es heftige Angriffe auf den »verhaßten Individualismus«.

Wenn wir die Dimensionen der Modernität ausloten wollen, um festzustellen, welche ihrer Ansprüche wertvoll sind und standhalten, müssen wir unterscheiden zwischen der *bürgerlichen Gesellschaft* auf der institutionellen Ebene, dem *bourgeoisen Charakter* als der psychologischen Komponente und dem *philosophischen Individualismus* als der normativen Rechtfertigung. Die mangelnde Unterscheidung zwischen diesen Aspekten hat oft zu Verwirrung und zu pauschalen Angriffen auf den Liberalismus geführt, weil die Kritiker mit den Mängeln des einen oder anderen Faktors unzufrieden waren.

Die bürgerliche Gesellschaft ist ein eigenständiger Bereich von Beziehungen, losgelöst von den askriptiven Banden der Verwandtschaft, der Lehenstreue und der Religion einerseits und vom Staat im Sinne der Durchsetzung eines einheitlichen Willens und einer einheitlichen Ordnung andererseits. Es ist der Bereich des Eigennutzes, in dem es den Menschen freisteht, unterschiedliche Zwecke zu verfolgen und die Früchte ihrer eigenen Arbeit als Produzenten und Konsumenten zu genießen, und es ist der Bereich freiwilliger Zusammenschlüsse zur Verwirklichung staatsbürgerlicher Zwecke. Die Crux bestand dabei historisch in der Unterscheidung zwischen der *gesellschaftlichen* und der *politischen* Ordnung, mit der die Anhänger einer bürgerlichen Gesellschaft einen autonomen Bereich schaffen wollten, um ungehindert ihren eigenen Aktivitäten nachzugehen. Hegel versuchte diese Unterscheidung dadurch aufzuheben, daß er das eine als das Besondere, das andere als das Allgemeine spezifizierte und die bürgerliche Gesellschaft als einen untergeordneten Bereich behandelte, dem kein Vernunftprinzip innewohne, das seine Entwicklung leitete und seine Existenz rechtfertigte, während der Staat die Verkörperung des rationalen Willens sei. Freiheit ist für Hegel ein Prädikat des Staates, nicht der bürgerlichen Gesellschaft. Das ist aber eindeutig falsch, zumal dann, wenn der Staat alle Gebiete des Lebens umfaßt, wenn es kaum eine Möglichkeit gibt, eigenständig seinen Lebensunterhalt zu finden oder eigenständig soziale Bindungen einzugehen, wie es in den kommunistischen Gesellschaften der Fall ist, die ein einheitliches Ziel proklamieren.

Es ist allerdings eine ernsthafte Frage, die in all ihren Implikationen nicht in einem kurzen Abschnitt untersucht werden kann, ob die Unterscheidung zwischen dem Gesellschaftlichen und dem Politischen sich praktisch und ethisch aufrechterhalten läßt. Für Aristoteles war die *politeia* gleichbedeutend mit dem moralischen Streben nach dem guten Leben, aber auch mit einer Reihe von Institutionen, in denen Ethik und Politik zusammenfielen. Im Sinne von Aristoteles sind die Ziele, die in der modernen Welt von Individuen und Vereinigungen verfolgt werden, nicht minder politisch als solche Ziele, die von regulären Regierungsbehörden verfolgt werden. Es führt zum Niedergang der bürgerlichen Gesellschaft, wenn ein eigennütziger Individualismus ohne Rücksicht auf soziale Kosten und Nebenwirkungen verfolgt wird, die zu Umweltzerstörung und unfreiwilliger Arbeitslosigkeit führen, Nebenwirkungen, die für eine Gesellschaft ebenso verheerend sein können wie die übermäßige Konzentration willkürlicher Macht im Staat. Die moderne Gesellschaft ist – mit einem von mir formulierten Begriff – auch ein »öffentlicher Haushalt«, für den die sozialen Bedürfnisse aller Mitglieder eine vorrangige Verpflichtung sein müssen, wenn man an einer Konzeption der Staatsbürgerlichkeit festhalten will. Wenn man eine lebensfähige Konzeption einer vom Staat unabhängigen bürgerlichen Gesellschaft aufrechterhalten möchte, muß man das Gesellschaftliche und das Politische miteinander verknüpfen und ihre wechselseitigen Abhängigkeiten begreifen.

Der bürgerliche Charakter, wie ihn Adam Smith und Max Weber schilderten, betonte die Klugheit als die Erfüllung der Tugend; er war praktisch und utilitaristisch; er verfolgte Interessen, nicht Leidenschaften; er war mehr auf Reichtum als auf Ehre aus (und wurde deshalb in aristokratischen und Samurai-Kulturen gering geachtet); und er betonte, daß durch den rationalen Austausch von Gütern und Dienstleistungen auf einem Markt eine Harmonie der Interessen und der Gesellschaft entstünde. In der Praxis jedoch konnte der bourgeoise Charakter, besonders angesichts des Libertinismus der Boheme, niederträchtig und engstirnig sein, boshaft und repressiv, besessen von einem Ressentiment gegen jene, die Freiheit im kulturellen und nicht im wirtschaftlichen Bereich proklamierten. Die ersten Widersprüche des Kapitalismus entstanden aus dem Bemühen, der gesamten Gesellschaft den bürgerlichen Charakter (im Sinne des Mythos und der Realität) aufzuprägen und den kulturellen Modernismus zu vernichten. Doch der bürgerliche Charakter ist ebensosehr durch den Kapitalismus wie durch den Modernismus selbst verändert worden. Inzwischen ist er zur Konsumhaltung geworden, so daß man sich unbesorgt in Schulden stürzt und im Verhältnis zwischen den Geschlechtern der Reigen der Scheidungen und Wiederverheiratungen als eine Facette der Freiheit akzeptiert wird, selbst bei Präsidenten der Vereinigten Staaten. Was die Kultur betrifft, so ist der sozialistische Realismus eine eindimensionale Kunst, während es die bourgeoise Gesellschaft von heute ist, die die Produktion ernst zu nehmender Kunst aufrechterhält, auch wenn diese Kultur als Mode oft zur Trivialität werden mag.

Der philosophische Liberalismus, für den ich eintrete, ist nicht das utilitaristische Konzept eines individuellen Hedonismus, in dem die größte Zahl festlegt, worin das höchste Gut besteht, und der Gesetzgeber durch lustvolle oder schmerzliche Sanktionen das Ergebnis induziert, sondern er beruht auf der Kantschen Unterscheidung zwischen dem Öffentlichen und dem Privaten und verteidigt die Autonomie des Individuums in seinen vertraglichen und sittlichen Bestrebungen. Er vertritt statt einer einheitlichen eine pluralistische Gesellschaftskonzeption, in der die Freiheiten durch rechtsstaatliche Verfahren gewährleistet sind und freiwillige Vereinbarungen zwischen Individuen über Dinge von privatem Interesse respektiert werden. Nach dieser Konzeption bleiben, soweit möglich, soziale und politische Dinge am besten solchen Institutionen überlassen, die zwischen dem Staat und dem Individuum vermitteln, freiwilligen und sachkundigen Vereinigungen gleichgesinnter Individuen, die sich öffentlicher Aktivitäten annehmen, kurz, der bürgerlichen Gesellschaft.

Kollektivistische Doktrinen – der Kommunismus und der Faschismus sowie in einigen seiner extremen Ausprägungen der kulturelle Modernismus – sind Doktrinen des *Willens,* der der Gesellschaft Ideologie und Imagination aufzwingt. Zu ihrer Legitimation berufen sie sich teils auf den Staat, dessen Souveränität darauf beruhen soll, daß sowohl den Regierenden wie den Regierten jeder Einfluß genommen wurde, teils auf eine Partei, die den allgemeinen Willen in einer einzigen Institution oder einem einzigen Führer verkörpert. Der Liberalismus ist eine Doktrin der *Rechte*, die im Individuum verkörpert und unveräußerlich sind, auch wenn sie zum Gegenstand von Verhandlungen werden können, besonders dort, wo Rechte mit anderen Rechten in Konflikt geraten, die aber immer vor willkürlichen Eingriffen, und sei es auch durch das Gesetz, geschützt sind. Kennzeichen des Liberalismus ist eine eigentümliche Verschmelzung von Locke und Kant, ein prozeduraler Formalismus, der eine transzendentale Begründung erhält.

Was die Kontinuität der amerikanischen Gesellschaft ausmacht, ist das Verfassungsrecht, in dem es immer um die Verteidigung und Ausweitung von Rechten ging. Seit den ersten

Verfassungszusätzen wird um Rechte gestritten, bis zum heutigen Tage, da neue Rechte wie das Recht auf eine Privatsphäre ihre Rechtfertigung nicht in den ursprünglichen Absichten der Gründerväter oder der Durchsetzung der moralischen Vorstellungen einer einzelnen Gruppe finden, sondern in einer von Vernunft geleiteten Debatte, deren Ziel es ist, die Konzeptionen einer moralischen Persönlichkeit zu erweitern. Gibt es noch eine Nation, durch deren ganze Geschichte sich eine solche fortgesetzte Debatte zieht?

Auf der institutionellen Ebene kam dabei der amerikanischen Gesellschaft der rettende Umstand zugute, daß ihre politischen Konflikte (mit Ausnahme des Bürgerkrieges) Interessenkonflikte waren; auch wenn Fragen, die wie die Einschränkung des Alkoholgenusses moralische Leidenschaften weckten, ihren gesetzlichen Niederschlag fanden, wurde nie der Rahmen in Zweifel gezogen oder beschädigt, der die öffentliche Debatte und die Möglichkeit einer Umkehrung garantierte. Der Vorzug von Interessenkonflikten besteht darin, daß es in der Regel um Zweck-Mittel-Beziehungen geht – sie betreffen nicht das ganze Leben – und daß sie *Gegenstand von Verhandlungen* sind. Kriege, in denen es um die Wahrheit, um die Ideologie oder um Leidenschaften geht, schließen Verhandlungen aus; sie entarten zu Kriegen *à l'outrance*, und zu welchen abscheulichen, unsäglichen Konsequenzen derartige Konflikte führen, zeigen der Holocaust, der Gulag, die Todesfelder Kambodschas oder das Beirut von heute.

Jede bürgerliche Gesellschaft gerät in Gefahr, wenn moralische Fragen und kulturelle Werte politisiert und dem Staat überantwortet werden. Denn solche Fragen, die nicht Gegenstand von Verhandlungen sein können, wirken auf die Gesellschaft nur polarisierend. Deshalb war die Trennung von Kirche und Staat eine der grundlegenden Voraussetzungen der amerikanischen Gesellschaft, obwohl die Founding Fathers selbst zutiefst religiös waren. Auf dem Pluralismus und der Trennung der Bereiche zu bestehen, ist nicht gleichbedeutend mit moralischem oder kulturellem Relativismus. Es ist gleichbedeutend mit dem Verbot, die eigene Version der Wahrheit der gesamten Gesellschaft aufzuzwingen, besonders wenn die Gesellschaft, wie es heute zumeist der Fall ist, eine plurale, aus vielen Gruppen und vielen Glaubensbekenntnissen zusammengesetzte Gesellschaft ist.[12]

Die Unterscheidung zwischen dem Öffentlichen und dem Privaten – und das dringliche Festhalten an dieser Unterscheidung dann, wenn die *civitas* ignoriert wird, wenn einzelne ohne Rücksicht auf die Konsequenzen unbeschränkte wirtschaftliche Zwecke verfolgen, oder andere privaten Vergnügungen nachgehen, die keine Grenzen kennen – ist noch immer die Bedingung eines zivilisierten Lebens. Die bürgerliche Gesellschaft ist ein Vertrag. Dieses Ursprungsmerkmal der Modernität bleibt eine unauslöschliche Tatsache, eine Bedingung des freien öffentlichen Lebens, wenn wir nicht einem unbeugsamen Kollektivismus oder religiösen Absolutismus erliegen wollen. Aber reicht ein Vertrag heute aus, um eine Gesellschaft zusammenzuhalten?

Die Menschen finden ihren Sinn und das, woran sie glauben, in der Kultur, und das grundlegende Dilemma des Liberalismus ist das Problem, eine annehmbare Kultur aufrechtzuerhalten. Die säkularen Religionen messianischer und chiliastischer Prägung wollten Kultur und Politik verschmelzen und den Menschen durch neue Glaubensformen neue Visionen geben. Das Ergebnis war ein Desaster. Aber das Weltliche widerstrebt den Menschen, und sie wollen eine größere Vision. Für Nietzsche und bis zu einem gewissen Grade auch für Max Weber gab es nur die Wahl zwischen einer Kultur der materialistischen Rationalität und einer Kultur des Rausches, und während Nietzsche sich für die letztere entschied und im Wahnsinn endete, blieb Weber nur die Verzweiflung an der Kultur. Einzelnen mag eine derartige Wahl möglich sein, und in Literatur und Kritik wimmelt es von solchen, die an sich selbst verzweifeln oder von sich selbst berauscht sind. Aber Gesellschaften können eine derartige Wahl nicht treffen – sie müssen übergreifende Regeln und übergreifende Sinngehalte finden, besonders wenn man nach dem Heiligen strebt, aber weiß, daß man im Weltlichen lebt. Die Kultur der Rationalität ist weltlich, aber es fehlt ihr ein Sinn für das Heilige. Der literarische Versuch, in der Kunst oder auf dem Theater ein Ritual zu begründen, entartet zur Mode, zur Pseudomystik oder zur Hermetik.

Dennoch würde ich sagen, daß der Liberalismus die Basis für eine Kultur bietet, und zwar eine, die tief aus den ethischen Traditionen des Westens schöpft. Denn wenn man – zu Recht – Rechte fordert, muß man auch Verpflichtungen akzeptieren. Und die über Generationen und Zeiten hinwegreichende Verpflichtung ist die Wechselseitigkeit der Erlösung. Sie ist die Anerkenntnis des Einzelnen, daß er sich nicht selbst erschaffen hat, sondern daß er der Sohn seines Vaters ist, mit der Verpflichtung, das Erbe einzulösen, das er empfangen hat. Sie ist das Band zur Tradition und die Kontinuität der Identität, die dem, der zugleich nach dem Bewußtsein des Universalen strebt, die Verankerung in seinem engeren Kreis gibt. Die Verpflichtung gegenüber anderen ist die Verpflichtung gegenüber der Gemeinschaft, die Teilhabe an wechselseitigen Rechten, die einen zum Mitglied der Gemeinschaft macht und einen Sinn für die *civitas* und das öffentliche Wohl schafft. Die Erlösung verbindet so, frei akzeptiert und angenommen, das Individuelle und das Gemeinschaftliche und liefert, indem sie über die Zeit hinausreicht, eine transzendentale Begründung für eine moralische Bindung über die eigene Person hinaus. In diesem Sinne ist der Liberalismus nicht nur ein Neuentwurf der Zukunft, sondern auch eine Erlösung der Vergangenheit. Und indem er die Ansprüche beider respektiert, wird er zu einem Glauben, der sich auch dem Heiligen nähert.

(Aus dem Amerikanischen übersetzt von Friedrich Griese)

Anmerkungen

1 *Prolegomena zu einer jeden künftigen Metaphysik, die als Wissenschaft wird auftreten können*, Zweiter Teil, § 36. In diesem Zusammenhang von der Politik zu sprechen, mag seltsam erscheinen, doch denke ich hier an den Gegensatz zur klassischen Auffassung, nach der die natürliche Ordnung, die moralische Ordnung und die gesellschaftliche Ordnung einander insofern verwandt sind, als sie eine Entelechie oder einen inneren Plan aufwei-

sen, der von einem *telos* bestimmt ist, so daß die eigentlichen Zwecke der Natur, der Moral und der Polis in der Einheit der Zwecke gegeben sind, die in den konstitutiven Strukturen von *physis* und *nomos* enthalten sind. Die Moderne löst, beginnend mit Hobbes, diese Einheit auf und betont, daß die Zwecke – die hedonistischen Wünsche des Selbst – individuell und verschieden sind; darum muß der *polis* anstelle des *telos* der moralischen Ordnung eine durch Vertrag zu schaffende Ordnung auferlegt werden. Oder für Hobbes ist das Triebhafte die wahre Ordnung der Natur, und das Rationale und das Moralische sind »Mythen« der Philosophen.

2 Wenn man aber wirklich »hinausgeht«, entsteht die Frage, die Hegel in dem bemerkenswerten vorletzten Abschnitt der *Phänomenologie* aufwirft, wie wir denn leben können, wenn wir erkennen, daß in dem »Hinausgehen« »Gott gestorben ist«. Der Zusammenhang, in dem Hegel erstmals diese Wendung benutzt (»der Schmerz... das harte Wort«), entstammt einem Kirchenlied Luthers; Luther verstand dies indes als Aufruf zu einem erneuerten Glauben. Für Hegel haben sich jedoch fast dreihundert Jahre später »die Verwirklichung der Religion« (d. h. ihre Erfüllung) und die Schlüsselsymbole des christlichen Denkens aufgelöst. Die ersten Christen hatten eine Vorstellung von der *kenosis*, oder von Gott, »der sich durch die Menschwerdung seines göttlichen Wesens entäußert«. Doch durch den historischen Prozeß der Rationalisierung der Religion war die bildhafte, symbolische Vorstellung von Christus zu einer »abstrakten Negativität« geworden, so daß, wie Hegel sagt, zwischen dem »religiösen Bewußtsein« und dem »Geist der Gemeinde« eine Kluft entsteht, die der moderne Mensch nicht überbrücken kann. Die urchristliche Hoffnung auf Einssein mit der Gottheit sei, so Hegel, unmöglich geworden, und auch das absolute Wissen sei für den Menschen, wie Hegel im letzten Satz der *Phänomenologie* sagt, »die Schädelstätte des absoluten Geistes«. Dies ist die unausgesprochene Tragödie des Glaubens an die Geschichte.

Über die Subjektivität, die, indem sie sich dem Absoluten nähert, zum wirklichen Geist wird, schreibt Hegel: »Der Tod dieser Vorstellung [von Christus] enthält also zugleich den Tod der Abstraktion des göttlichen Wesens, das nicht als Selbst gesetzt ist. Er ist das schmerzliche Gefühl des unglücklichen Bewußtseins, daß Gott selbst gestorben ist. Dieser harte Ausdruck ist der Ausdruck des innersten sich einfach Wissens, die Rückkehr des Bewußtseins in die Tiefe der Nacht des Ich = Ich, die nichts außer ihr mehr unterscheidet und weiß.« *Phänomenologie des Geistes*, Werke Bd. 3. Frankfurt am Main 1970, S. 571f. Siehe zu dieser gesamten Diskussion den Abschnitt »Die offenbare Religion« (VII C, ebda., S. 545–574). Vom Tode Gottes ist erstmals auf S. 547 die Rede; die Erörterung der *kenosis* (Hegel selbst benutzt diesen Ausdruck aus der frühchristlichen Theologie nicht) findet sich auf S. 570f.; die Äußerung über den »Tod dieser Vorstellung« auf S. 571f.; die Diskussion der Trennung zwischen religiösem Bewußtsein und Geist der Gemeinde auf S. 574. Die Wendung »Schädelstätte des absoluten Geistes« steht auf S. 591.

3 Siehe *De l'Esprit des lois*, besonders die Bücher XIV bis XIX. Die entschei-

dende Aussage über die Variationen und die für sie verantwortlichen Faktoren wird in Buch XIX gemacht. Siehe Buch XIX, Kapitel 4.

4 Quentin Skinner hat kürzlich behauptet, das Wort *Staat* habe Anerkennung gefunden, als politische Philosophen (er hob Hobbes hervor) nach einem Ausdruck suchten, um einen sich herausbildenden Machtbereich zu bezeichnen, der von der *res publica* oder der *civitas* verschieden war, denn diese Ausdrücke bedeuteten Volkssouveränität, aber auch von den Inhabern der Macht als solchen wie etwa den Monarchen, die auf der ihnen – als Personen – und nicht einer Institution geschworenen Treue bestehen würden. Der *Staat* war demnach eine Entität, die die Souveränität sowohl von den Regierenden als auch von den Regierten abstrahierte und die so entäußerten Rechte in der *persona ficta* des »Staates« zusammenfaßte. Dieser Gedanke der Entäußerung findet sich bei Hobbes und später bei Rousseau, wo – im »Gesellschaftsvertrag« – jede Person sich und ihre Rechte im allgemeinen Willen aufgehen läßt.

Definiert man den *Staat* in diesem Sinne, dann gab es in den Vereinigten Staaten sicherlich keinen *Staat*, denn schon der Charakter der Gründungsdokumente wies die Vorstellung von entäußerten Rechten zurück und brachte die Souveränität in der Wendung »Wir, das Volk« zum Ausdruck.

5 Die Vereinigten Staaten waren im 19. Jahrhundert damit beschäftigt, eine Nation zu werden; dieses Bemühen wurde durch den Bürgerkrieg bestätigt und als ein sich über den ganzen Kontinent erstreckendes Abenteuer durch den Glauben an *Manifest Destiny* gerechtfertigt. Es gab keine nationale herrschende Klasse, wenngleich Mark Hanna sich bemühte, durch das Zusammenschweißen der Plutokratie eine solche zu schaffen, doch eine in sich geschlossene herrschende Klasse ist nicht entstanden, sondern nur Eliten. Im 20. Jahrhundert begannen sich Ansätze eines Staates auszubilden, weil es notwendig wurde, lenkend in die Wirtschaft einzugreifen und dem wirtschaftlichen Wachstum eine gewisse Richtung zu geben, weil ein nationales Wohlfahrtssystem geschaffen werden mußte und weil die Universitäten und die Forschung öffentliche Förderung erhielten. Doch ein Staat im vollen Sinne entstand erst mit der zentralen Bedeutung der Außenpolitik und dem Erfordernis, einen geeinten Willen gegen einen äußeren Feind zu mobilisieren. Historisch ist es die Außenpolitik und sind es militärische Notwendigkeiten, die einen dauerhaften Staat entstehen lassen. Insofern ist Carl Schmitts These richtig, daß die Wirtschaft der Wettbewerb zwischen Rivalen, die Politik aber die Auseinandersetzung zwischen Freunden und Feinden ist; und aus einer solchen Politik entstehen Staaten.

Zu dem Zusammenhang zwischen dem Glauben an *Manifest Destiny* und dem amerikanischen Imperialismus siehe meinen Essay The End of American Exceptionalism? in *The Winding Passage* (Basic Books, 1980), S. 249–255; zu den Kräften, die das Entstehen eines Staates in den Vereinigten Staaten beeinflußten, siehe *The Cultural Contradictions of Capitalism* (Basic Books, paperback edition, 5. und 6. Kapitel).

6 Als die Frage auftrat, ob Unternehmen den Schutz des Gesetzes gemäß dem 14. Verfassungszusatz in Anspruch nehmen können, entschied das

Oberste Bundesgericht, indem es eine Fiktion schuf, das Unternehmen sei eine *Person* und könne dementsprechend Schutz beanspruchen. Dies ist einer der Gründe, warum in Amerika so viel prozessiert wird und die Justiz eine so große Rolle spielt, denn wenn die Rechte des Einzelnen das Fundament der Gesellschaft sind, dann klagt man, um sie zu verteidigen und zu schützen.

7 »Es war der Wille des Himmels«, schrieb John Adams im Jahre 1776, »daß wir ins Dasein geworfen wurden zu einer Zeit, in der zu leben der Wunsch der größten Philosophen und Gesetzgeber der Antike gewesen wäre. In einer Zeit, da wir die Gelegenheit haben, die Regierung von Grund auf neu zu beginnen... Wie wenige aus dem Menschengeschlecht hatten jemals eine Gelegenheit, für sich und ihre Kinder ein Regierungssystem zu wählen!«

8 Die erste Generation der Expressionisten und die Pioniere der Abstraktion hatten, so merkwürdig das auch klingen mag, gegensätzliche Intentionen. Kandinsky war tief religiös, seine ersten abstrakten Gemälde (um 1910) bezogen sich auf apokalyptische Untergangsvorstellungen wie die Sintflut oder das Jüngste Gericht, und seinem ersten Buch gab er den Titel *Über das Geistige in der Kunst.*

Nach den Greueln des Ersten Weltkriegs, kaum zehn Jahre später, wandten viele expressionistische Maler und Schriftsteller sich dem revolutionären Aktivismus zu. Max Pechstein und Ludwig Meidner waren einflußreiche Mitglieder des Arbeiterrates für Kunst, und Conrad Felixmüller wollte für alle, die der von ihm mitbegründeten expressionistischen »Dresdner Neuen Sezession Gruppe 1919« angehörten, die Mitgliedschaft in der Kommunistischen Partei zur Pflicht machen. Das expressionistische Theater von Toller und Piscator befaßte sich mit revolutionären Themen, und grelle Beleuchtung sowie karge Bühnenausstattung sollten die Aufmerksamkeit auf den Text der Stücke statt auf das Bühnenbild lenken.

Warum dann die Hinwendung zum Formalismus unter den amerikanischen Malern und Kritikern der vierziger und fünfziger Jahre, die fast alle eine radikale (linke) politische Vergangenheit hatten? Eine simple Antwort gab Serge Guillabaut: Sie hätten im Dienst des amerikanischen Imperialismus gestanden, mit dem Auftrag, Paris die Rolle des Zentrums der Kunstwelt zu »stehlen«. Wenn das stimmt, erhebt sich die Frage, warum Paris, London, Mailand und das übrige Europa diese Kunst bereitwillig aufnahmen. Vielleicht – dies ist nur eine Spekulation – hat der Impuls, die modernistischen Ausdrucksformen von Europa zu übernehmen und zu erweitern, nachdem er Wurzeln geschlagen und sich so spektakulär durchgesetzt hatte, die amerikanischen Maler dazu getrieben, sich all der »immanenten« formalen Probleme, die der Kubismus und seine Nachfolger nicht gelöst hatten, anzunehmen. Eine anregende Diskussion dieser Frage findet man bei Frank Stella: *Working Spaces.* Harvard University Press 1986.

9 Im *Ubu Roi*, zu dem Bonnard, Vuillard und Toulouse-Lautrec Bühnenbilder lieferten, wurden zum ersten Mal öffentlich Obszönitäten geäußert. Das Wort *merdre* löste einen Tumult aus, der sich während der ganzen Vor-

stellung nicht legte. Nach der Uraufführung im Jahre 1896 konnte er erst 1908 wieder aufgeführt werden. Privat war das Wort, verhüllend als *mot de Cambronne* bezeichnet, nach einem General Napoleons, der es bei Waterloo geäußert haben soll, durchaus gebräuchlich. Es aber öffentlich zu äußern, war, wie Roger Shattuck bemerkt hat, im Jahre 1896 »undenkbar«. Darum der eingefügte Buchstabe *r*. Man stelle diesem Skandal die eindeutige Schilderung einer homosexuellen Vergewaltigung in Genets *Notre Dame des Fleurs* (und dem auf seinen Phantasien basierenden Film) oder Burroughs' Darstellung der Ejakulation eines Mannes, der gehängt wird, in *Naked Lunch* gegenüber. Heute findet man nichts dabei, *merde* zu sagen, wenn man einem Studenten, der in die Prüfung geht, oder einem Freund, der eine Reise antritt, Glück wünscht. Wird mit der Zeit alles gezähmt? Für eine Diskussion von Jarry und *Ubu Roi* siehe Roger Shattuck: *The Banquet Years*, London 1959, 7. Kapitel, besonders S. 161.

10 Dieses Thema, das ich als »das Schwinden der Distanz« bezeichne, entwickele ich im 2. Kapitel, The Disjunctions of Cultural Discourse, in *The Cultural Contradictions of Capitalism*. New York, Basic Books, 1978, besonders S. 99–119.

11 Ein weiteres Paradoxon – denn anders kann man es nicht nennen – besteht darin, daß die stark engagierten Feministinnen, die neueste militante Minderheit, sich bei ihrer Attacke gegen die dominierende Macht der Männer begierig auf die Pornographie und die in ihr dargestellten Phantasien geworfen haben, um auf diesem Schlachtfeld einen neuen Versuch der gesellschaftlichen Regulierung zu unternehmen. In den kommunistischen Ländern sind die Regime, obwohl ihre Ideologien anfänglich revolutionär und emanzipatorisch waren, mit der Erzwingung puritanischer Einstellungen am weitesten gegangen; so ist die Homosexualität in diesen Ländern verboten. Vielleicht liegt darin eine Bestätigung für Freuds These, daß das Erfordernis, den ökonomischen Impuls zu mobilisieren, die Unterdrückung des sexuellen verlangt.

12 Deshalb habe ich zum Beispiel die Ansicht vertreten, daß für Abtreibungen keine staatlichen Mittel zur Verfügung gestellt werden, sie aber auch nicht verboten werden sollten, da sie eine Sache der privaten Entscheidung sind. Für eine private Entscheidung sollte man eben auch privat bezahlen. Was das verständliche Argument angeht, daß dann die Armen ausgeschlossen wären, so sollten für die entsprechenden Kosten private Stiftungen aufkommen, die von denen zu finanzieren wären, die an die private Entscheidung glauben. Die Politisierung moralischer Fragen kann für eine pluralistische Gesellschaft nur verheerend sein.

WINFRIED SCHULZE

Ende der Moderne?
Zur Korrektur unseres Begriffs der
Moderne aus historischer Sicht

I

Die erste Beobachtung meiner Überlegungen zum Begriff der Moderne soll nicht Jacob Burckhardt, Max Weber oder Ernst Troeltsch gelten, sie übergeht Renaissance und Reformation, sie schweigt von Calvinismus und Kapitalismus, von Aufklärung und Revolution. Sie gilt auch nicht dem Hinterzimmer jener Berliner Kneipe, in dem nach Auskunft der Begriffsgeschichte im Jahre 1886 der Literarhistoriker Eugen Wolff den Begriff »Die Moderne« geprägt hat.[1] Sie führt uns vielmehr auf das komplizierte Terrain der Programmiersprachen moderner Datenbanksysteme, die inzwischen auch von schlichten Geisteswissenschaftlern benutzt werden, um der wachsenden Flut von Veröffentlichungen oder großer Mengen historischer Daten Herr zu werden. Dieser erste Schritt in diese, geradezu exemplarisch postmoderne, »immaterielle« Welt scheint mir deshalb nützlich zu sein,[2] weil wir eben hier die neueste Begriffsvariante von »Geschichte« entdecken können und nicht – wie eigentlich zu erwarten – in der historischen Literatur selbst oder in unseren begriffsgeschichtlichen Lexika. In einem der neuesten der sogenannten relationalen Datenbankprogramme, die sich auf Personal Computern einrichten lassen,

---

1 Vgl. Schutte/Sprengel (Hrsg.): *Die Berliner Moderne 1885–1914*. Stuttgart 1986, S. 13 und H. U. Gumbrecht: Art. Modern, Modernität, Moderne, in: Brunner/Conze/Koselleck (Hrsg.): *Geschichtliche Grundbegriffe* Bd. 4. Stuttgart 1978, S. 93–131, hier S. 120.

2 Vgl. J.-F. Lyotard u. a.: *Immaterialität und Postmoderne* (Katalog der Ausstellung im Centre Beaubourg 1985). Dt. Berlin 1985.

dem Programm dBase IV, taucht der Befehl »set history« auf. Er bewirkt, daß sich dem Anwender dieses Programms auf Knopfdruck die Möglichkeit bietet, alle bisher eingegebenen Kommandos, den gesamten Verlauf der bisherigen Arbeit, die Geschichte des Programms also, zu rekonstruieren.[3] »History« in diesem Programm hat also nichts mehr mit der uns wohlvertrauten Geschichte zu tun, die einen einmaligen umfassenden Prozeß bezeichnet, »history« wird hier vielmehr zur beliebig wiederholbaren, beliebig begrenzbaren Ereignisfolge. Man könnte sagen: Der Programmierer wird zum Herrn der Zeit, er spielt mit ihr, er macht die »history«.

Ich habe nun diesen kurzen Blick in ein modernes Computerprogramm nicht unternommen, um der interessanten Frage nachzugehen, ob und wie die Arbeit des Historikers durch solche Maschinen und Programme verändert wird. Ich habe es auch nicht getan, um damit an Jean-François Lyotard anzuknüpfen, der in seinem Traktat über das »postmoderne Wissen« in einer Öffnung aller Datenbanken den Weg zu einer neuen Stufe des Wissens sieht.[4] Es hat vielmehr den Anschein, als ob diese neue, schreckliche Version von »history« in ihrer grenzenlosen Beliebigkeit und Manipulierbarkeit ein Licht auf die Probleme werfen kann, die sich auftun, wenn man sich heute dem Begriff der Moderne nähert, der »katastrophalen Moderne«, wie sie in einem Buchtitel des Jahres 1984 apostrophiert wird, deren »Tod« in einem anderen Titel konstatiert wird.[5]

Der Historiker, der sich mit der offensichtlich problematisch gewordenen Epoche der »Moderne« befaßt, muß dies zum gegenwärtigen Zeitpunkt ohne die beruhigende Hilfestellung

---

3 Ashton-Tate: *dBase IV, dt. Version 1.0*, 1989.

4 J.-F. Lyotard: *Das postmoderne Wissen*. Bremen 1982 und ders.: *Das postmoderne Wissen. Ein Bericht*. Hrsg. von P. Engelmann. Graz–Wien 1986.

5 J. Heinrichs: *Die katastrophale Moderne*. Frankfurt/M. 1984 und *Tod der Moderne. Eine Diskussion* (Konkursbuch). Tübingen 1983. Die einschlägige Literatur vermehrt sich schnell. Zuletzt P. Koslowski, R. Spaemann, R. Löw (Hrsg.): *Moderne oder Postmoderne*. Weinheim 1986; W. Welsch: *Unsere postmoderne Moderne*. Weinheim 1987.

einer einschlägigen Diskussion tun, der man zustimmen oder von der man sich distanzieren könnte. Der Historie ist die Moderne gegenwärtig immer noch ein Begriff im Verständnis Max Webers, kaum getrübt durch die modische Kritik, die sich von der Architekturtheorie[6], der Literaturwissenschaft, der philosophischen Ästhetik und einer neokonservativen Soziologie her entwickelt hat.[7]

Es scheint mir für den Historiker wenig erfolgversprechend zu sein, die möglicherweise mißliebigen Konstrukte modischer Kulturtheorien mit dem mahnenden Finger der Geschichte zu widerlegen oder zu bestätigen oder gar für nichtexistent zu erklären. Auch sehe ich keine spezifische Kompetenz, die Debatte über »das unvollendete Projekt der Moderne« – von dem Jürgen Habermas gesprochen hat – mit einem Machtspruch zu beenden.[8] Was vielmehr unternommen werden soll, folgt einem bescheideneren Plan. Zunächst will ich – ausgehend von einer knappen Skizze der Diskussion über das Posthistoire – nach Indizien für ein neues Verhältnis der Geschichtswissenschaft zur Geschichte der Moderne suchen, die bislang nicht in diesem Kontext gesehen worden sind. Dabei gehe ich von der Beobachtung aus, daß sich die Präsentationsformen für das geschichtliche Material seit der Krise des Historismus in einem bemerkenswerten Maße verändert haben, und ich will versuchen, diese Beobachtung in einen neuen Kontext zu stellen.

In einem zweiten Schritt will ich dann einen Vergleich zwischen der gegenwärtigen Situation des Denkens über die Moderne und einer anderen historischen Konstellation entwickeln, der mir den Ansatzpunkt für ein anderes Verständnis der Moderne liefern soll, ein Verständnis, das in ihr weniger den

---

6 Grundlegend Ch. Jencks: *Die Postmoderne. Der neue Klassizismus in Kunst und Architektur.* Stuttgart 1987.

7 Eine Ausnahme bildet das gerade erschienene Buch von Lutz Niethammer: *Posthistoire. Ist die Geschichte zu Ende.* Reinbek 1989.

8 Vgl. J. Habermas: *Kleine politische Schriften* I–IV. Frankfurt/M. 1981, S. 444–464 und ders.: *Der philosophische Diskurs der Moderne. Zwölf Vorlesungen.* Frankfurt/M. 1985 und zuletzt ders.: *Eine Art Schadensabwicklung. Kleine politische Schriften* VI. Frankfurt/M. 1987, S. 66–69.

immer wieder zitierten Vernunftkern betonen soll, sondern das auf den Charakter der Moderne als fortgesetzte Infragestellung und Wiedergewinnung von Ordnung abhebt. Dabei gehe ich von einem Verständnis der Moderne aus, das sich nicht an ihrer emphatisch-aufklärerischen Genese, sondern an ihrer eher dunklen Genese in den Niederungen der Auseinandersetzung um das Problem der Konfession orientiert. Auf diese Weise soll der widersprüchliche Charakter der Moderne als ihr notwendiges Grundprinzip betont werden, der uns vor der Idee eines vermeintlichen Scheiterns der Moderne bewahren könnte.

II

Selbst wenn man sich mit der gebotenen Zurückhaltung des Historikers an die Debatte um die Postmoderne herantastet[9], stellt man schnell fest, daß in dieser Diskussion eine eigenartige Problemverschiebung stattgefunden hat. Während sich zu Beginn unseres Jahrhunderts in grandioser Selbstverständlichkeit alle Beiträge auf die Frage konzentrierten, wann denn nun der Beginn der Moderne anzusetzen und welche Faktoren für Herankunft und Fortschritt der Moderne verantwortlich zu machen seien, hat sich heute die Problemlage verkehrt. Sie hat sich so weit verkehrt, daß heute eher über ein vorgebliches Ende der Moderne diskutiert wird, ja über eine Nachfolge-Epoche, die Hans Robert Jauß gespensterhaft durch die intellektuelle Welt Europas ziehen sieht: die Postmoderne.[10]

Daß Historiker ganz allgemein eher zurückhaltend sind, wenn es darum geht, Epochengrenzen zu ziehen, braucht hier nicht eigens bewiesen zu werden. Selbst 20 Jahre nach der

---

9 Z. B. über Th. Jung u. a. (Hrsg.): *Vom Weiterlesen der Moderne. Beiträge zur aktuellen Aufklärungsdebatte.* Bielefeld 1986; A. Wellmer: *Zur Dialektik von Moderne und Postmoderne. Vernunftkritik nach Adorno.* Frankfurt/M. 1985; K. H. Bohrer (Hrsg.): *Mythos und Moderne.* Frankfurt/M. 1983.

10 H. R. Jauß: Der literarische Prozeß des Modernismus von Rousseau bis Adorno, in: R. Herzog/R. Koselleck (Hrsg.): *Epochenschwelle und Epochenbewußtsein, Poetik und Hermeneutik* XII. München 1987, S. 243–268, hier S. 243.

Französischen Revolution schien dem Göttinger Historiker August Hermann Ludwig Heeren die Situation seiner Zeit noch zu ungewiß, um die Französische Revolution schon als Epochengrenze erkennen zu können. Während Hegel sich zur gleichen Zeit überzeugt davon gab, daß »unsere Zeit eine Zeit der Geburt und des Übergangs zu einer neuen Periode ist«, urteilte der skeptische Historiker: »Die neueste Zeit von der neuen trennen zu wollen, scheint noch viel zu früh. Es mag den Geschichtsschreibern des 20. Jahrhunderts zustehen, diese Einteilung zu machen; nicht denen im ersten Viertel des 19. (Jahrhunderts); so wenig als es während der Reformation schon passend gewesen wäre, die neue Zeit mit dieser zu beginnen.«[11] Leopold von Ranke sah in der traditionellen Einteilung der Geschichte in Alte, Mittlere und Neuere Geschichte »keinen Grund«. Das Verfahren gewähre keinen Erkenntnisvorteil. Der Althistoriker Alfred Heuss sah diese Einteilung gar in den »Niederungen der historischen Literatur« – nämlich der Schulgeschichtsbücher – entstanden.[12] Gleichwohl – es besteht offensichtlich ein elementarer »geschichtlicher Zäsurbedarf des modernen Menschen«, wie Odo Marquard festgestellt hat, und er sieht ihn vor allem in der Fähigkeit, sich durch eine Epochenzäsur »etwas vom Halse« zu datieren, gleichgültig ob »finsteres Mittelalter« oder »diskreditierte Moderne«.[13]

Wenn wir heute erneut Max Webers Beiträge über die protestantische Ethik lesen,[14] wenn wir Ernst Troeltschs Aufsatz über den Beitrag des Protestantismus für die Entstehung der modernen Welt,[15] Werner Sombarts Beiträge über die Entste-

11 A. H. Heeren: *Handbuch der Geschichte des Europäischen Staatensystems und seiner Colonien.* 4. Aufl. 1822, S. XVII.
12 L. v. Ranke: *Vorlesungseinleitungen.* Hrsg. von V. Dotterweich und W. P. Fuchs. München–Wien 1975, S. 36.
13 O. Marquard: Temporale Positionalität. Zum geschichtlichen Zäsurbedarf des modernen Menschen, in: *Epochenschwelle* (wie FN 10), S. 343–352.
14 M. Weber: *Die protestantische Ethik I. Eine Aufsatzsammlung.* Hrsg. von Johannes Winckelmann. 3. Aufl. Hamburg 1973.
15 E. Troeltsch: *Die Bedeutung des Protestantismus für die Entstehung der modernen Welt.* 5. Aufl. München–Berlin 1928 (zuerst in *Historische Zeitschrift* 97, 1906, S. 1–66).

hung des modernen Kapitalismus[16] und Otto Hintzes Analysen des frühmodernen Staates lesen,[17] fühlen wir uns eher inmitten nur mehr akademischer Streitfragen, garniert mit einer Unzahl von Sammelbänden als dem unverkennbaren Markenzeichen akademischer Dauerbedeutung, aber nicht mehr an der intellektuellen Frontlinie unserer Tage.

In der Tat, wir würden damit die Problemlagen aus der großen Umbruchzeit um 1900 repetieren,[18] aber wir würden damit offensichtlich nicht mehr die drängendsten Fragen unserer Zeit treffen, die eher auf das Ende der Moderne als auf deren Beginn zielen. Die Reserve, die dabei noch in dem Wort »offensichtlich« liegt, hängt mit der Stichhaltigkeit der Belege für diesen Eindruck zusammen. Aus einer engen Sicht allein der Geschichtswissenschaft wird sich dieser Eindruck kaum bestätigen lassen. Es gibt hier keine Diskussion über das Ende jenes Prozesses, den wir Moderne zu nennen gewöhnt sind, dessen europäische Singularität so viele Wissenschaftler vor und nach Max Weber fasziniert hat.[19] Noch die letzten Jahre haben Publikationen über den »Beginn der Moderne« gesehen,[20] die europäische »Sattelzeit« zwischen 1750 und 1850 ist intensiv diskutiert worden, und gerade hat Reinhart Koselleck noch einmal für den Beginn der Neuzeit im 18. Jahrhundert plädiert.[21] Über die

---

16 Jetzt zu benutzen: W. Sombart: *Der moderne Kapitalismus. Historisch-systematische Darstellung des gesamteuropäischen Wirtschaftslebens von seinen Anfängen bis zur Gegenwart*, 6 Teilbände. München 1987 und dazu B. v. Brocke (Hrsg.): *Sombarts »Moderner Kapitalismus«. Materialien zur Kritik und Rezeption*. München 1987.

17 O. Hintze: *Staat und Verfassung. Gesammelte Abhandlungen zur allgemeinen Verfassungsgeschichte*. Hrsg. von G. Oestreich, 2. Aufl. Göttingen 1962.

18 Vgl. dazu jetzt aus der Perspektive der historischen Kulturwissenschaften die verschiedenen Beiträge in N. Hammerstein (Hrsg.): *Deutsche Geschichtswissenschaft um 1900*. Stuttgart 1988.

19 Erste Ansätze bei Th. Jung: Das Verschwinden der Geschichte, in: *Vom Weiterlesen der Moderne* (wie FN 9), S. 68–91 und bei O. Marquard (wie FN 13).

20 R. Koselleck (Hrsg.): *Studien zum Beginn der modernen Welt*. Stuttgart 1977.

21 R. Koselleck: Das achtzehnte Jahrhundert als Beginn der Neuzeit, in: *Epochenschwelle* (wie FN 9), S. 269–282.

Kosten dieser Definition der Moderne durch Beschleunigung, Verzeitlichung und Zukunftorientierung soll im folgenden gesprochen werden. Wir empfinden heute nicht mehr die Selbstgewißheit eines Heinrich von Treitschke, der über die Versuche, am Beginn der Neuzeit mit der Reformation zu rütteln, urteilte: »...und dabei wird es bleiben, obwohl die Selbstverliebtheit unserer Tage zuweilen, ganz vergeblich, versucht, die Geschichte der neuen Zeit erst mit der französischen Revolution zu beginnen.«[22]

Eine erste Relativierung dieses Nachdenkens über »Beginn« und »Umbruch« ist schon durch die Prozeßkategorie der Modernisierung erreicht worden, die seit den späten 50er Jahren zunächst in den USA, später auch in der europäischen und deutschen Geschichtswissenschaft verwendet worden ist.[23]

Hier war der Wortbestandteil »Moderne« nicht mehr Teil jenes umfassenden historischen Vorgangs, in dem Europa den Weg von der feudalen zur bürgerlichen Welt fand, sondern hier wurde er zur weltweit wiederholbaren Annäherung an einen bestimmten Zustand politischer Partizipation, ökonomischer Innovation, öffentlicher Kommunikation, der Alphabetisierung oder anderer meßbarer Teilbereiche gesellschaftlicher Entwicklung; Modernisierung in diesem Sinne waren quantitativ meßbare, vielfach wiederholbare Schritte zu einem höheren Niveau wirtschaftlicher und sozialer Entwicklung. Diese Kategorie fand vor allem im Bereich der Länder der Dritten Welt Anwendung, die damals noch den Modernisierungsgrad der atlantisch-europäischen Welt als unbezweifelbares Modell betrachteten. Schon diese vielfachen Kopien der originalen europäisch-amerikanischen Moderne mußten die Dignität des Urmodells schwächen, das nun zu »einem raumzeitlich neutralisierten Muster für soziale Entwicklungsprozesse überhaupt« (so Jürgen Habermas) wurde,[24] ein Prozeß, der von manchen

22 H. v. Treitschke: Luther und die deutsche Nation, in: ders.: *Historische und Politische Aufsätze* Bd. 4. Leipzig 1897, S. 377–396, hier S. 386.

23 Kompetenter Überblick bei H. U. Wehler: *Modernisierungstheorie und Geschichtswissenschaft.* Göttingen 1975.

24 J. Habermas: *Der philosophische Diskurs der Moderne* (wie FN 8), S. 10.

Sozialwissenschaftlern durchaus als Befreiung von den Zielvorgaben der klassischen Moderne gesehen wird.[25] Rainer M. Lepsius hat davon gesprochen, daß eine solche »relationale Bestimmung der Modernisierung« keinen »übergreifenden Entwicklungssinn und keine notwendige Entwicklungstendenz« mehr impliziere.[26] Hinter einer solchen Relativierung der Moderne durch sich wiederholende Modernisierungsprozesse steht die prinzipielle Frage, ob nicht der Historismus und die ihm innewohnende Tendenz zur Relativierung historischer Phänomene selbst eine einheitliche Moderne liquidiert haben.

Doch wir sind nicht auf diese eher methodologischen Fragen angewiesen, um Belege für den wachsenden Zweifel an der Moderne zu finden. In der deutschen Diskussion war es der Soziologe Arnold Gehlen, der seit 1952 mit dem Begriff des »Posthistoire« arbeitete und dabei immer wieder die Frage nach dem »Ende der Geschichte?« stellte.[27] Er griff dabei selbst wiederum auf Bemerkungen des französischen Mathematikers und Nationalökonomen Antoine Augustin Cournot zurück, der somit als Erfinder des »Posthistoire« angesehen werden kann. Cournot hatte mit diesen Begriff zwar lediglich einen Zustand nicht mehr überbietbarer erfinderischer Vervollkommnung bezeichnen wollen, doch bot seine Analyse auch Ansatzpunkte einer weiterreichenden Interpretation. Dabei ist von Interesse, daß Cournot als wichtiger Vorläufer einer mit mathematischen Modellen arbeitenden National-

---

25 Vgl. etwa J. Coleman: Art. Modernization, in: *Encyclopedia of the Social Sciences*. Bd. 10, S. 397.

26 R. M. Lepsius: Soziologische Theoreme über die Sozialstruktur der »Moderne« und die »Modernisierung«, in: R. Koselleck (Hrsg.): *Studien* (wie FN 20), S. 10–29, hier S. 23.

27 Er verwendet zum erstenmal den Begriff in: Über die Geburt der Freiheit aus der Entfremdung, in: *Studien zur Anthropologie und Soziologie*. Neuwied 1963, S. 232–246 (zuerst 1952). Direkt einschlägig: Über kulturelle Kristallisation, in: ebd.: S. 311–328 (zuerst 1961). – Ich beziehe mich i. f. auf ders.: Ende der Geschichte? Zur Lage des Menschen im Posthistoire, in: Oskar Schatz (Hrsg.): *Was wird aus dem Menschen? Analysen und Warnungen prominenter Denker*. Graz–Wien–Köln 1974, S. 61–76.

ökonomie gilt und schon um die Mitte des 19. Jahrhunderts weit vorausschauende Bemerkungen über die Gefahr der Erschöpfung von Energiequellen und deren gesellschaftliche Konsequenzen machte.[28] Die erste Andeutung eines »Posthistoire« ist also eng an jene »Grenzen des Wachstums« gebunden, in deren Umfeld dieses Konzept in den letzten Jahren so glänzend gedieh.

Kern dieser Vorstellungen ist ein Zustand, in dem Gesellschaft nur mehr als funktionierendes System verstanden wird, als reibungslos ihren Dienst verrichtende Großmaschine, die Wirtschaft, Bürokratie und politische Entscheidungsmechanismen in sich aufnimmt und egalisiert. Das so gebildete Großsystem bildet keine systemverändernden oder gar -sprengenden Potentiale mehr aus, es hat folglich keine Geschichte mehr, zumal sich dieser Zustand des Großsystems tendenziell zum Weltsystem erweitert. So wird, wie Gehlen formulierte, ein »Zustand stationärer Dauer« erreicht, die ausgereizte wirtschaftlich-technische Rationalität ist immun gegenüber Innovationen geworden, sie vermag nur noch minimale Zugewinne zu erreichen. Geschichte könnte unter diesen Bedingungen zu einem »stillen Sickerprozeß der Menschheit« – wie in der Steinzeit – werden.[29] Ergänzt wird diese Zukunftsschau von der These, daß die europäische Kultur historisch mit Klassenherrschaft gekoppelt war, folglich mit zunehmender Demokratisierung verschwinden müsse. Ihren Höhepunkt findet sie in der Schreckensvision der unberechenbaren Kleingeschichte »südamerikanischen« Ausmaßes, Ausfluß der »nicht zivilisierbaren Komponente« im Wesen des Menschen.[30]

Wer hätte nicht Ansatzpunkte und partielle Belege für solche Diagnosen beizubringen. Die Zwänge der globalen Wirtschaftspolitik erheischen die stillschweigende Stabilisierung gigantischer finanzieller Ungleichgewichte zwischen Gläubiger-

---

28 A. A. Cournot: *Traité de l'enchaînement des idées fondamentales dans les sciences et dans l'histoire.* ed. nouv. Paris 1911.

29 Vgl. dazu die Interpretation Gehlens durch Martin Greiffenhagen: *Das Dilemma des Konservatismus in Deutschland.* München 1971, bes. S. 327 ff.

30 Zitiert nach Gehlen: Ende der Geschichte? (wie FN 27), S. 66 und 75.

ländern im Norden und Schuldnerländern im Süden dieser Welt. Wo vor zwei Generationen noch ein Expeditionskorps zur Lösung solcher Differenzen ausreichte, steht heute nur mehr alternativlos eine neue Kreditlinie der Bankenkonsortien zur Diskussion. Selbstbewußt stellen die Schuldnerländer ihre Rück- und Zinszahlungen ein, und ohnmächtig wird das in den Kapitalien der westlichen Gläubigerländer registriert. Gewiß wird man in dergleichen Beobachtungen noch nicht den Beweis eines stabilen Weltsystems erkennen können, doch deuten solche Indizien auf den unzweifelhaft erhöhten Grad der systemischen Gebundenheit aller Nationen hin. In der globalen Abschreckungsstrategie läßt sich in diesem Sinne durchaus die höchst entwickelte Stufe solch weltumspannender Abhängigkeit erkennen. Die dem waffentechnischen Kalkül entgegenstehenden Getreidelieferungen westlicher Länder an die chronisch unterproduzierende Sowjetunion bestätigen uns alljährlich die Bedeutung der neu entwickelten, durchaus beruhigenden Weltzwänge.

Doch schon die Ideengeschichte des frühen 20. Jahrhunderts bietet einige, wenn auch oft vergessene Anregungen für den Eindruck einer zum Ende kommenden Geschichte. Der deutsche Staatsrechtler Kurt Wolzendorff stellte sich 1916 die interessante Frage, woher es denn komme, »daß die durch die Monarchomachen im 16. Jahrhundert plötzlich in den Vordergrund gestellte Frage nach dem Widerstandsrecht des Volkes von da an durch drei Jahrhunderte hindurch in der Staatslehre diesen Platz behaupten konnte, um dann, ebenso plötzlich, wieder völlig aus ihr zu verschwinden«. Er ließ keinen Zweifel daran, daß der Ausbau des Rechtsstaates auf konstitutioneller Grundlage die Lehre vom Widerstandsrecht »zur Erledigung« brachte.[31] Und wenig später hielt der Rechtshistoriker Hans Fehr das Widerstandsrecht nunmehr für »rechtslogisch unmöglich« und »institutionell überflüssig« geworden. Das Widerstandsrecht habe sich mit dem ständischen Staat selbst über-

---

31 K. Wolzendorff: *Staatsrecht und Naturrecht in der Lehre vom Widerstandsrecht des Volkes gegen rechtswidrige Ausübung der Staatsgewalt.* Breslau 1916, S. 533.

lebt; man bedurfte seiner nicht mehr.[32] Nicht ohne Stolz auf einen scheinbar erreichten Zustand der Welt wurde hier ein wesentlicher Bewegungsimpuls der neueren Geschichte einfach aus dem Verkehr gezogen. Es waren wohl Beobachtungen dieser Art rechtspolitischen Endzeitdenkens, die kritische Beobachter der Fortschritte seit dem Ende des 19. Jahrhunderts zu der Vermutung führten, die bislang gültigen Antriebsmechanismen würden einmal ihre Bedeutung verlieren und so einen tendenziell stationären Zustand der Geschichte heraufführen. Für Max Horkheimer ergab sich im September 1939 aus der Analyse des durch den Krieg noch stabilisierten totalitären Herrschaftssystems und des Verschwindens des »Marktes« ebenfalls der Eindruck, daß hiermit ein Ende der historischen Entwicklung erreicht sei.[33]

Daß der weitere Verlauf des 20. Jahrhunderts geeignet war, weitere Distanzierungen vom Fortschrittsdenken der Moderne zu fördern, liegt auf der Hand und bedarf hier nur knapper Hinweise. Die schrecklichen Formen des Mißbrauchs technischen Fortschritts in Krieg und Massenvernichtung schärften das Bewußtsein für die »Dialektik der Aufklärung« und weckten neue Zweifel an jenem großen Prozeß der Perfektibilisierung der Welt, den man seit dem späten 18. Jahrhundert zu erkennen glaubte. Die deprimierende Erkenntnis, »warum die Menschheit, anstatt in einen wahrhaft menschlichen Zustand einzutreten, in eine neue Art von Barbarei versinkt«, die zwei emigrierte jüdische Sozialwissenschaftler in Kalifornien formulierten, markiert einen Umbruch im Bewußtsein der Moderne.[34]

Die verschiedenen Diagnosen der »deutschen Katastrophe« von 1945 verstärkten noch den Eindruck einer Distanzierung von der überkommenen Geschichte. Wenn auch von jeweils anderen Positionen ausgehend, so verstärkten doch Positionen

---

32 H. Fehr: Das Widerstandsrecht, in: *Mitteilungen des Instituts für österreichische Geschichtsforschung* 38, 1918, S. 1–38, hier S. 38.

33 M. Horkheimer: Die Juden und Europa, in: *Zeitschrift für Sozialforschung* 8, 1939, S. 115–137.

34 M. Horkheimer/Th. W. Adorno: *Dialektik der Aufklärung*, jetzt in: M. Horkheimer: *Gesammelte Schriften* Bd. 5. Frankfurt/M. 1987, hier S. 16.

wie Alfred Webers »Abschied von der bisherigen Geschichte«[35], Romano Guardinis »Ende der Neuzeit«[36] den breiten Eindruck, daß eine bestimmte Phase der europäischen Kultur zu Ende gegangen sei. Forderungen nach einer politischen, wirtschaftlichen und kulturellen Revolution, wie sie der liberale Nationalökonom Wilhelm Röpke zur gleichen Zeit erhob, klagten dieses Ende der alten Geschichte ein.[37] Der Historiker Gerhard Ritter sah sich in einer »Spätzeit abendländischer Kultur«, als er 1946 in seinem Buch *Geschichte als Bildungsmacht* seine Bilanz der deutschen Katastrophe zog.[38] Zur gleichen Zeit aber warnte er – protestantische Anthropologie und historischen Realismus eindrucksvoll verbindend – auch vor dem »vorschnellen Konstruieren« einer »neuen Epoche des Europäismus oder auch des Weltbürgertums«. Auch fürderhin sah er die »unheimlichen Kräfte nationalen Ehrgeizes und Machtwillens« am Werk.[39]

Es war der Eindruck der großen politischen Katastrophen der neuesten Geschichte, der Entwicklung qualitativ neuer Waffensysteme, der schnelle Prozeß der Dekolonisierung, der ungeahnten technologischen Innovationen, der die Geschichtswissenschaft allenthalben an jenem Grundkonzept verzweifeln ließ, das noch den Beginn des 20. Jahrhunderts geprägt hatte. Die ungeheure Beschleunigung des historischen Prozesses, die – wie Reinhart Koselleck gezeigt hat –[40] ein Grundcharakteristikum der Neuzeit darstellte, überforderte zunehmend die Kapazität der Geschichte, Vergangenheit in geordneten Sediment-

---

35 A. Weber: *Abschied von der bisherigen Geschichte.* Hamburg 1947.

36 R. Guardini: *Das Ende der Neuzeit. Ein Versuch zur Orientierung.* Basel 1950.

37 W. Röpke: *Die deutsche Frage.* Zürich 1946.

38 Stuttgart 1946.

39 So in einer Denkschrift vom Dezember 1945, die er für die evangelische Kirchenleitung anfertigte. Zur Position Ritters und zur gesamten Diskussion der »deutschen Katastrophe« (so Friedrich Meinecke) mein Buch *Deutsche Geschichtswissenschaft nach 1945.* München 1989.

40 R. Koselleck: »Neuzeit«. Zur Semantik moderner Bewegungsbegriffe, in: ders.: *Vergangene Zukunft. Zur Semantik geschichtlicher Zeiten.* Frankfurt/M. 1979, S. 300–348. Zuletzt ders.: Beginn (wie FN 21), S. 278.

schichten abzulagern: Die Moderne geriet unter den Druck weiter zunehmender Beschleunigung. Der Verfasser der *Révolutions de Paris* schreibt nach der Erfahrung des 14. Juli 1789: »Die Revolution, die man seit mehreren Jahrhunderten ersehnte, hat sich in 4 Tagen ereignet.«[41] 1804 wundert sich der deutsche Professor Luder: »Eine Generation erlebte Friedrich den Großen, die Französische Revolution und Napoleons Zeit«, 1807 folgt ihm Ernst Moritz Arndt: »Was damals im Schritt ging, geht jetzt im Galopp«. 1828 spricht Friedrich Ancillon von der »Liebe zur Bewegung an sich, auch ohne Zweck und ohne ein bestimmtes Ziel« und 1843 schreibt dann Lorenz von Stein als Quintessenz den Schlüsselsatz nieder: »Die alten Zustände werden umgestoßen, neue treten auf, selbst durch Neueres bekämpft... Es ist, als ob die Geschichtsschreibung der Geschichte kaum mehr zu folgen imstande sei.«[42]

Als Friedrich Meinecke nach dem Zweiten Weltkrieg seine Bilanz der deutschen Geschichte zog, tat er das als ein Mann, dessen Großvater – wie er eigens betonte – noch Friedrich den Großen gesehen hatte, gewissermaßen um damit die an Jahren kurze, der Sache nach aber ungeheure Spanne zwischen dieser Herrschergestalt Alteuropas und der Explosion der ersten Atombombe anzudeuten.[43] Sehr viel schneller, als dies in der unmittelbaren Nachkriegszeit schon voraussehbar war, reagierte die Geschichtswissenschaft auf die erkennbar gewordene Beschleunigung der Geschichte. Auf der einen Seite wandte sie sich verstärkt der kompensatorischen Analyse von Strukturphänomenen der Geschichte zu und fand damit wieder Gegenstände relativer Beständigkeit, ja sogar Gegenstände, die über politische Brüche hinweg, neue Kontinuitäten bilden konnten,

---

41 de Courtive: *Révolutions de Paris, ou récit exact de ce qui s'est passé dans la capitale, et particulièrement de la prise de la Bastille, depuis le 11 juillet 1789 jusqu'au 23 du même mois, 1789.*

42 Die Belege nach Koselleck: Neuzeit (wie FN 40), S. 328, 329; das Stein-Zitat bei L. v. Stein: *Die Municipalverfassung Frankreichs.* Leipzig 1843, S. 68.

43 F. Meinecke: Die deutsche Katastrophe. Betrachtungen und Erinnerungen, in: ders.: *Autobiographische Schriften.* Hrsg. E. Kessel. Stuttgart 1969, S. 323 ff.

wie dies die neuere Diskussion über die Französische Revolution, aber auch für die neueste deutsche Geschichte gezeigt hat. Ich erinnere an die Diskussion über den continuité-rupture-Charakter der Französischen Revolution und den Sammelband von Werner Conze und Rainer M. Lepsius über *Kontinuitäten der deutschen Geschichte*.[44]

Auf der anderen Seite entwickelte die Geschichtswissenschaft eine Strategie der Prozessualisierung der Geschichte, d. h. der Auflösung des einstmals zusammenhängend verstandenen, singulären historischen Prozesses in eine Vielzahl sich überlagernder historischer Prozesse durchaus unterschiedlicher Dauer. Das, was sich gerade in der Geschichte des 18. und 19. Jahrhunderts als vorzügliches Mittel der historischen Analyse erwies, prägte sehr bald unser Gesamtbild von Geschichte, und man wird die Behauptung wagen können, daß es gerade die komplexe Moderne war, die diese methodischen Veränderungen provozierte. Das gerade für das Deutschland des 19. Jahrhunderts charakteristische Nebeneinander von traditionellen agrarischen Eliten und rapider Industrialisierung, die widerspruchsvolle Verschmelzung von autokratischem Herrschaftssystem und Reformpotential von oben ergab ein neues Bild des Weges in die Moderne. Hans Blumenberg hat in diesem Zusammenhang davon gesprochen, daß Geschichte nur mehr »im Modell eines aus vielen Adern gebündelten Stranges, eines Plurals von Zusammenhängen, Traditionen, Sach- und Schulgeschichten, Rezeptionen und Reaktionen« erfaßt werden kann.[45]

Während für die deutschen Historiker am Ende des 19. und zu Beginn des 20. Jahrhunderts noch ein eindeutiger Weg von der Reformation Martin Luthers zum Kaiserreich von 1871 führte, wagten ihre Nachfolger nach 1945 nie mehr solche weit ausgreifenden Verknüpfungen. Heinrich von Treitschkes berühmte Lutherrede von 1883 sah im Reformator geradezu »den Grund alles

44 Vgl. R. Reichardt/E. Schmitt: Die Französische Revolution – Umbruch oder Kontinuität? in: *Zeitschrift für Historische Forschung* 7, 1980, S. 257–320 und W. Conze/R. M. Lepsius: *Kontinuitäten der deutschen Geschichte*. Stuttgart 1984.

45 H. Blumenberg: *Die Legitimität der Neuzeit*. Frankfurt/M. 1966, S. 440.

Großen und Edlen in der modernen Welt« – wie es Ernst Troeltsch einmal karikierte –[46], und 1890 hat der Reformationshistoriker Friedrich von Bezold diesen unlösbaren historischen Zusammenhang so beschrieben: »Spät, aber überreich hat die Reformation ihrem Vaterland Früchte gebracht. Aus dem deutschen Protestantismus, der die Feuerprobe des 30jährigen Krieges überdauert hat, sind unserer Nation ihre heutige Kultur und ihr nationaler Staat erwachsen. Ohne Luther hätten wir keinen Kant und Goethe, ohne die protestantische und antikaiserliche Herkunft des preußischen Staates nicht unser neues Deutsches Reich.« Mit »dankbarer Erhebung« wollte Bezold deshalb auf die Reformation zurückschauen.[47]

Als nach dem 2. Weltkrieg Gerhard Ritter erneut den Rückblick auf die Reformation Martin Luthers wagte, tat er dies in einer radikal veränderten Perspektive. Angesichts kritischer Entwürfe zur deutschen Geschichte aus dem angelsächsischen Raum, die einen Weg »from Luther to Hitler« konstruierten, aber auch angesichts katholischer Forderungen nach einer »Entpreußung« der deutschen Geschichte, blieb für Ritter nur mehr das Eingeständnis, daß »die große Katastrophe« die Deutschen zwinge, »unsere nationale Vergangenheit nach allen Seiten neu zu durchdenken« und »nüchtern und rücksichtslos den ganzen Bestand unserer nationalen Traditionen zu überprüfen«. Nur noch defensiv argumentierend, bezweifelte er einen spezifisch »lutherischen Untertanengehorsam«, und man wird es den damals akuten politischen Auseinandersetzungen zuschreiben müssen, daß Ritter sogar das groteske Argument wagte, daß der Nationalsozialismus schließlich nicht auf protestantischem Boden, sondern im »katholischen München« seine ersten großen Erfolge gehabt habe.[48]

Deutlicher wird man den Verlust der Sinn und Einheit stiftenden Ideen kaum belegen können als im Vergleich der Konti-

---

46 E. Troeltsch: *Die Bedeutung des Protestantismus für die Entstehung der modernen Welt* (wie FN 15), S. 23.

47 F. von Bezold: *Geschichte der deutschen Reformation*. Berlin 1890, S. 872.

48 G. Ritter: Luther und die politische Erziehung der Deutschen, in: *Zeitwende* 18, 1946–47, S. 592–607, hier S. 606.

nuitätsthesen vor 1914 und nach 1945. Zugleich aber wird mit dieser Umorientierung historischer Sinnstrukturen deutlich, warum die Moderne als einheitsstiftendes Konzept nicht mehr zu verwenden war. Moderne wurde vielmehr zu einem Konzept zurückgebildet, das die Brechungen, Diskontinuitäten, Widersprüche und Ungleichzeitigkeiten in sich aufnahm. Diese Entwicklung hat ihren Niederschlag nicht nur in der neuen Betonung inhaltlicher Inkonsistenzen gefunden. Vielmehr muß sich jedes wie auch immer geartete Kontinuitätsdenken mit der Einsicht konfrontieren lassen, daß jede Vergangenheit immer mehr war als nur die Vorgeschichte unserer Gegenwart. Sie war auch die Vorgeschichte vieler anderer Entwicklungsmöglichkeiten.

Diese Einsichten, die gerade im Kontext der Diskussion über die Kontinuitätslinien der deutschen Geschichte des 19. und 20. Jahrhunderts entwickelt worden sind, unterstreichen noch einmal den schon betonten Aspekt der Gebrochenheit, der unsere Vorstellung von Moderne charakterisiert. Dieser Eindruck wird weiter verstärkt, wenn wir einen kurzen Blick auf eine vielleicht etwas spezielle Frage der Geschichtswissenschaft werfen, nämlich die Frage der Darstellung von Geschichte. Doch diese Frage ist keinesfalls nur eine vordergründige Frage in der Auseinandersetzung zwischen Historikern und der Öffentlichkeit.

Immer wieder ist bekanntlich deutschen Historikern in den letzten Jahren vorgehalten worden, Geschichte nicht mehr schreiben zu können. Kritische Gutachten über Geschichte statt lesbarer Geschichte lautete der Vorwurf von Joachim Fest, und es war gewiß ein populärer Vorwurf; ein Bundeskanzler rief die zu einem Historikertag versammelten Historiker der Bundesrepublik dazu auf, ihr Augenmerk auf publikumswirksame Darstellungen zu richten. Zu oft ist diese Frage nur unter dem Gesichtspunkt der persönlichen Fähigkeit oder Unfähigkeit der Historiker gesehen worden, spannende, fesselnde oder zumindest lesbare Geschichte zu schreiben. Im Zusammenhang unserer Überlegungen scheint mir jedoch bemerkenswert, daß die vermutete Unfähigkeit zur Erzählung eine Folgeerscheinung der Tatsache ist, daß wir uns Geschichte nur noch als mehrfach gebrochenen Vorgang vorstellen können, der nicht mehr unilinear in einer geschlossenen Form erzählt werden kann. Der Sozialhistoriker Werner Conze glaubte 1957, daß die überlieferte Historik nicht mehr in der Lage sei, die gesellschaftlichen Veränderungen seit dem Ende des 18. Jahrhunderts angemessen zu erfassen. Der Historiker fühle sich gehemmt, so sein Kollege Otto Brunner unter Verweis auf Arnold Gehlen, und dies sei ein Mangel, der unumwunden zugegeben werden müsse.[49]

Die neuere Geschichtsschreibung hat auf dieses Problem durch eine spezifische Form der Präsentation reagiert, die ich einmal »moderierende« Geschichtsschreibung nennen möchte. An zahlreichen Beispielen kann man zeigen, daß die vieldiskutierte Alternative von Erzählung und Narration nicht den eigentlichen Kern des Problems trifft. Es liegt vielmehr in der Konstituierung einer literarischen Form, die die realhistorische, forschungsgeschichtliche und wirkungsgeschichtliche Komplexität unserer Gegenstände aufnimmt und für den Leser noch nachvollziehbar macht. Vermutlich in Anlehnung an andere, »gebrochene« Formen der Literatur hat sich auch die Historie auf die Entwicklung solcher Themen eingelassen.

Alle Beispiele moderner Historiographie verzichten aus guten Gründen auf eine lückenlose Ereignisgeschichte, die offensichtlich verzichtbar geworden ist. Sie selektieren vielmehr bestimmte Phasen der Entwicklung heraus, vermischen diese mit Zustandsbeschreibung, biographischen Details, Prozeßanalyse und Wirkungsgeschichte und setzen all dies noch dem Flackerlicht ständig wechselnder Interpretationen aus. Sie wollen nicht mehr mit Ranke zeigen, »wie es eigentlich gewesen ist«, sondern sie wollen zeigen, wie und warum im Ver-

---

49 Ich zitiere hier aus dem Protokoll einer Sitzung des Arbeitskreises für moderne Sozialgeschichte im April 1957, das ich in dem in FN 39 zitierten Buch verwendet habe. O. Brunner verwies in diesem Zusammenhang auf A. Gehlens (*Urmensch und Spätkultur*. Bonn 1956) These, daß die moderne Zeit keine großen Geschichtsschreiber mehr kenne, weil naives Erzählen unmöglich geworden sei.

gleich mit anderem sich etwas ereignet hat, das früher einmal so interpretiert worden ist, und wozu es geführt hat, hätte führen können und warum wir heute daran interessiert sein sollten.[50] Es ist dies das methodische Pendant zu dem oben in den Worten Blumenbergs beschriebenen Zustand der Geschichte selbst.

Diese im Kontext anderer Disziplinen postmodern zu nennende »Unübersichtlichkeit« ist ganz offensichtlich die Reaktion auf ein neues Bild der Moderne. Wir verfügen nicht mehr über die glückliche Gewißheit, um Erfolgsgeschichte borussischer, bürgerlicher, sozialistischer oder whiggistischer Prägung schreiben zu können. Unter dem Eindruck von vielfacher Diskontinuität, wachsender Komplexität, der Fülle unintegrierbaren Wissens, einem uns problematisch gewordenen Fortschrittsbegriff nähert sich die Geschichtsschreibung der Moderne ihrem Gegenstand an. Das nicht mehr durch rationale Begriffsbildung beherrschbare »Chaos der wirklichen Welt« generiert die ihm adäquate Form der Darstellung, so ließe sich überspitzt formulieren.

III

Spätestens an dieser Stelle muß sich unser Interesse auf die Moderne selbst richten. Wir haben bislang nur an Reaktionen auf die Moderne gezeigt, daß sich ihre klassischen Gewißheiten in den historischen Katarakten des 19. und 20. Jahrhunderts verflüchtigt haben. Welche Einsichten ermöglicht uns die »moderne« Geschichte selbst?

Es ist das Privileg des Historikers, dem scheinbar übermächtigen Druck gegenwärtiger Problemlagen durch den Rekurs auf vergleichbare Problemlagen standzuhalten, ja wo möglich für Entlastung zu sorgen. Vergleichbare Situationen zur gegen-

---

50 Ich habe dies näher ausgeführt in W. Schulze: Formen der Präsentation von Geschichte, in: B. Mütter/S. Quandt (Hrsg.): *Historie–Didaktik–Kommunikation, Wissenschaftsgeschichte und aktuelle Herausforderungen*. Marburg 1988, S. 97–108.

wärtigen Phase historischen Wandels zu finden, ist freilich ein problematisches Unterfangen. Es muß bei einem solchen Vergleich darauf ankommen, eine Konstellation wiederzufinden, die durch die Erfahrung rapiden Wandels, enttäuschter Hoffnung und Zukunftsangst charakterisiert war. Dies scheinen die Ingredienzien gegenwärtiger Zeitdiagnose zu sein, sie gilt es in der Geschichte wiederzufinden.

Ich sehe eine solche Konstellation in Deutschland an der Wende vom 16. zum 17. Jahrhundert. Nur in kurzen Strichen braucht hier die Situation gezeichnet zu werden. Zwei Generationen nach dem elementaren Traditionsbruch der Reformation, dem Verlust der Einheit des abendländischen Christentums prägte Unsicherheit über das zukünftige Verhalten der konfessionellen Parteien die Politik ebenso wie die Situation in Wissenschaft und Kultur. Nach der Herausbildung dreier sich bekämpfender Konfessionen und ihrer zunehmenden Abgrenzung war ersichtlich geworden, daß die Hoffnungen auf eine Wiederherstellung der christlichen Eintracht hinfällig geworden waren und auch nicht mehr ernsthaft gewollt wurden. Vielmehr war unübersehbar, daß der einmal begonnene Prozeß der Spaltung der Konfessionen der Beginn weiterer Pluralisierung war. 1580 mußten sich die protestantischen Landeskirchen eingestehen, daß ihre mühsam erreichte Konkordienformel nicht mehr als eine brüchige Teileintracht war, die die calvinistischen Konfessionsbildungen ausschloß. Binnen zweier Generationen war aus der umfassenden christlichen Concordia ein Konzept geworden, das nicht einmal mehr die protestantischen Konfessionsbildungen umfassen konnte.

All dies geschah unter politischen und mentalen Rahmenbedingungen, die für den dauerhaften konfessionellen und bald auch konfessionspolitischen Dissens völlig unvorbereitet waren. Der »gläserne Frieden« von Augsburg 1555, ein nur statischer, juristisch geprägter Formelkompromiß, konnte dem sich andeutenden Prozeß fortschreitender Veränderung konfessioneller Verhältnisse ebensowenig gerecht werden wie die mangelnde Bereitschaft der meisten Zeitgenossen, den konfessionellen Dissens innerhalb eines politischen Gemeinwesens wie einer Stadt oder einem Territorium als mit dem inneren Frieden dieses Gemeinwesens für vereinbar zu halten. Es ist das mindeste Verdienst des 16. Jahrhunderts, die mentale und politische Unfähigkeit zur Bewältigung von Pluralität und Dissens aufgezeigt zu haben.

Die Folgen dieses Zustandes waren auf der politischen Ebene elementare Diskussionen über die Geltung von Mehrheitsbeschlüssen in einem Gremium wie dem Reichstag, der in zwei konfessionspolitische Parteien gespalten war. Auf der mentalen Ebene können wir beobachten, wie zögernd der Gedanke erwogen wird, daß auch bei Verschiedenheit der konfessionellen Überzeugung die Existenz eines Gemeinwesens nicht in Frage gestellt wird. Das folgenreiche Denkmodell einer Spaltung des Untertans in einen Menschen, der der eigenen religiösen Überzeugung für fähig gehalten wird, und in einen gehorsamen Untertanen, der trotz differierender Überzeugung die politische Ordnung anerkennt, entsteht in der praktischen Auseinandersetzung um das Lebensrecht von dissentierenden Minderheiten in den deutschen Reichsstädten.

Doch wichtiger noch als diese vertrauten Indizien innerer Spaltung scheinen mir die Hinweise auf ein spezifisches Zeitbewußtsein. Es war geprägt durch ein Übermaß an Veränderung, das die Kapazität zur Aufnahme von Veränderung offensichtlich überstieg. Da waren natürlich einmal die Spaltung der Nation in konfessionelle Lager, soziale Mobilität erheblichen Ausmaßes und dadurch ausgelöste soziale Verunsicherung, der Bauernkrieg mit seiner elementaren Bedrohung der gesellschaftlichen Ordnung, das Vordringen der Geldwirtschaft in alle Bereiche des Lebens bis hinauf zur Königswahl; tiefgreifende Widersprüche zwischen Adel und Bürgertum wurden ebenso sichtbar wie der Widerstand des Adels, vor allem der Reichsritterschaft, gegen den übermächtig vordringenden modernen Staat. Daneben hatte sich ein neues Recht durchgesetzt, hatten gelehrte Doktoren die tradierten Formen genossenschaftlicher Rechtsfindung weitgehend verdrängt, neue funktionale Eliten meldeten ihre Ansprüche an. Doch keine Klage war lauter als die Klage über den Verlust der »alten« Formen sozialen Verhaltens. Geiz, Eigennutz, Betrug waren die hervorstechenden Merkmale dieser Gesellschaft des

16. Jahrhunderts, deren Normensystem den Frühkapitalismus noch nicht integriert hatte.[51]

Beispiele für diese moralische Fundamentalkritik, die auch die Versäumnisse der jeweils eigenen Konfession nicht aussparte, finden wir sowohl im katholischen als auch im protestantischen Bereich. Als katholisches Exempel kann uns der Freiburger Theologe Jodokus Lorich dienen, der 1583 in seiner Schrift über den Religionsfrieden schrieb: »Wir erfahren leider täglich und sehen, daß unser katholisches Volk in allen Sünden des Überessens und Übertrinkens, der Unkeuschheit, der Hinlässigkeit im Dienste Gottes, der üppigen Hoffart in Kleidung, des Fluchens und Schwörens, des Wuchers, Lügens, Betrügens, Neids, Hasses und vieler anderen noch schwerern abscheulichen Laster ohne Unterlaß fürfährt, daß hernach auch wir Geistliche wenig gebessert werden.«

Protestantische Sittenwächter standen solch radikaler Zeitkritik um nichts nach. Selbstkritisch gestand der hessische Pfarrer Ludwig Milichius 1568 ein, daß »das heilige Evangelium, das nun länger als vierzig Jahre getreulich ist gepredigt worden«, wenig Gutes bewirkt habe, »daß nie das Volk so schnöde gewesen dann nun. Im Anfang, als man des Antichristes los ward, die Klöster verstörte und die christlichen Güter verrupfte, da war das Evangelium lieb und angenehm.« Jetzt aber sei man dessen müde geworden. Johann Andreae, der württembergische Initiator der Konkordienformel, machte beim »lutherischen Haufen in Deutschland« nur »ein wüst, epicureisch, viehisch Leben mit Fressen, Saufen, Geizen, Stolzieren, Lästerungen des Namens Gottes« aus.

Die reichhaltige Teufelliteratur, die seit der Jahrhundertmitte erstaunliche Absatzzahlen verzeichnete, wurde gerade im protestantischen Raum ein verläßliches Indiz der moralischen Kritik. In den katholischen Ländern aber waren selbst diese Teufelsbücher verboten, weil ihre »ergerlichen exempel« nur dem Reich des Teufels dienen würden. Man habe in der

---

51 Vgl. dazu W. Schulze: Gemeinnutz und Eigennutz. Über den Normenwandel in der ständischen Gesellschaft der Frühen Neuzeit, in: *Historische Zeitschrift* 243, 1986, S. 591–626.

Kirche »genug heilsame gute schriften«, um dem Laster zu wehren.

Man überbot sich in der Detailanalyse der verschiedenen Laster, überzog alle Stände mit dem Vorwurf zunehmender sittlicher Verfehlung. All dies führte zu der Vermutung, »daß diese Welt mit ihrem Wesen bald vergehen werde / und der Jüngste Gerichtstag gar nahe vor der Tür« sei, wie es 1595 und erneut 1604 der märkische Pfarrer Daniel Schaller formulierte. Dieser Pfarrherr entwickelte ein wahrhaft beeindruckendes Panorama des Verfalls der Welt, wobei er sich jedoch keineswegs nur auf die allgegenwärtige Lasterdiskussion bezog. Für ihn schien auch die Welt physikalisch gealtert, das Licht sei dunkler, der Boden weniger fruchtbar, die Gewässer weniger fischreich geworden. Ja selbst Stein und Eisen zeigten nicht mehr die gleiche Härte wie vor Zeiten, »darum muß ruina mundi vor der Tür sein«. Der Calvinist Josua Loner war 1582 überzeugt davon, daß Gott dem Treiben der Welt nicht mehr lange zusehen, sondern ihr bald den verdienten »Feierabend« geben werde. Gott habe zwar Deutschland vor allen anderen Ländern mit der reinen Erkenntnis Christi ausgestattet, aber man sehe leider, daß die Menschen des Evangeliums überdrüssig seien. Auch die sich ständig wiederholenden Voraussagen über das Ende der Welt (1588, 1600, 1604) sind hier einzuordnen. Der schon zitierte katholische Moraltheologe Jodokus Lorich war sich 1594 sicher, »das die Welt je lenger je erger werdt«.

Anlaß für solche Interpretationen mochten für diese Theologen die schon mehrfach erwähnten Mißernten und Teuerungen gewesen sein, die seit den siebziger Jahren das Reich wie andere europäische Länder heimsuchten. Doch auch andere Zeiterscheinungen gaben Anlaß zur Sorge über die weitere Existenz dieser Welt, die alt geworden schien. Die Fülle der Flugschriften, die sich mit der allgegenwärtigen Türkengefahr dieses Jahrhunderts befaßten, betrachteten die Gefahr als Strafe Gottes für das Lasterleben der Deutschen und warfen die Frage auf, ob nicht das Osmanische Reich dazu berufen sei, das Heilige Römische Reich Deutscher Nation abzulösen, eine geradezu revolutionäre Vorstellung für das bislang gültige Modell der vier Weltreiche, das die bisherige gliederte. Ein Blick in die

Flugschriftensammlungen dieser Jahre bestätigt diese Interpretation. Neues, Unverstandenes, Naturhaftes mit negativen Folgen für die Menschen galt als »Finger an der Wand«. Jeder wußte um die von Luther erneuerte Voraussage eines Endes der Welt im Jahre 1600.

Es steht außer Zweifel, daß die genannten Zeitdiagnosen Hinweise auf die spezifische Art und Weise sein können, wie der Verfall der alten Ordnung von den Zeitgenossen wahrgenommen wurde. Dabei stellt sich schnell heraus, daß der Kern aller Klagen in der beobachtbaren »Veränderung« bestand. Immer wieder sind Formulierungen zu finden, die versichern, daß die Vorfahren die heutige Welt nicht wiedererkennen würden. Wenn die, die vor zwanzig Jahren gestorben seien, schrieb 1608 der protestantische Pfarrer Johann Sommer in seiner *Ethographia mundi*, heute wieder auferstehen könnten, sie würden glauben, »daß es eitel Französische, Spanische, Welsche, Englische und andere Völker wären«, die in Deutschland lebten: »eine grosse merckliche verenderung« im »status mundi« sei eingetreten, Deutschland sei »so geschwinde in Sitten und Kleidung degenerirt«. Zwar gebe es alle fünfzig Jahre eine neue Welt durch neue Menschen, aber jetzt sei deren »qualitet« neu.

Gewiß werden wir diese Klagen über sinkende Moral und Degenerationserscheinungen nicht als objektive Beobachtungen akzeptieren können. Sie sind eher ein Hinweis auf die geschärfte Wahrnehmung, auf den Erwartungsdruck der schreibenden Pfarrer als auf eine tatsächlich steigende sittliche Verwilderung. Alle Indizien weisen vielmehr darauf hin, daß in der Tat seit der zweiten Hälfte des 16. Jahrhunderts schon die obrigkeitlichen Überwachungsmaßnahmen zumindest statistische Wirkung zeigten: Die Zahlen illegitimer Geburten lagen sehr niedrig, niedriger jedenfalls als noch ein Jahrhundert früher. Es gibt auch keine belegbaren Hinweise auf einen relevanten Anstieg der Kriminalität. Vielmehr entsteht bei der Durchmusterung des verfügbaren Quellenmaterials wie Gerichtsakten, Tätigkeit der Ehegerichte oder der kirchlichen Aufsicht über »Zucht und Ordnung« der Eindruck, daß erst die viel intensivere Kontrolle der verschiedenen kirchlichen und staatlichen Instanzen der Grund für die Urteile dieser Pfarrer waren. Damit wurde die Differenz zwischen den hohen Ansprüchen der Kirchen und der gesellschaftlichen Realität noch größer.

Man kann nicht die Enttäuschung übersehen, die aus manchen der erwähnten Moralpredigten sprach. Ganz offensichtlich hatten sich viele Pfarrer von der Durchsetzung des Evangeliums größere Wirkungen im moralischen Verhalten ihrer Gemeinden erhofft. Um so größer mußte die Enttäuschung sein, als sich gerade gegen Ende des 16. Jahrhunderts – nach der politischen Stabilisierung des Protestantismus und der verbesserten Bildung der Pfarrer – ein offensichtlicher Mißerfolg abzeichnete, der nach Erklärung verlangte. Dieser Aspekt spielt auch eine Rolle für unser Verständnis der seit etwa 1580 kulminierenden Hexenverfolgungen, die sich in dieser Perspektive auch als eine Entlastungsstrategie verstehen lassen. Darüber hinaus ist diese Erkenntnis der steckengebliebenen lutherischen Reformation auch der Ausgangspunkt neuer verinnerlichter Reformbewegungen im Protestantismus selbst. Johann Valentin Andreae (1586–1654), ein württembergischer protestantischer Pfarrer, wurde der Mittelpunkt eines kleinen, reformistisch gesinnten Freundeskreises, dessen Interessen darauf hinausliefen, der gesellschaftlich folgenlosen »Reformation der Lehre« eine »Reformation des Lebens« gegenüberzustellen, ein Gedanke, der schon die calvinistische Konfessionsbildung beflügelt hatte. In diesem Gedanken traf sich die Gruppe um Andreae auch mit dem Programm des Lutheraners Johannes Arndt (1555–1621), dessen *Vier Bücher vom wahren Christentum* (1606) ein verinnerlichtes Christentum forderten. Alle diese Pläne gingen von der unüberbrückbaren Diskrepanz zwischen Anspruch und Wirklichkeit der Konfessionen aus.[52]

---

52 Bei dieser Interpretation der Situation des späten 16. Jahrhunderts greife ich auf meine Darstellung der deutschen Geschichte in W. Schulze: *Deutsche Geschichte im 16. Jahrhundert*, 1500–1618. Frankfurt/M. 1987 zurück.

Es scheint diese Diskrepanz zwischen Anspruch und Wirklichkeit zu sein, die den Zusammenhang herstellt zwischen dem Ende des 16. Jahrhunderts und unserer Problemstellung einer Kritik am Projekt der Moderne. Auf der einen Seite eine mit hohen Erwartungen begonnene, aber schließlich gescheiterte Reformation des Christenmenschen, auf der anderen Seite eine mit der Aufklärung begonnene programmatische Absage an die Unmündigkeit des Menschen, Fremdbestimmung und Tradition, deren Vernunftprinzip sich im 20. Jahrhundert ad absurdum geführt sieht. Der evidente Zusammenhang zwischen beiden historischen Konstellationen ergibt sich freilich auch durch die Möglichkeit, aus beiden Blickwinkeln heraus die Moderne zu bestimmen.

Wir kennen das prophetische Zitat Condorcets von 1793: »Sie wird also kommen, die Zeit, da die Sonne hienieden nur noch auf freie Menschen scheint, Menschen, die nichts über sich anerkennen als ihre Vernunft… Alles sagt uns, daß wir vor der Epoche einer der großen Revolutionen des Menschengeschlechts stehen. Der gegenwärtige Zustand der Aufklärung versichert uns ihres glücklichen Gelingens.«[53] Es dient üblicherweise dazu, den schier grenzenlosen Optimismus der Spätaufklärung zu belegen. Sehr viel weniger bekannt sind demgegenüber jene Beobachtungen, die in der gerade begonnenen Französischen Revolution den Keim des Fehlschlags entdecken. Am 4. Juni 1790, also noch gänzlich ungetrübt von den späteren Erfahrungen der Revolution, formuliert Benjamin Constant in einem Brief an Madame de Charrière eine der erregendsten Kritiken der sich vollziehenden Umwälzung:

»Mehr als jemals empfinde ich, wie nichtig alles ist, wieviel alles verspricht und wie wenig es hält, wie sehr unsere Kräfte über unsere Bestimmung hinaus sind und wie sehr dieses Mißverhältnis uns unglücklich machen muß. Dieser Gedanke, den ich richtig finde, ist nicht von mir. Er ist von einem Piemonte-

---

53 Condorcet: *Entwurf einer historischen Darstellung der Fortschritte des menschlichen Geistes*, Hrsg. von W. Alff. Frankfurt/M. 1976, S. 198.

ser, einem geistreichen Mann... Dieser behauptet, Gott, d. h. unser aller Schöpfer und der unserer Umgebung, sei gestorben, bevor er sein Werk vollendet habe. Daß er die schönsten und weitreichendsten Pläne der Welt gehabt habe und die größten Mittel; daß er schon einige der Mittel ins Werk gesetzt hätte, wie man Baugerüste zum Bauen errichtet, und daß er mitten in dieser seiner Arbeit verstorben sei; daß sich gegenwärtig alles auf ein Ziel, das es nicht mehr gebe, eingerichtet finde und daß insbesondere wir uns zu etwas bestimmt fühlten, von dem wir uns keine Vorstellung machen. Wir seien wie Uhren, denen das Zifferblatt fehle und deren mit Intelligenz begabtes Räderwerk sich drehe, bis es verschlissen sei, ohne daß es wüßte warum, und das sich immer sage: da ich mich ja drehe, habe ich auch ein Ziel.«[54]

Es scheint geradezu selbstverständlich, in dieser Vision des gestorbenen Gotts und des sich ziffernlos drehenden Uhrwerks aus dem »Jahr der Freiheit« eine grandiose Vorahnung jenes »Posthistoire« zu sehen, das wir weiter oben mit Arnold Gehlen vorgestellt haben. Der historische Ort dieser Äußerung, im »glücklichen Jahr« der Revolution, verbietet freilich, das Zitat als Beleg für das Posthistoire-Argument zu lesen. Er zwingt uns vielmehr, das Zitat für eine andere Sicht der Moderne zu nutzen.

Während die durchaus selektiv wahrgenommene emphatisch-aufklärerische Genese der Moderne einen immensen Erwartungshorizont aufbaute, der nur enttäuscht werden konnte, vermittelt die Genese der Moderne aus der Sicht der Durchsetzung der konfessionellen Pluralisierung ein anderes, man ist versucht zu sagen, realistischeres Bild der Moderne. Aus dieser Perspektive ergibt sich eine Moderne, die als fortgesetzte Infragestellung von Ordnung, von Stabilität, von Sicherheit, aber auch von demographischem und wirtschaftlichem Wachstum und damit verbundener Regression verstanden werden muß. Von Beginn an trägt diese Moderne die ambivalenten Entwick-

54 Zitiert bei Jean Starobinski: *1789 – Die Embleme der Vernunft.* Paderborn 1981, S. 181 nach Gustave Rudler: *La Jeunesse de Benjamin Constant.* Paris 1909, S. 376–377.

lungszüge von Individualität, Rationalisierung und Disziplinierung in sich. Sie bewirken die großen Entwicklungsschübe, die die Moderne definiert haben: die Freiheit des Bekenntnisses, des privaten Eigentums, der kulturellen Differenzierung; den Fortschritt der Wissenschaft und der Naturbeherrschung, den Sieg über die Krankheiten und die existentielle Not; schließlich die Bildung der Nationalstaaten mit ihrer Schutzgarantie und der Sicherung des Rechtsfriedens, der politischen Partizipation der Bürger.

Eine solche Bilanz mit nur wenigen, aber bestimmenden Pluspunkten aufzumachen, erfordert jedoch zugleich die Kehrseite von Individualität, Rationalisierung und Disziplinierung in die Rechnung einzubeziehen. Der mächtige Zug zur Individualisierung und die an sie gekoppelten Tugenden enthalten auch den Impuls zur wirtschaftlichen Rücksichtslosigkeit und zur Mißachtung gesellschaftlicher Normen; Rationalisierung und Verwissenschaftlichung kennen prinzipiell keine Grenzen und perfektionieren die Produktion von nützlichen Gütern ebenso wie von Waffensystemen. Disziplinierung schafft nicht nur die mentalen und institutionellen Voraussetzungen friedlichen gesellschaftlichen Miteinanders, sondern auch die Voraussetzungen von gigantischen Unterdrückungsapparaten.

Eine unter diesen Gesichtspunkten vorgenommene Analyse der Funktion unserer drei Grundprinzipien zeigt zudem, daß ihre Durchsetzung immer wieder auf Widersprüche stieß und sie sich letztlich nur deshalb durchsetzen konnten, weil die Staaten sich von ihrer Durchsetzung eine Stärkung ihres Machtpotentials versprachen. Die Toleranz gegenüber Andersgläubigen im Reich des 16. und 17. Jahrhunderts ist bekanntlich vor allem ein Produkt des Wunsches, Einflußmöglichkeiten im anderskonfessionellen Territorium zu behalten und die eigenen Glaubensgenossen abzusichern, kaum aber des Strebens, ein als richtig erkanntes Grundprinzip durchzusetzen. Die Befreiung der Wissenschaft von konfessionellen und politischen Zwängen entspricht weniger den aufgeklärt-einsichtsvollen Regierungsprogrammen der spätabsolutistischen Staaten als der Einsicht in die gesteigerte Leistungsfähigkeit einer solcherart befreiten Wissenschaftsausübung. Wichtige soziale Reformen werden öfter als Maßnahmen zur Systemstabilisierung und Machtsteigerung durchgesetzt als zur Realisierung einer bestimmten Idealvorstellung von Gesellschaft. Der Glaube an die Realisierbarkeit der Vernunft, die Möglichkeit einer »belle révolution«, von der die Aufklärer träumten, scheint demgegenüber eher ein Ausnahmezustand der gesellschaftlichen Entwicklung zu sein.

Aus dieser eher ernüchternden Sicht des Fortschritts mag sich für unseren Zweck ein anderes Bild der Moderne ergeben. Moderne bezeichnet dabei jene Phase der historischen Entwicklung der europäisch-atlantischen Welt, die gekennzeichnet ist durch den fortwährend notwendigen Ausgleich zwischen zwei Grundproblemen. Auf der einen Seite die notwendige Anerkennung von Individualisierung und Rationalisierung als den treibenden und m. E. unverzichtbaren Kräften der gesellschaftlichen Entwicklung. Auf der anderen Seite aber die fortgesetzte Suche nach neuen Normen- und Ordnungssystemen, die in der Lage sind, die gesellschaftlichen Folgen von Individualisierung und Rationalisierung erträglich zu gestalten, gemeinsames Leben und Überleben möglich zu machen. Die Geschichte der Moderne selbst in ihrer glücklichsten Phase ist auch immer die implizite Geschichte ihres Scheiterns, ja die Möglichkeit des Scheiterns ist der Kern der Moderne selbst. Einmal der heilsgeschichtlichen Gewißheit beraubt, blieb der Geschichte nur mehr die elementare Last des Risikos.

Wenn diese Diagnose der Moderne richtig ist, entfällt der manische Zwang zur Suche nach einer wie auch immer gearteten Postmoderne als der Überwindung der diskreditierten Moderne. Die hier entwickelte Strategie zur Aussöhnung mit der Moderne in ihrer Ambivalenz hätte zwei nicht unerhebliche Vorteile für den Diskurs über Vergangenheit und Zukunft. Die Vergangenheit hätte eine Chance, in ihrer Komplexität und prinzipiellen Offenheit wahrgenommen zu werden, sie wäre mehr als die Vorgeschichte der industriellen Gesellschaft, der Französischen Revolution, des Dritten Reiches, der sozialen Marktwirtschaft, der freiheitlich-demokratischen Grundordnung, oder anderer jeweils erreichter Zwischenstadien der Geschichte.

Von einer solchen Vergangenheit könnte eine Zukunft nur profitieren. Denn sie wäre mehr als die unendliche Fortschreibung gegenwärtiger Mängel, und sie wäre weniger als die bedrohliche Extrapolation gegenwärtigen Unheils.

Agnes Heller

Die ethischen Alternativen der Moderne

Philosophen waren schon immer über das Wesen der menschlichen Natur uneins, über die Ursprünge der Moral und über die Auslegung von Tugenden und Lastern. Folglich waren sie auch meist in ihren moralischen Empfehlungen uneins. Wenn es sich dagegen um die Beschreibung des moralischen Zustands der Welt handelte, so war ihre Übereinstimmung überwältigend. Das menschliche Durchschnittsverhalten konnte vom einen als Ausdruck der höchsten Sündhaftigkeit angesehen, von einem anderen als Beweis unserer vollkommenen Unwissenheit genommen und von einem dritten als die normale Wechselwirkung von Sitten und Leidenschaften eingeschätzt werden, die mehr den Spott als den Zorn des Beobachters verdienten.

Und doch war es immer das gleiche oder fast das gleiche Übermaß in bestimmten Merkmalen, das gegen den dunklen, helleren oder grauen Hintergrund hervortrat. Solange es einen Konsens gibt, bemerkt man oft nicht einmal, daß er existiert. Vor dem 19. Jahrhundert hatten Kontroversen zwischen den Moralphilosophen den Grundkonsens über die moralischen Symptome unberührt und daher unaufgedeckt gelassen. Dieser Grundkonsens mußte erst verlorengehen, damit entdeckt wurde, wie wichtig er vorher für einen einheitlichen philosophischen Diskurs war. Platon, die Sophisten, Aristoteles und alle sokratischen Schulen diskutierten *die gleichen* Symptome, auch Hobbes, Gassendi, Descartes und Spinoza. Sie bildeten untereinander echte Argumentationsgemeinschaften. Heute haben wir hingegen Dutzende von Mikrogemeinschaften, von denen jede eine andere Sprache spricht, so als ob sie verschiedenen Welten angehörten. Die moralischen Symptome, auf die sich die eine Schule bezieht, weisen keinerlei Ähnlichkeit mehr mit den moralischen Symptomen auf, die von den anderen Mikrogemeinschaften thematisiert werden.

Ein Diskurs analysiert unsere Welt nihilistisch. Die Teilnehmer an diesem Diskurs setzen voraus, daß es keine gültigen Normen mehr gebe, daß die Tugenden eine Sache der Vergangenheit seien und daß Personen einerseits instrumental handelten, während sie sich andererseits extern-institutionellen Rollen und Forderungen einfügten, ohne überhaupt eine innere moralische Motivation zu haben. Ein anderer Mikrodiskurs bezieht sich auf ebendieselbe Welt als den Höhepunkt der moralischen Entwicklung, insofern die universale normative Sprache und moralische Rationalität sich gegenüber irrationaler Beschränkung, Unterdrückung und ethischer Bevormundung durchgesetzt habe. Die dritte Art von Mikrodiskurs lehnt sowohl das Paradigma des Nihilismus als auch das des universalen Rationalismus als gleich leeres Gerede ab, das überhaupt keinen Bezug zu unserer moralischen Situation habe. Teilnehmer an diesem dritten Diskurstyp behaupten, daß liberale Demokratien ein recht gesundes und vitales moralisches Leben aufrechterhielten, das nur mäßig egoistisch, ziemlich pragmatisch und doch auf öffentliche Fragen hin orientiert sei, wenn es zu *konkreten* Entscheidungen in bezug auf Recht und Unrecht komme. Einige weitere Mikrodiskurse lasse ich unerwähnt, weil ihr Einfluß nicht über die Hörsäle hinausreicht, was bei den drei oben genannten hingegen sehr wohl der Fall ist. Wir konsumieren unsere wöchentliche Dosis Nietzsche und Postmoderne zum Sonntagsfrühstück, denn sie wird uns in unseren Zeitungen vorgesetzt. Am selben Nachmittag sind wir in eine eifrige Diskussion verstrickt, die die *affirmative action* gegen die Diskriminierung oder Benachteiligung bestimmter Gruppen der Gesellschaft betrifft. Am Abend sehen wir uns die malerischen Bilder der Weltarmut im Fernsehen an und beginnen zu überlegen, was wir am besten zu deren Überwindung beitragen könnten. Wir sind also in den Rahmen des Diskurses des Nihilismus, der liberalen Demokratie und des universalistischen Rationalismus gleichermaßen einbezogen.

Und doch ist der Mensch, der dieser sonntäglichen Fülle popularisierter philosophischer Erlebnisse ausgesetzt ist, *nicht* einfach ein Nihilist am Frühstückstisch, ein beteiligter, wenn auch leicht egoistischer Bürger am Nachmittag und ein universalistischer Rationalist am Abend. Vielleicht ist sie oder er ein klein wenig vom ersten, vom zweiten und vom dritten, oder vielleicht versteht sie ihre Welt mit Bezug auf alle drei Mikrodiskurse oder ist zumindest fähig, sie so zu verstehen. Hier möchte ich die Position des naiven Lesers-Zuhörers einnehmen und behaupten: alle *Symptome*, die von jedem der drei Diskurse beschrieben werden, sind wirklich Symptome des moralischen Lebens moderner Gesellschaften, und keine Gruppe von Symptomen ist entscheidender oder weitreichender als die beiden anderen. Da die drei Diskurse miteinander konkurrieren und einander gegenseitig ausschließen und da die Teilnehmer am einen Diskurs bestenfalls einräumen, daß die Symptome, die von den anderen aufgezählt werden, als *sekundäre* Phänomene existieren, welche fälschlich in den Rang von Grundmerkmalen erhoben worden sind und umgekehrt, mag meine Betrachtungsweise auf den ersten Blick eklektisch erscheinen. Ich beabsichtige zu zeigen, daß das nicht der Fall ist.

Dostojewskis Diktum

Dostojewskis Aperçu, daß, wenn Gott nicht existiert, alles erlaubt ist, ist seither von fast allen Teilnehmern am Mikrodiskurs des »Nihilismus« wiederholt worden. Und zwar unabhängig davon, ob sie glaubten, daß das vorhergesagte Ergebnis (»alles ist erlaubt«) unabwendbar sei, daß Gott ohnedies schon tot ist, oder ob sie die Hoffnung teilten, Gott könne noch am Leben erhalten oder wiedererweckt werden, er sei nur verborgen, und die moralische Weltordnung werde daher, oder könnte zumindest, der totalen Vernichtung entgehen. Dostojewskis Formel hebt das zentrale Problem hervor, denn sie ist scharf und epigrammatisch. Vielleicht ist sie gerade deswegen auch irreführend. Wenn wir das Aperçu »alles ist erlaubt« für bare Münze nehmen, bedeutet das, daß es keine moralischen Normen und Regeln gibt, weder konkrete noch abstrakte; es gibt überhaupt keine Regulierungen, und deshalb macht jeder schließlich, was er oder sie für sich selbst als das beste betrachtet, sei es Interesse oder sei es Genuß. Es ist jedem klar, und es muß auch für diejenigen, die diese Formel früher unterschrieben, klar gewesen sein, daß eine Gesellschaft, in der »alles erlaubt ist«, schlechterdings unmöglich ist. Da soziale Regulierung Regulierung vermittels von *Regeln* ist, kann es keine Gesellschaft geben, in der alles erlaubt ist, denn die Überschreitung von Regeln ist per Definition nicht erlaubt. In einer pragmatischeren Formulierung könnte das wie folgt lauten: Gesellschaften ohne ethische Religionen, denen das Vorbild einer Gottheit mit moralischer Autorität abgeht, können dennoch sehr dichte Systeme von Regeln haben, innerhalb deren eine große Anzahl von Handlungen verurteilt, ja sogar schwer bestraft wird. Dostojewskis Formel muß dann etwas bedeuten, das sich in ihr nicht ausdrücklich ausgesprochen, sondern nur angedeutet findet und das von Menschen, die in einer gemeinsamen Tradition stehen, verstanden wurde. Die Rede ist von der christlichen Tradition, die bedeutende moralische Elemente des Judaismus und des Hellenismus mit einschließt. Gegen diesen Hintergrund sollte die »Dostojewski Formel« wie folgt gelesen werden: »Wenn unser (christlicher) Gott nicht existiert, werden Handlungen, die in *unserer* Moraltradition verboten waren, in Zukunft erlaubt sein«; und, könnte man hinzusetzen, Handlungen, die erlaubt waren, ja sogar moralisch gepriesen wurden, könnten in dieser Zukunft verboten sein. Genauso wurde Dostojewskis Diktum nach den furchtbaren Erfahrungen des Nationalsozialismus und Stalinismus interpretiert. Nicht daß der Nationalsozialismus und der Bolschewismus »alles erlaubt« hätten. Vielmehr haben beide ein breites Spektrum von Tätigkeiten, ja sogar Ideen verboten. So lehnten sie, um nur ein Beispiel zu nennen, es moralisch ab, sich in ihre Opfer einzufühlen oder der »falschen Art« von Menschen gegenüber Nächstenliebe zu üben. Gleichzeitig aber erlaubten sie, ja trieben sie dazu an, sich am ideologisch untermauerten, instrumentalisierten Massenmord zu beteiligen, der im Geiste unserer Tradition hätte verboten sein müssen. Die wirkliche Frage ist deshalb nicht – wie viele fest glaubten –, daß wir, wenn Gott nicht existiert, nicht zwischen Gut und Böse unterscheiden können. Die wirkliche Frage lautet, *was* wir als gut und *was* wir als böse betrachten sollen.

Wenn wir in die »Dostojewski Formel« alles hineinlesen, was im Text nur angedeutet ist, tauchen sofort neue Fragen auf. Wenn es keinen Gott gibt, oder anders gesagt, wenn die transzendente Garantie und der Urquell einer traditionellen (christlichen) Moral ihre Autorität und ihren Bann verliert, welche Art von Handlungen werden dann erlaubt sein? Es war genau diese Art von Fragestellung, die sich im modernen Rationalismus entfaltete. Die Vernunft wurde die Autorität, Erlaubnis zu erteilen und traditionelle Verbote zu bestätigen. Im Laufe dieses »Autoritätswechsels« wurde ein Verbot nach dem anderen aufgehoben und für ungültig erklärt, weil bewiesen wurde, daß es »irrational« war, es sich um ein Vorurteil oder um reine Einbildung handelte. Die »Nihilismusnarration« insistiert darauf, daß diese Entwicklung nicht aufzuhalten sei, sobald die Vernunft die Stelle des toten Gottes einnimmt. Es folgt dies angeblich daraus, daß der Handelnde nicht länger von *normativen Kräften* geleitet wird. Infolge von rationaler Prüfung werde die normative Führung durch reine Berechnung ersetzt. Solange es göttliche Normen jenseits der Vernunft gibt, kann man, so lautet das Argument des Nihilismus, auf diese zurückgreifen und selbst ein gutes Argument mit moralischen Gründen zurückweisen. Sobald die Gültigkeit moralischer Normen nicht mehr von der höchsten Autorität garantiert wird, wird dich der Übeltäter nach deinen Gründen fragen, weshalb er von seinem Tun ablassen sollte. Du wirst deine Gründe ins Feld führen, er die seinen, und wenn Argument gegen Argument aufgeboten wird, kann die Möglichkeit einer moralischen Entscheidung gar nicht mehr erreicht werden. Was entscheidet, sind Interessen, Gewalt, Bequemlichkeit und Konformismus.

Man braucht das moderne Zeitalter nicht als Treibhaus des moralischen »Nihilismus« zu beschreiben, um sich mit dem Problem auseinanderzusetzen, aus dem die Nihilismusnarration hervorging. Alle ernsthaften modernen Moralphilosophen hatten ihren Tag der Abrechnung wie unser Vorfahr Jakob. Wenn wir die Spuren des Kampfes auf dem Körper ihrer Philosophie nicht bemerken, so nur deshalb, weil sie sie mit alternativen Narrationen überdeckten. Obwohl das Paradigma des Nihilismus normalerweise mit Nietzsche verbunden wird, weil er ihm auf radikalste Weise eine positive Wendung gab, war die Narration bereits hundert Jahre zuvor aufgetreten. Die klassischen Beispiele der Abrechnung mit dem Schreckgespenst des Nihilismus kann man in Diderots *Rameaus Neffe* und in Kants Moralphilosophie finden. Diderots Philosoph, der Erzähler des Dialogs, erkennt im Laufe der Diskussion, daß die Argumente seines Gegenübers, des moralischen Nihilisten, unschlagbar sind. Es bleibt ihm nur, zur Verteidigung der Sache der Güte seinen *Abscheu* vor dem Nihilisten auszudrücken (eine gefühlsbetonte moralische Geste) und seine *eigene Entschlossenheit* zu bekräftigen, ein anständiger Mensch zu sein und zu bleiben, denn es ist besser, ein ehrlicher Mensch zu sein als ein böser Clown. Selbstverständlich kann nicht rational bewiesen werden, daß es besser ist, gut zu sein als böse, es sei denn, man kann absolute, ewige Normen bestimmen. Und wenn man das kann, braucht man nichts zu beweisen. Diderots Werk schließt mit dem Thema einer *existentiellen Wahl der Güte*. In Abwesenheit eines Gottes (und moralischer Absolutheiten) kann man dann, und nur dann noch gut sein, wenn man sich selbst als guten Menschen wählt. Eine solche Wahl ist ohne Zweifel irrational, denn zwischen all meinen Gründen und meinem Entschluß liegt der *Sprung*, wie Kierkegaard später darlegen sollte.

Kant setzte den Nihilismus matt, während er gleichzeitig jedes Stück der nihilistischen Argumentation akzeptierte. Wenn die theoretische Vernunft (Spekulation, Kalkulation, Argumentation) den Normen vorangehen sollte, die das Handeln gültig oder ungültig machen, so gab es für Kant keinen Zweifel mehr, daß »alles erlaubt« sei. Denn der empirische Mensch, getrieben vom »Durst« nach Macht und Ruhm, würde ohnehin beweisen und rational beweisen, daß, was immer er begehrt, gut ist. Theoretische Vernunft bringt keine Gewißheit, und doch ist es Gewißheit, worauf die Moral gegründet werden muß. Aber die Gewißheit schließt die Wahl aus. Und wie kann man die Wahl ausschließen, ohne sich von der Moderne ab- und den traditionellen Normen zuzuwenden, die von der göttlichen

Offenbarung garantiert werden? Wie kann man Autonomie, Persönlichkeit und Subjektivität ohne Wahl bewahren und gleichzeitig das Verständnis und das Wissen als Quelle der Gültigkeit bzw. Ungültigkeit moralischer Normen ablehnen? Kant hat die durchdachteste und beinahe makellose philosophische Antwort auf die neue Situation gegeben, die durch die Steigerung der Rationalität einerseits und die Entdeckung der Grenzen der Vernunft andererseits entstanden war. Bekanntlich ruht das ganze Gebäude der Kantischen Lösung auf seiner dualen Anthropologie. Eliminiert man den noumenalen Menschen, kommt man zum reinen modernen Nihilismus. Eliminiert man den phänomenalen Menschen, kommt man zum spekulativen formalen Universalismus, in dem der Handelnde abwesend ist. Sollte man Kants duale Anthropologie aus irgendwelchen theoretischen oder empirischen Gründen (Selbstbeobachtung und Wertpräferenzen eingeschlossen) ablehnen, so werden Gewißheit und Relativismus aus ihrem prekären Gleichgewicht gebracht.

Hegel, der seine eigenen Tage der Abrechnung hatte, unternahm die heroische Anstrengung, die innerweltliche ethische Autorität mit Namen *Sittlichkeit* neu aufzubauen und auszustatten; er wußte, ähnlich wie Diderot und Kant vor ihm, daß es nicht genügt, eine existierende sittliche Weltordnung mit der Geste zu bestimmen: »Hier ist sie, das sind die Normen und Regeln, denen man zu folgen hat.« Denn der Adressat wird gewiß neugierig fragen: »Warum ist das so?«, »Warum sollte ich die Normen dieser bestimmten Weltordnung beachten und nicht die anderer oder gar keine?« Hegel glaubte, ähnlich wie Kant, daß die sittliche Ordnung im Lichte der absoluten Gewißheit leuchten muß, wenn sie den Nihilismus bekämpfen soll (und auch den leeren Subjektivismus, setzte er hinzu). Gerade weil die Grundmauern seines ethischen Gebäudes in einer so festen und starren Weise errichtet waren, konnte Hegel für ein entspannteres, elastischeres und komplexeres moralisches Universum plädieren, für mehr Liberalismus und mehr Nachsicht. Die Weltgeschichte, behauptete er, diese höchste Richterin, hat die Menschheit zu dem gegenwärtigen Zustand hingeführt; der Weltgeist selbst präsentiert uns das Ergebnis seines eigenen langen Weges. Und doch ist solch ein Gleichgewicht wiederum höchst prekär. Wenn man die Betonung der Sittlichkeit wegnimmt und nur die große Narration beibehält, bekommt man eine objektive Teleologie, in der der ethische Inhalt des subjektiven Telos vollkommen irrelevant ist. Das Resultat dieser Amputation ist, daß alles, was angeblich die Entwicklung der Weltgeschichte fördert, in der Tat erlaubt und daß der Nihilismus wieder bestätigt ist. Oder umgekehrt, eliminiert man die weltgeschichtliche Narration und behält man die Betonung der Sittlichkeit bei, kommt man zu einer Art Pragmatismus, worin gewisse moderne Spielregeln ohne weiteres als selbstverständlich gültig vorausgesetzt werden.

Die Lösung der existentiellen Wahl (Diderots Sackgasse) erfordert keine Unterstützung durch eine bestimmte Metaphysik, Ontologie oder Anthropologie oder durch ein bestimmtes System oder spekulatives Gebäude. Sowohl Kants als auch Hegels Lösung muß jedoch, und zwar im gleichen Ausmaß, durch ein vollständiges System gestützt bzw. begründet werden. Philosophisch sind ihre Systeme überzeugend, aber in den Wechselfällen der modernen Moral verursachen diese vollständigen Systeme mehr Probleme, als sie lösen können. Denn die philosophische Konstruktion bedingt auch das Akzeptieren eines bestimmten »allgemeinen Weltbildes« als Voraussetzung für die Überwindung eines drohenden vollständigen moralischen Nihilismus. Anders gesagt, die Kantische und die Hegelsche Philosophie erkennt (im Unterschied zu der Diderots) wenigstens in einem wichtigen Aspekt das traditionelle jüdisch-christliche Erbe an: man muß das *Ganze* akzeptieren, sonst bleibt einem auch kein *Teil*. Da für die moderne Welt indes eine Vielfalt von Weltanschauungen charakteristisch ist, bedeutet das Akzeptieren irgendeines Ganzen eine Zurücknahme der modernen Geschichte. Zudem gilt: wenn man sich für ein Ganzes entscheiden müßte, so gibt es keinen Grund, weshalb man sich nicht für das älteste von allen entscheiden sollte – für das Ganze unserer religiösen Tradition, das zumindest einen sehr langen Prozeß der Bewährung und Erprobung durchlaufen hat.

Aber vielleicht gibt es andere Wege, die erforscht werden sollten. Derrida unternahm eine Reise, die nicht der Mühe wert schien: Er dekonstruierte einen scheinbar ziemlich unbedeutenden Aufsatz Kants, geschrieben im Jahre 1796 (*Von einem neuerdings erhobenen vornehmen Ton in der Philosophie*). Aus unserer Sicht ist es nicht die Parodie von Kants völlig pedantischem Herangehen an etwas wesentlich Unpedantisches, was hier relevant ist: es sind nicht einmal die apokalyptischen Anspielungen, die von Derrida hinter Kants Schweigen aufgedeckt wurden; vielmehr ist es die Art und Weise, in der Derrida herausstellt, was er Kants Geste der Versöhnung nennt. Kurz, Kant greift die mystischen Platoniker ungewöhnlich bissig an (ungewöhnlich, gemessen an seinen milden Maßstäben), die er Mystagogen-Eschatologen schimpft, und besonders Schlosser, der von Kant bezichtigt wird, die Philosophie zu kastrieren und fast das ganze Unternehmen zu erledigen. Die wirkliche Überraschung kommt am Ende: der Abschluß des Aufsatzes ist die Empfehlung, daß er, Kant, und seine verachtenswerten philosophischen Gegner auf das gleiche Ziel hinarbeiten sollten. Wir alle wollen die Menschen anständig machen, betont er, und wir alle wollen dem moralischen Gesetz dienen. Was auch immer unsere jeweiligen Philosophien sein mögen, wir könnten uns an diese höchste Aufgabe zusammen heranwagen. Ich finde, daß diese kleine pedantische Schrift eines alternden Mannes, diese unbeholfene Geste gegenüber fremden philosophischen Richtungen und Interessen absolut wunderbar und heldenhaft ist. Der Versuch, den modernen Zustand des theoretischen Pluralismus unter der Voraussetzung zu akzeptieren, daß alle Philosophen auf das gleiche praktische Ziel (mehr Anständigkeit, Gehorsam gegenüber dem moralischen Gesetz) hinarbeiten, ist nicht nur eine Übung in liberaler Toleranz, sondern bringt auch eine neue *philosophische Einsicht* zum Ausdruck. Wir wissen, daß Kant seine duale Anthropologie, insbesondere die Tatsache der Vernunft, brauchte, um die Existenz eines moralischen Gesetzes zu beweisen, obwohl sie eigentlich auch nach seiner eigenen philosophischen Überzeugung nicht bewiesen werden konnte. Er brauchte sie, um für die Gewißheit, das Absolute, das Kategorische zu plädieren; um die Wahl, sogar die Wahl des Selbst, das Risiko, den Sprung ausschließen zu können. Als er deshalb zugab, daß die Sache der moralischen Vernunft, des moralischen Gesetzes von ganz verschiedenen Philosophen gefördert, vorgebracht und vertreten werden kann, von Philosophien, die sich auf verschiedene Typen von Metaphysik, auf verschiedene Ontologien und Anthropologien gründeten, gab er mit dieser Geste den Grundsatz auf, daß das Werk der praktischen Vernunft in der Welt auf völlig rationale Weise begründet werden kann. Für diese neue Position genügte es jetzt, einfach zu behaupten, daß diejenigen, die das Gute nicht wie Kant völlig rational begründeten, doch auf das gleiche moralische Ziel hinarbeiten konnten. Mit dieser Geste ist die philosophische Begründung der Moral schon relativiert worden. Hieraus würde ich meine vorläufige Schlußfolgerung ableiten: es ist ein Mißverständnis, ein direktes Verhältnis zwischen dem zunehmenden Relativismus der Weltanschauungen (Philosophien) und dem Relativismus der Moral herzustellen. Vielleicht ist das Gegenteil der Fall: durch das Verabsolutieren ihrer eigenen Philosophien und Weltanschauungen tragen Philosophen mehr zur Relativierung der Moral, ja sogar zur Förderung des Nihilismus bei als durch das Akzeptieren der gegenseitigen Relativierung ihrer philosophischen Unternehmen, wenn sie die einzige und beschränkte gemeinsame Grundlage in einigen wenigen moralischen Normen und Werten finden, die als für uns alle gültig und bindend angesehen werden könnten.

Die Mannigfaltigkeit von Weltanschauungen, Philosophien, Metaphysiken und religiösen Glaubensbekenntnissen verhindert das Entstehen eines gemeinsamen Ethos nicht, wenn nicht eine der konkurrierenden Weltanschauungen die Gebote und Verbote völlig bestimmt, und das nicht nur für ihre eigenen Anhänger, sondern auch mit universalisierendem Anspruch. Das ist freilich ein starker Vorbehalt. Wenn die moralischen Richtlinien, die sich nur aus einer Weltanschauung und nicht auch aus den anderen ergeben, allein bei Zugehörigkeit zu dieser bestimmten Weltanschauung bindend sind, dann erhält und bestätigt die *Struktur der Moral* das autonome Verhältnis des Menschen gegenüber den moralischen Vorschriften, die er oder sie als bindend akzeptiert. X erkennt bestimmte moralische Vorschriften an, die sich aus einer bestimmten Metaphysik ergeben, insofern X diese Metaphysik anerkennt. Und doch kann X auch eine andere Metaphysik wählen, ebenso wie er oder sie sich dafür entscheiden kann, sich auf gar keine Metaphysik oder allgemeine Weltanschauung festzulegen. In jedem Fall könnte X immer noch einige moralische (praktische) Normen und Werte als bindend akzeptieren, vor allem solche, deren bindendes Wesen sich aus einer Vielzahl von Metaphysiken, Weltanschauungen und allgemeinen Werten ergibt. Relative moralische Autonomie, die sich sowohl in der individuellen Wahl einer metaphysischen Grundlage (oder darin, daß man sich auf überhaupt keine metaphysische Grundlage festlegt) als auch im individuellen Verhältnis zu den konkreten moralischen Vorschriften des jeweiligen moralischen Universums ausdrückt, ist die Voraussetzung eines schwachen Ethos allgemein geteilter moralischer Normen, Werte und Tugenden. Wo sowohl moralische Autonomie als auch Weltanschauungspluralismus gegeben sind, da ist *nicht alles* erlaubt, selbst dann nicht, wenn es für manche einen Gott gibt und für andere nicht. Denn bestimmte Handlungen bleiben für alle unerlaubt, angenommen, daß alle fähig sind, Gut und Böse in Rücksicht auf das allgemeine Ethos zu unterscheiden. Überdies kann, was für alle im Sinne des allgemeinen Ethos erlaubt ist, gleichwohl im Rahmen des einen oder des anderen konkreten und frei gewählten moralischen Universums gemäß dem Gebot der eigenen, hier anerkannten, aber nicht universalen moralischen Autorität unerlaubt bleiben.

Auf der deskriptiven Ebene, die sich natürlich nicht gänzlich von der präskriptiven trennen läßt, kann man aus all diesen Erwägungen einen sehr bescheidenen Schluß ziehen. Das Paradigma des moralischen Nihilismus hat einzelne Tendenzen der Moderne dermaßen übertrieben, daß das Bild, das von ihm gezeichnet wird, nicht einmal den einfachsten Kriterien der Wahrscheinlichkeit genügt. Daraus folgt allerdings nicht, daß der »Universalismus-Diskurs« oder der »Partikularismus-Diskurs« je für sich genommen ein klares, allumfassendes oder auch nur relevantes Bild ergibt.

Das Individuum als das Universale

Die kategorialen Figuren »das Ganze und der Teil« oder das »einer-mehrere-viele« traten schon mit der Geburt der Philosophie als moralische, politische und metaphysische Konfigurationen in Erscheinung. Andere metaphysische und logische Figuren, »das Universale«, »das Singulare« und »das Partikulare«, wurden erst in der Neuzeit stark politisiert und auch auf die Moral angewandt. Strukturell erwies sich das Singulare als das am wenigsten problematische Element der Triade. Es gab keinen anderen Anwärter für diese Position als das Einzelindividuum, die Person als Handelnden, als moralisches (verantwortliches) Subjekt. Das Universale erwies sich als das problematischste Glied der Triade. In einem universalen Satz wird das Gleiche für alle (gleichen) Fälle behauptet. Wenn also »das Einzelindividuum« das Singulare ist, so folgt daraus, daß »das Individuum als solches«, d. h. »alle Individuen«, das Universale sein sollte. Aber dazu kam es im eigentlichen moralischen Diskurs nie. Die Stelle des Universalen nahm die Vorstellung »Menschheit« ein, die selbst vieldeutig ist und Bedeutungsschattierungen anderer Art haben kann als die, das universale Äquivalent aller Einzelindividuen zu sein. Oder, noch schlimmer, die Stelle des Universalen wurde von Kategorien der Integration eingenommen, die mehrere menschliche Integrationen (sei es hierarchisch, sei es strukturell oder in beiderlei Sinn) umfassen und die nicht mehr nur vieldeutig, sondern überhaupt kein Äquivalent mehr sind für »alle Individuen«. Denn wie kann eine Entität wie »der Staat« mit dem Universalen identifiziert werden? Um »alle Individuen« durch »den Staat« zu ersetzen, muß man einen neuen Singular für das »Einzelindividuum« schaffen. Dieser neue Singular ist nicht mehr »der Mensch«, sondern »der einzelne Bürger« oder »der einzelne Deutsche, Franzose etc.« Wir haben also einen moralisch Handelnden, nämlich das »Einzelindividuum«, dessen Verhältnis zum Universalen (zur Menschheit, zu allen handelnden Menschen) vom Partikularen (dem Staat) vermittelt wird, und wir haben einen moralisch Handelnden (genannt »der einzelne Bürger«, »der Franzose«, »der Deutsche« etc.), der sich auf ein

Universales (den Staat) bezieht, das für ihn oder sie als Mensch keineswegs universal ist, oder es zumindest nicht sein sollte. Eines der ernstesten Probleme und Dilemmas der modernen Moral ist in diesem scheinbar semantisch-logischen Dilemma enthalten.

Die neue okzidentale Philosophie, wie sie bis zum siebzehnten Jahrhundert Gestalt angenommen hatte, leitete moralische Fakten (Normen, Ideen, Verpflichtungen, Vorstellungen vom Rechten und Guten) aus einigen wenigen anthropologischen Annahmen ab, d. h. aus bestimmten »ewigen« Attributen der menschlichen Natur im allgemeinen. Ein abstrakter ahistorischer anthropologischer Universalismus bürgte für die Erklärung der Genese. Was diese Genese anbetrifft, so waren die Neigungen eines jeden und aller *die* Neigungen *des* Menschen (aller Menschen), und es war allein der soziale Vertrag, so glaubte man, der moralische Pflichten und Verpflichtungen eigentlicher (und konkreter) Art hervorbrachte. Der Bürger, als der Einzelne in bezug auf das Allgemeine, den »Staat«, war ethisch mit dem Staat verbunden. Der individuelle Mensch, als Mensch, konnte jedoch nicht mit allen Menschen (seinem eigenen Universalen) durch irgendeine Art ethischer Verpflichtung verbunden sein, denn »alle Menschen« konstituierten keinerlei Integration, und sie tun es noch immer nicht. Folglich gab es keine Verpflichtungen oder Pflichten, welche der Einzelne aufgrund seiner Zugehörigkeit zum Menschengeschlecht zu beachten bestimmt war. Statt rechtens auf sein eigenes Universales bezogen zu sein, war der Singular, genannt »Mensch«, nun auf die bürgerliche Gesellschaft und die Familie bezogen. Diese Integrationen wurden nicht nur von Hegel, sondern auch von Hobbes, Locke und Rousseau als partikularistischer denn der Staat erachtet. In einem streng philosophischen Sinn hatte Marx recht, als er behauptete, daß »Mensch« gleichbedeutend mit Bourgeois sei, denn der Einzelmensch, dessen Pflichten und Verpflichtungen (soweit er welche hat) ausschließlich seine Geschäfte und seine Familie betreffen, ist präzise der Bourgeois. Und doch ist auch der andere Anspruch, nämlich in positivem Sinne und somit auch moralisch über alle partikularistischen Verpflichtungen und Bestimmungen hinaus »mit allen

Menschen« oder »mit der Menschheit« oder »mit dem menschlichen Wesen« in Verbindung zu stehen, in Erscheinung getreten. Eine bestimmte Art säkularisierten Christentums, manchmal in Gestalt der Freimaurerei, verband sich mit den naturrechtlichen Bestrebungen der modernen Theorien des natürlichen Gesetzes. Ich nenne diese Tendenz den »modernen Humanismus«. Meines Erachtens ist der Humanismus nicht mit dem Kartesischen Erbe des Subjektivismus identisch; noch ist er gleichbedeutend mit dem Unterfangen, das Individuum in den Mittelpunkt des Universums zu stellen. Humanismus bedeutet weder Nachsicht, weder *tout comprendre, c'est tout pardonner*, noch bedeutet er den Versuch, alle unsere moralischen Normen und Regeln rational zu machen. Es gibt ein Element des Subjektivismus im Humanismus, aber nicht epistemologischer Art. Wenn jemand bestimmte Pflichten und Verpflichtungen im Namen einer Entität (der Menschheit) auf sich nimmt, die nicht existiert, ist der subjektive Aspekt der Ethik (Moral) in solch einer Geste fraglos mehr gegenwärtig als im Verhältnis derselben Person zu existierenden Integrationen mit dichter ethischer Substanz. Eine direkte Verpflichtung gegenüber dem Universalen enthält ein starkes Element einer bestimmten Art von Rationalität, die ich als »Rationalität des Intellekts« bezeichnet habe. Das ist besonders dann der Fall, wenn die selbst auferlegten Pflichten gegenüber einer nicht existierenden Entität mit Pflichten kollidieren, die von existierenden Entitäten auferlegt werden. Denn eine Person, die in einem solchen Widerspruch lebt, gibt, wenn sie nicht auf der Ebene der bloßen Geste verharrt, normalerweise Gründe an, weshalb sie das Universale dem Partikularen vorzieht, etc. Und doch dreht sich der moderne Humanismus, etwa der Humanismus wie er von Lessing exemplifiziert wird, nicht um die Einzelperson. Vielmehr gibt es eine Spur von Mystik im modernen Humanismus, eine Verpflichtung gegenüber einer Art gemeinsamen Manas, das uns allen innewohnt, unabhängig von unseren Nationalitäten, Bindungen, religiösen Verpflichtungen, metaphysischen Konfessionen und Glaubensüberzeugungen. Dieses Mana bewirkt, daß wir uns einander zuwenden, während wir unsere partikularen Bindungen suspendieren, ohne sie aufzugeben oder auf sie zu verzichten, ein Mana, das wir überdies nicht verlieren, außer im Falle eines letzten und endgültigen moralischen Verstoßes.

Gleichzeitig ist das Denken in »Rechten« mit dem modernen Humanismus in den Vordergrund gerückt. Der moderne Humanismus umfaßte das »Rechtsdenken« als den negativen Aspekt seiner eigenen Vision. Mitgliedern einer Integration aufgrund ihres Personseins »unveräußerliche« Rechte zuzuweisen, könnte als der größte Einzelbeitrag liberaler Theorien zur Entwicklung der modernen Sittlichkeit angesehen werden. Der moderne Humanismus muß die liberale Norm der Menschenrechte anerkennen. Denn wenn alle partikularistischen Bestimmungen in unserem Umgang mit anderen Menschen als Menschen suspendiert werden sollen, dann muß jedes einzelne Individuum gegen die Gewalt, den Druck und das Eingreifen partikularistischer Integrationen (Bestimmungen) geschützt werden. In diesem Sinne schließt der moderne Humanismus das »Rechtsdenken« ein, aber es hat noch andere und breitere Konnotationen. Die begeisterte Geste des »seid umschlungen, Millionen« kann mit der Verteidigung der Menschenrechte nicht gleichgesetzt werden. Man kann sich fragen, ob »Millionen« wert sind, umschlungen zu werden, oder worauf eine solche Metapher wirklich hinaus will. Das Entziffern des Unterschieds zwischen Text und Botschaft würde uns jedoch zu weit von unserem gegenwärtigen Unternehmen wegführen. Was betont werden muß, ist die Zweideutigkeit des Begriffs »Menschenrechte«, oder ursprünglich »Rechte des Menschen«, dessen besondere Unklarheit in den letzten Jahrzehnten aufgezeigt wurde. Die Zweideutigkeit ergibt sich wiederum aus dem seltsamen Verhältnis zwischen dem Singular der universalen Bestimmung »Mensch« und »jeder Mensch«. »Menschenrecht« sollte ein Recht bedeuten, mit dem jede einzelne Person aufgrund ihrer Zugehörigkeit zur Gattung *homo sapiens* geboren wird. Jedes Recht verfügt über moralische oder gesetzliche Absicherungen; Strafe folgt auf Verstoß. Wenn den »Menschenrechten« aber kein gesetzlicher Schutz zuteil wird, sofern sie nicht von einer staatlichen, geschriebenen oder ungeschriebenen, Verfassung und einer juristischen

Praxis garantiert werden, sind die Menschenrechte in jedem Staat, der diese Bedingungen nicht erfüllt, notgedrungen bloße Scheinrechte. Es ist also das Partikulare, das dem Individuum als dem Universalen Rechte garantiert. Zudem schützt nicht einmal diese partikulare Integration (etwa ein liberaler Verfassungsstaat) das Individuum als das Universale, wenn das Individuum nicht am Partikularen teilhat. Nur vermittels seiner Zugehörigkeit zum Partikularen (seiner Teilhabe am einzelnen Nationalstaat), kann die Person als Individuum der Singular des Universalen werden. Das Universale, verstanden als »jeder Mensch« oder »die Menschheit«, ist ein Feigenblatt oder auch ein totes Blatt, vollkommen bedeutungslos. Wenn X nicht ein Mitglied dieses oder jenes Staates ist, hat sie oder er keine Rechte als Person (als Mensch), denn sie oder er ist eben nur das: ein Mensch.

Alle diese Fäden werden in Kants Moralphilosophie auf philosophisch überzeugende Weise zusammengebracht. Kant machte einen neuen Anfang, indem er die Kategorien des Partikularen und des Individuellen als Quelle und Garantie für moralische Pflichten und Verpflichtungen beiseite ließ. Er verlagerte sowohl das Individuelle als auch das Partikulare auf die Seite des Rezipienten, in der Annahme, daß sie beim Empfang der universalen Botschaft Widerstand leisten werden. Als Glieder der rationalen Welt sind wir universal, als Glieder der empirischen Welt sind wir partikulare und einzelne Entitäten; das moralische Gesetz, die Menschheit als solche und die Menschheit in uns, ist das Universale. Schließlich soll das Partikulare (die Verfassung der Republik, oder die gesetzlich-ethische, nicht aber moralische Welt) zum Universalen in Beziehung gebracht werden. Aus Kants Argumentationsweise geht klar hervor, daß, wenn alle Verfassungen gut sind, sie auch alle vollkommen gleich sind, und daß in der Weltrepublik (oder Staatengemeinschaft) im Zeichen des ewigen Friedens alle Verfassungen und politischen Anordnungen tatsächlich gleich sein müssen. Kant macht dem Partikularen und dem Individuellen am Ende ein geringes Zugeständnis, besonders in seiner *Metaphysik der Sitten*, aber es bleibt ein bloßes Zugeständnis.

Hegel beschuldigte Kant, das Partikulare und das Individuelle vernachlässigt zu haben. Die Freiheit des Partikularen und das Wohlsein des Individuums beruhen auf dem Pluralismus. Die »bürgerliche Gesellschaft«, die Sphäre, in welcher im modernen Zeitalter die Partikularität angesiedelt ist, besteht aus einer Vielzahl von Institutionen, Integrationen, Korporationen, Berufen und dergleichen. Jede dieser Einrichtungen entwickelt ihre eigene echte Sittlichkeit. Der Staat ist gleichbedeutend mit dem Universalen. Die moralische Ordnung des Staates verbürgt die Universalität (Allgemeinheit) aller Partikularitäten, die sich im Umkreis der Institutionen der bürgerlichen Gesellschaft herausbilden. Das Individuum, das die höchste Form der Subjektivität erreicht hat, ordnet sich seiner Korporation relativ unter, dem Staat hingegen ordnet es sich vollständig unter, denn die höchste Sittlichkeit verlangt »die Einordnung in das Allgemeine«. Der moderne Staat ist so die Hauptquelle der Sittlichkeit, denn er ist das Universale – aber welcher moderne Staat? Es gibt verschiedene Staaten, und Hegel erkennt Kriege zwischen ihnen auch vom ethischen Standpunkt aus an. Wenn alle modernen Staaten per Definition Universalität repräsentieren, dann ist das Universale das Partikulare und das Partikulare wird nur universal genannt. Wenn zwei Länder gegeneinander Krieg führen, gibt es nie und nirgends irgendwelche *Kriterien*, um zu entscheiden, wessen Sache gerecht, wessen Sache ungerecht ist, wessen Sache *gerechter* als die andere ist. Wenn es keine Antwort auf diese Frage gibt, dann ist das Endresultat völliger Relativismus. Der Universalismus des Weltgeistes resultiert dann in der Gleichzeitigkeit unvermittelter und doch in Konflikt stehender Partikularitäten, die absolute Loyalität von den Individuen fordern, weil sie sich alle als das Universale identifizieren.

Der moderne Humanismus war erhaben, aber er lieferte der modernen Welt keine sichtbaren Bindungen, keine klaren Normen, mit anderen Worten: keine Sittlichkeit. Statt dessen hat der Nationalismus sie geliefert. Genau wie Hegel vorausgesagt hatte, wurde der rohe Egoismus des »geistigen Tierreiches« erst im Krieg überwunden. Der institutionelle, korporative, zweckorientierte Pluralismus der Mikrosittlichkeiten mit ihren eigenen Regeln einerseits und das allumfassende Nationalethos andererseits entwickelten sich Hand in Hand. Die Tendenz zum Nihilismus und die Tendenz zu einer »dichten« oder starken ethischen Verwurzelung sind Merkmale der gleichen Konfiguration. Der einzelne Mensch akzeptiert die Regeln seiner eigenen Institution, Berufsgruppe, Religionsgemeinschaft, Partei ohne viele Umstände und erkennt das Ethos des Nationalismus begeistert an. Darüber hinaus ist alles erlaubt, denn was darüber hinausgeht, ist das moralische »Niemandsland«, in dem keine moralischen Werte, Regulierungen und Ideen mehr zu beachten bleiben. Nationalismus fordert Enthusiasmus heraus (so wie einige Mikrosittlichkeiten). Eben deshalb, weil so wenig Moral übrig ist, so wenig von dem individuellen Verhältnis zu den Sitten der Umwelt, wird viel moralisiert. Chauvinismus paßt zum Moralisieren: Jeder, der sich dem Chor nicht anschließt, wird moralisch verdächtig. Das gilt erst recht, wenn der Nationalismus ideologisch überdeterminiert ist, wie dies so oft im Totalitarismus des zwanzigsten Jahrhunderts der Fall war. Und doch hat gerade die Erfahrung des Totalitarismus die Identifizierung des Partikularen (eines Staates) mit dem Universalen (der Menschheit, dem Endzweck der menschlichen Geschichte etc.) zutiefst suspekt gemacht. Obwohl die »Nation« das Hauptobjekt moralischer Verpflichtung blieb, oder mehr als jemals zuvor ist, da ganze Kontinente zum Chor des Nationalismus und Chauvinismus hinzutraten, waren Moraltheorie und Philosophie gezwungen, die Möglichkeiten und Gegebenheiten in anderen Richtungen zu untersuchen.

Diese Richtungen können als wiederaufgearbeitete Versionen von Antworten betrachtet werden, die schon vor etwa zweihundert Jahren gegeben wurden. »Wiederaufgearbeitet« soll nicht besagen, daß die Fragen oder die Untersuchungen der Antworten genau identisch wären. Offensichtlich sind die Erfahrungen von zweihundert Jahren mit einbezogen, reflektiert und ausgedrückt worden. Das Wort »Wiederaufarbeitung« bezieht sich vielmehr auf die Typen von Antworten und die Tendenzen, die sie verkörpern. Der moderne Humanismus ist, besonders in seiner Kantischen Version, wieder präsent und hat in der Theorie der kommunikativen Ethik Frucht getragen. In deren Rahmen erheben Individuen *wahrhaft* universale Geltungsansprüche, nicht einfach Ansprüche, die tatsächlich partikular sind und nur universal genannt werden. Dieser Standpunkt bedeutet auch, daß wir einmal mehr in den Kantischen Formalismus zurückgefallen sind. Die dichte Ethik der Sittlichkeit wird, obwohl man sie erwähnt und man sich auf sie bezieht, nicht in einer positiven Weise reflektiert. Die praktische Vernunft wird zum Zwillingsbruder der theoretischen Vernunft, denn die Phronesis ist aus dem Horizont verschwunden. Ähnliches könnte von erklärten Kantianern wie Bair, Singer, Gerth, Gewirth und anderen gesagt werden. Die wichtigste Änderung, die der alte Mantel im Prozeß der »Wiederaufarbeitung« erfahren hat, betrifft die Stellung des Partikularen. Während Hegel glaubte, daß alle Partikularitäten zu der höchsten, von ihm als universal bezeichneten, hinführten, nämlich zum Staat, kehren die modernen Diskursarten zur Kategorie des Individuellen zurück. Es gibt eine so große Vielfalt innerhalb dieses »Sprachspiels«, um eine ihrer Lieblingsbezeichnungen zu verwenden, daß nur wenige Hauptarten genannt werden können.

Hegel am nächsten bleibt der Diskurs, der in der Philosophie des amerikanischen Liberalismus vorherrscht. Für Rawls, Dworkin, Ackerman und andere ist der Staat mit der Verfassung identisch, und das Ethos der menschlichen Vereinigung ist in einer Verfassung zu suchen, die fair und deshalb richtig ist. Das Menschenrecht, das Haupteigentum jedes Menschen, wird als Bürgerrecht verstanden. Es wird angenommen, daß Menschen, die Rechte (Freiheiten) haben, miteinander verkehren und dabei die Freiheiten anderer im Rahmen derselben Verfassung respektieren. Und doch bewahrt Rawls etwas vom universalistischen Anspruch seiner angelsächsischen Vorfahren. Der Manierismus der Vertragstheorien, der Rekurs auf die »ursprüngliche Position« oder seine Rede vom »Schleier der Unwissenheit«, haben nicht einfach aus Gründen der Eleganz und der Schönheit in sein Werk Eingang gefunden. Sie dienen der weiter reichenden Absicht eines scheuen Hegelianismus, der darauf hinzielt, den Staat mit dem Bestmöglichen, nämlich

mit Universalität zu identifizieren. Jedoch gibt es »nach Rawls«
eine starke Tendenz, den Wirkungsbereich einer relevanten
Sittlichkeit einzuschränken, und zwar in offener Feindschaft
gegen eine wert- und zwecklose bombastische Universalität.
Die jüngsten Schriften von Walzer und Rorty plädieren für eine
dichte Kontextualität, in deren Rahmen jeder, der an öffentlichen Angelegenheiten teilnimmt, weiß, worum es sich im ganzen Rahmen insgesamt handelt, und in der jeder die Regeln
einer ethischen Welt teilt und voraussetzt. In bestimmten
Schriften des französischen Poststrukturalismus, besonders bei
Lyotard, wird keinerlei Art von Partikularität, handle es sich
um die Verfassung, die gemeinsame Lebenswelt, Überzeugungen, Institutionen oder um den literarischen Geschmack, als
Hauptträger einer vorausgesetzten Sittlichkeit angesehen. Die
große Vielfalt von Sprachspielen bietet uns zahlreiche Möglichkeiten; wir sind frei, irgendwo mitzumachen oder auch
nicht.

In meinem kurzen Überblick über theoretische Reflexionen
zum Verhältnis zwischen den Gliedern der Triade (partikular-
universal-individuell) am Beginn des modernen Zeitalters habe
ich die radikale Verschiebung in Richtung auf das Individuum
nicht erwähnt. Natürlich tritt fast alles sporadisch auf, ehe es
wirklich repräsentativ wird. Nach einigen romantischen Vor-
läufern ist Kierkegaard der erste Philosoph, der den Ursprung
der Moral im Individuum (in des Individuums existentieller
Wahl seiner selbst) sucht, ohne daß er das Objekt (das Reich,
die Sphäre) der moralischen Praxis mit dessen Ursprung identifizierte. Das Individuum als Individuum *ist* das Universale, und
doch ist das Reich des moralischen Lebens in den zwischen-
menschlichen Beziehungen (einschließlich der Partikularität)
zu suchen. Der Diskurs, der von Kierkegaard in Gang gesetzt
wurde, braucht nicht »wiederaufgearbeitet« zu werden, denn
er war in unserem modernen Zeitalter beständig, wenn auch
nicht immer deutlich gegenwärtig. Dieser Diskurs scheint jetzt
zu schwinden. Heideggers berühmte Kehre vom Existentialis-
mus zur Seinsphilosophie ist ein Beispiel hierfür. Es wäre jedoch übereilt, Vorhersagen machen zu wollen, um so mehr, als
wichtige Tendenzen der modernen Psychologie auf ihre Weise

als Fortsetzung der Kierkegaardschen Linie gesehen werden können. Man könnte sagen, daß für Freud nicht weniger als für Kierkegaard das Individuum das Universale war, und daß für ihn die wirkliche Geschichte die Geschichtlichkeit des Selbst und unsere moralische Wahl die Selbstwahl war.

Das kontingente Individuum

Zu Beginn habe ich drei typische Diagnosen unserer gegenwärtigen moralischen Situation skizziert. Ich habe hinzugesetzt, daß sie alle in einem gewissen Sinne richtig sind. Danach habe ich das Paradigma des Nihilismus näher untersucht und die einzelnen dazugehörigen Punkte analysiert. An dieser Stelle könnten zwei Schlüsse gezogen werden. Erstens: die Gefahren, die im Paradigma des Nihilismus entdeckt wurden, sind durch die Annahme, daß die Diagnosen der beiden anderen Paradigmen ebenfalls richtig sind, keineswegs behoben. Zweitens: es ist nicht der Pluralismus, sondern der Anspruch auf Absolutismus, der die konkurrierenden Metaphysiken und Philosophien daran hindert, eine gemeinsame moralische Grundlage zu finden. Im dritten Teil stellte ich das Problem genauer dar, das meiner Ansicht nach den eigentlichen Kern der Uneinigkeit und des Zwistes philosophischer und metaphysischer Systeme ausmacht. Ich habe hinzugesetzt, daß der entscheidende Zwist durch die Lebenserfahrung gestützt wird und daß der gleiche Zwist zweihundert Jahre lang wiederholt worden ist, in manchen Fällen dauert der Prozeß sogar schon länger an. Allein dieser Umstand sollte unseren Verdacht erregen – und zwar nicht nur gegenüber allzu einfachen und linearen Narrationen des ethischen Fortschritts oder des moralischen Verfalls, sondern auch gegenüber der Selbstgefälligkeit des Diskurses von »den gesunden moralischen Traditionen der liberalen Demokratie«. Weder bei zunehmendem moralischem Verfall, noch unter Bedingungen eines kräftigen moralischen Fortschritts, noch schließlich unter den Auspizien einer problemlosen Wirksamkeit der modernen Tradition, würde die gleiche theoretische Konfiguration immer wiederaufgearbeitet werden. Von diesem Standpunkt her gesehen, nehmen sich alle apokalyptischen Aussagen reichlich komisch aus. Wir haben so oft und so lange zu hören bekommen, wir stünden »ganz am Anfang von« oder »ganz am Ende von« dem »Eigentlichen«, daß die apokalyptische Sprache längst zur Alltagssprache geworden ist. Aber es ist auch etwas Komisches an der Überzeugung, daß diejenigen, die eine positive Haltung zur *affirmative action* einzunehmen lernen, bereits die wichtigsten moralischen Probleme unserer Zeit gelöst hätten.

Der simultane Prozeß der Universalisierung, Partikularisierung und Individualisierung ist gleichbedeutend mit dem Auftreten der Kontingenz als der Grundbefindlichkeit der modernen Welt. Wenn es keinen Weltgeist mit seinem inhärenten Telos gibt, dann ist die Geschichte als Weltgeschichte selbst kontingent und desgleichen alle Partikularitäten, die von dieser Geschichte hervorgebracht werden oder sich in ihr entfalten. Vor allem ist es das Individuum, der Mensch, der kontingent wird und der sich, seine Welt und seine Situation als kontingent erkennt. Wenn wir uns einer gebräuchlichen Redefigur der modernen Moralphilosophie bedienen und von Individuen sprechen, die »situiert« sind, denken wir an den kontingenten individuellen Menschen. Wenn wir die alten Fragen und theoretischen Figuren wiederaufarbeiten – was innerhalb der gleichen weltgeschichtlichen Epoche unvermeidbar ist – werden wir uns auf die moderne menschliche Situation, auf eine Situation der Kontingenz konzentrieren müssen, damit eine Moralphilosophie Gestalt annehmen kann, die auf einen kontingenten Menschen anwendbar ist.

Die Wiedergeburt der Moralphilosophie des Aristoteles, das Auftreten eines bestimmten Typus von neoaristotelischer Moralphilosophie, kann gleichfalls aus dieser Perspektive verstanden werden. Aristoteles' Moralphilosophie hat in gewisser Weise alle Fragen und Antworten in sich aufgenommen, die zuvor in der athenischen, ionischen und anderen sich lediglich geringfügig unterscheidenden Kulturen aufgeworfen, formuliert und wiederaufgearbeitet worden waren. Soweit das in einer weitgehend statischen Welt möglich war, machte Aristoteles eine Bestandsaufnahme von der Pluralität der Sittlichkeiten, von den Verschiedenheiten des persönlichen Geschmacks, von dem möglichen Unterschied zwischen dem guten Bürger und dem guten Menschen, von der Unterscheidung zwischen *techne* und Handlung. Außerdem »richtete er sich«, im Gegensatz zum tragischen Extrem Platons, mit seiner moralischen und politischen Philosophie sozusagen »ein«. Aristoteles kam nach der griechischen Aufklärung; er machte Bestandsaufnahme von den Möglichkeiten und Grenzen der Vernunft, und schließlich bot er eine faire Kombination von formaler und materialer Ethik an.

Zumindest einige der Neoaristoteliker suchen in der Philosophie des Stageriten nach einem Modell, um es mit dem angeblichen moralischen Verfall der Gegenwart zu kontrastieren. Andere, wie Castoriadis und Arendt, sind mehr darauf bedacht, Ähnlichkeiten zwischen unseren und seinen Problemen zu entdecken als das Alte (lies: Authentische) dem Modernen (lies: Dekadenten) entgegenzusetzen. Wenn wir von Aristoteles' Moralphilosophie ausgehen, finden wir tatsächlich starke Kontraste und große Ähnlichkeiten mit unserer modernen moralischen Welt und unserem moralischen Denken. Die Hauptscheidelinie zwischen Aristoteles' und unserer Moralauffassung besteht in der Abwesenheit und Anwesenheit der Kontingenz. Auch wenn die Beziehung zu seiner Welt verhältnismäßig distanziert war, war Aristoteles' moralisches politisches Individuum doch weit davon entfernt, kontingent zu sein. Es war nicht »situiert«, es war, was es war, und hätte niemand anders sein können. Wenn es jemand anders gewesen wäre, hätte es in Aristoteles' Ethik überhaupt keinen Ort gehabt. Weil die Kontingenz kein philosophisches Konstrukt ist, das durch irgendwelche andere Konstrukte ersetzt werden könnte, weil es sich bei ihr vielmehr um die Lebenserfahrung des modernen Individuums handelt – eine beunruhigende, bedrohliche, aber auch verheißungsvolle Erfahrung (die Kierkegaard die *Erfahrung der Möglichkeit* oder *Angst* nannte) –, deshalb kann eine Moralphilosophie wie die des Aristoteles, die von ihr unberührt bleibt oder nichts von ihr weiß, die authentische Gegenwärtigkeit notwendigerweise nicht erreichen.

Die Unmöglichkeit, zu einer Übereinstimmung zu kommen,

wenn es darum geht, die moralischen Tatsachen des modernen Lebens zu beschreiben, folgt aus der ontologischen Grundsituation der Kontingenz. Das ist der Grund, weshalb ein Versuch einer Übereinstimmung kaum eine Chance hat. Die immer wiederkehrende Klage darüber, daß Philosophen »einseitig« sind, daß sie diesen oder jenen gleichfalls existierenden oder vielleicht entscheidend wichtigen Aspekt des Lebens verfehlen, ist eine moderne Klage. Sie ist zugleich eine leere Klage. Man braucht nicht sich selbst, die eigene Umwelt und Situation, die eigenen Gefühle und Belange in aller und jeder zeitgenössischen Philosophie zu entdecken. Ich kann eine Philosophie als den Ausdruck der Lebenserfahrungen eines anderen Menschen aufnehmen, der so kontingent ist, wie ich selbst es bin.

Daraus folgt jedoch nicht notwendig ein moralischer Relativismus. Der Umstand, daß meine Lebenserfahrungen in dieser Philosophie zum Ausdruck kommen und diejenigen eines anderen in einer anderen Philosophie, verwandelt oder entwertet die Philosophien selbst nicht zu einem müßigen Spiel. Abgesehen von dem Verlangen und dem Entschluß, unsere eigene Kontingenz in unser eigenes Schicksal zu verwandeln, ist unsere Kontingenz gewiß die Situation eines anderen und umgekehrt. Was auch immer unsere Kontingenzen sein mögen, wir müssen uns auch gemeinsamen Aufgaben widmen.

Nach einem langen Umweg sind wir wieder bei den Problemen vom Ende des zweiten Teiles angelangt; wir sind zu Kants unbeholfener Geste der Versöhnung zurückgekehrt, um gemeinsame Sache für die Moral, für die praktische Vernunft zu machen.

Partikulare moralische Welten sind der Art nach verschieden, seien sie religiös, gemeinschaftlich, korporativ, politisch oder was immer sonst. »Harmonie« in der Heterogenität der Sittlichkeit schaffen, oder auch nur die verschiedenen Arten von Sittlichkeit gleich dicht oder gleich locker machen zu wollen, ist ein Unternehmen, das in der modernen Welt zum Scheitern verurteilt ist. (Die Welt könnte sich allerdings ändern, doch die Moral beschäftigt sich weniger mit Prophetie als mit jedem anderen Stoff für unsere Spekulation.) Das moderne Individuum (das Singulare) ist in jeder Sittlichkeit kontingent, und doch kann es im Rahmen aller und jeder partikularen Welt sich wählen oder diese Wahl verfehlen, ein Mensch mit Gewissen sein oder es nicht sein, authentisch bleiben oder inauthentisch werden. Aber wie steht es mit dem Universalen? Jede Welt kann verschiedene Erklärungen der Ursprünge von Gut und Böse, der Güte oder der Schlechtigkeit unseres Geschlechts anbieten, worauf es indes ankommt, das ist die universale Geste, nicht die universalistische Erklärung. Mit universaler Geste meine ich das Teilhaben an dem, was die Haltung des modernen Humanismus genannt worden ist. Etwas in unserer Eigenschaft als »Menschen als solche« zu tun, es für andere als »Menschen als solche« zu tun, es zusammen mit anderen zu tun, in symmetrischer Reziprozität, Solidarität, Freundschaft als »Menschen als solche« – das ist die Bedeutung der »universalen Geste«. Es ist belanglos, aus welcher Quelle man die Kraft nimmt, diese Dinge zu tun, denn worauf es am meisten ankommt, ist, daß man sie *tut*. Die Menschheit ist nicht eine universale Gruppe, sie hat ihre Sittlichkeit nicht ausgearbeitet. Es gibt jedoch bestimmte Arten von Handlungen, von denen wir alle wissen, daß sie richtig, gut, wünschenswert und lobenswert sind. Moralphilosophien können für solche Gesten argumentieren. Sie können auch weitere, selbst entfernte Möglichkeiten für das Auftreten gewisser universalistischer moralischer Bindungen erwägen.

Ich habe mehrfach erwähnt, daß wir alte Themen und alte Lösungen wiederaufarbeiten, wiewohl in neuen Orchestrierungen und Variationen; die ersten Formulierungen der Anliegen der modernen Moralphilosophie sind ungefähr zweihundert Jahre alt. Die universale Geste, die keineswegs von der universalen Erklärung abhängig ist, haben wir bis in Kants Alter zurückverfolgt. Die Idee jedoch, daß moralischer Universalismus nicht durch das Übersteigen von Kontingenz, Partikularität und Individualität, sondern vielmehr durch Änderung unserer Haltung innerhalb ein und derselben Lebensform erreicht werden kann, geht auf Lessing zurück und ist von Hannah Arendt wiederaufgearbeitet worden. Wenn der Prozeß der Wiederaufarbeitung weitergeht, kann früher oder später ein vierter Typus von Hauptdiskurs auftauchen, der zu den Diskursen des Nihilismus, des formalen Universalismus und des konkreten Partikularismus hinzukäme. Dieser neue Diskurstypus bezieht sich auf das kontingente Individuum als seinen Ausgangspunkt zurück, nicht auf den Helden, das Genie oder den Rollenspieler oder die eindimensionale Marionette, sondern auf einen Menschen wie dich und mich.

KENNETH MINOGUE

Drei Formen des modernen europäischen Staates

1. Ist der moderne Staat eine gefährdete Spezies? Ich stelle diese Frage nicht als ein philosophischer Umweltschützer, der einen Schutzbereich für bedrohte Ideen errichten möchte, sondern um unser Bewußtsein dafür zu schärfen, daß die großen institutionellen Gefüge der modernen Welt ständigem Wandel unterworfen sind, was den meisten von uns entgeht, weil wir zu sehr mit unmittelbaren Gegebenheiten beschäftigt sind. Nehmen wir zum Beispiel die Tatsache, daß die Todesstrafe in unserem Jahrhundert praktisch abgeschafft worden ist. Gründe der Moral und der Abschreckung wurden im Streit darüber angeführt. Dabei haben sich die Einstellungen verändert, und am Ende galt das ganze Schauspiel der Hinrichtung von Verbrechern als ein barbarisches Relikt, besonders unter den Gebildeten, denen wir uns selbst zurechnen, wenn auch vielleicht nicht im gleichen Maße in der »rohen Außenwelt«. So kam es, daß die Todesstrafe – zumindest gegenwärtig – in den meisten Ländern nicht mehr angewandt wird. Damit entfiel eines der bemerkenswertesten Merkmale des modernen Staates, das die Philosophen häufig beschäftigt hat: daß er das Recht hat, über das Leben seiner Bürger zu verfügen. Mit der Abschaffung der Todesstrafe wurde der Staat unterderhand neu definiert. Darauf ist, soweit ich weiß, noch niemand eingegangen.

Betrachten wir ferner, wie sich in diesem Jahrhundert die Loyalität der Gebildeten verlagert hat. Der englische Romancier E. M. Forster hat 1937 eine berühmt gewordene Äußerung getan. »Stünde ich vor der Wahl«, sagte er, »meinen Freund oder mein Land zu verraten, so hoffe ich, den Mut zu haben, mein Land zu verraten.« Man beachte, daß hier nicht nur eine Präferenz ausgedrückt, sondern außerdem eine moralische

Überlegenheit vorgegeben wurde: Für eine solche Präferenz wird die Tugend des Mutes in Anspruch genommen; Loyalität gegenüber dem Staat wird mit Feigheit gleichgesetzt. Forster hat den größten Teil seines Lebens in Cambridge verbracht, wo offenbar eine ganze Generation von englischen Intellektuellen in Versuchung war, die gewöhnlichen Loyalitäten des Patriotismus einem so universalen Gegenstand der Hingabe wie der fortschrittlichen proletarischen Bewegung für Frieden und Sozialismus zu opfern. Auch diese Loyalität wurde als die mutige Entscheidung aufgefaßt, sich zugunsten der universalen Vernunft von den Idolen des eigenen Stammes zu lösen. Absolventen von Cambridge wie der Spion Kim Philby scheinen nicht der Meinung gewesen zu sein, die Loyalität gegenüber dem Kommunismus sei etwa deshalb weniger universal, weil dieser damals zufällig von dem mörderischen Josef Stalin und der Union der Sozialistischen Sowjetrepubliken verkörpert wurde.

Heutzutage gehört die Loyalität der Gebildeten eher großartigen Universalien wie der freien Welt, dem Frieden oder dem Sozialismus als Großbritannien, Deutschland oder Thailand. Luthertum, Calvinismus und Katholizismus fungierten im 16. Jahrhundert (so wie heute der Islam) in ähnlicher Weise als grenzüberschreitende Universalien; im 20. Jahrhundert sind sie zu partikularen Religionen herabgesunken. Die erwähnte moderne Abneigung gegen den Staat hat natürlich ihre Ursachen. Unter den vielfältigen Institutionen wie Kirchen, Gewerkschaften, Universitäten usw. ist der Staat immer ein recht wildes Tier gewesen, von dessen Maul das Blut der Opfer troff, die er verlangte. Er hat stets besondere moralische Privilegien für sich beansprucht. Viele Menschen sind nach den beiden Weltkriegen unseres Jahrhunderts der Ansicht, die Staaten seien von einer Art Untergangstaumel befallen, sind sie doch bereit, um lächerlich nichtiger Ziele willen (zum Beispiel wegen ein paar Streifen Land) Menschen und Material in ungeheuren Mengen zu »verheizen«. Daß viele Menschen von dieser räuberischen Bestie mit ihrem kitschigen Aufputz aus Flaggen, Hymnen, Geschichtslügen und dergleichen freizukommen suchten, ist nicht sehr verwunderlich. Verwunderlich ist aber, wie rasch die neuerlich zu moralischen Universalien erhobenen Werte – Frieden, Kommunismus, Umwelt, Ökumenismus, sogar die Vernunft selbst – zum Besitz von Sekten geworden sind, die wiederum die alte Ausschließlichkeit und Intoleranz an den Tag legen.

Die Wirkung des moralischen Universalismus auf das Verhalten der Staaten ist durch solche Intoleranz nicht beeinträchtigt worden. Die freiheitlichen Demokratien haben weitgehend ihren Anspruch aufgegeben, einen höheren moralischen Status zu besitzen. Sie berufen sich nicht länger auf eine *raison d'État*, sondern erkennen die Verpflichtung an, in vorhersehbarer und gesetzmäßiger Weise zu handeln. Jetzt sind es Terroristen im Inneren und Feinde aus anderen Kulturen (wie dem Islam), die moralische Rechtfertigungen für sich in Anspruch nehmen, wenn sie zu Gepflogenheiten des Krieges greifen, in dem (wie Hobbes bemerkte) Gewalt und Betrug die Haupttugenden sind. Früher waren Staaten argwöhnische und ausschließliche Institutionen, die unbedingte Loyalität forderten, und die Weigerung, dieser Forderung zu entsprechen, konnte als Verrat[1] bestraft werden, ein Verbrechen, für das selbst die phantasievollsten Strafen als unzureichend betrachtet wurden. Aber der Verrat hat seine frühere Bedeutung eingebüßt, und mit seinem Verschwinden und dem Anwachsen des Protests ist die Autorität des Gesetzes ausgehöhlt worden; es gibt heute Demokraten, die ein Gesetz als eine Verlautbarung *definieren*, in der eine Gemeinschaft darlegt, was sie für wünschenswert hält, als eine Regel, die für den, der sie ablehnt, nicht bindend ist. Wir stoßen hier auf eines der zahlreichen Paradoxa in diesem Bereich: Der Staat hatte (für unser modernes Empfinden) früher viele Fehler, doch inzwischen hat er viel getan, sie zu beheben. Demnach müßte ihm heute sehr viel mehr Loyalität entgegengebracht werden. Für die Bürger mittlerweile zur – wie Hegel sagte – Wirklichkeit der sittlichen Idee geworden, müßte ihm ihre Zuneigung gehören. Tatsächlich ist aber, ungeachtet der enormen Kraftreserven des Staates, die Ergebenheit der Un-

---

1 Die Frage des Verrats habe ich erörtert in: Treason and the Early Modern State: Scenes from a Misalliance, in: Roman Schnur (Hrsg.): *Die Rolle der Juristen bei der Entstehung des modernen Staates*. Berlin 1986, S. 421–435.

tertanen keine absolute, sondern eine bedingte, und in den Beziehungen zwischen einer Regierung und deren Untertanen wird daher fortwährend um Loyalität gerungen.

Es seien einige Anzeichen für diesen Sachverhalt genannt. Die Einstellungen und Haltungen zum modernen Staat befinden sich in einem ständigen Wandel. Die – hegelisch gesprochen – subjektive Besonderheit des Gewissens beruft sich immer häufiger auf eine von der nationalen Tradition unabhängige Freiheit, und zugleich werden gegen diesen oder jenen Akt des einzelnen Staates abstrakte Universalien wie der Friede, die Natur und die Weltregierung angeführt. Solche Entwicklungen deuten auf das Auftreten veränderter Formen der modernen bürgerlichen Assoziation hin. Das ist wenigstens der Gedanke, den ich im Folgenden zu untersuchen gedenke.

2. Aber was ist der Staat? Er ist am unmittelbarsten organisatorisch faßbar als die Regierung, das aktive Zentrum, von dem die öffentliche Ordnung ausgeht. Doch das, was man metaphorisch als das »Amt« der Regierung bezeichnen könnte, läßt sich nicht genau abgrenzen. Es reicht vom Kabinett, das über die Tagespolitik berät, bis zu einer Bürokratie, die ihre seit eh und je unveränderten Routineangelegenheiten abwickelt. Je mehr wir von den täglichen Regierungsgeschäften absehen, desto eher verstehen wir den Staat als eine Verfassung und als ein Regime: als Verfassung entspricht er einer Reihe von Regeln, als Regime einer Reihe von Staatszielen. Wenn wir weiter abstrahieren, kommen wir schließlich zur Frage nach dem Charakter der Assoziation, die diesen Regeln gehorcht. Ein Staat kann sich nun wie eine *Polis* oder eine *civitas* als eine spezifische Art von Assoziation herausstellen, und es ist Sache der politischen Philosophen, die Grundlagen dieses Typus von Assoziation zu untersuchen. Die politischen Philosophen werden beinahe mit Gewißheit versucht sein, einen Schritt weiter zu gehen und danach zu fragen, welche Lebensweise eine bestimmte Art von Assoziation voraussetzt, womit sie Fragen nach dem Verhältnis von Moralität und Bürgerlichkeit aufwerfen.

Um diese Fragen zu beantworten, werden jene Philosophen

sich mit der *Grundlage* der Assoziation befassen müssen; ich meine damit die *conditio humana*, aus der jede wirkliche bürgerliche Assoziation erwächst. Im allgemeinsten Sinne gründen solche Assoziationen in der Natur. Aristoteles zum Beispiel sah die Grundeinheit der bürgerlichen Assoziation in den Menschen, denen er – mit einer gewissen Bandbreite – eine je eigene Natur zuschrieb. Weil veränderliche Entitäten seiner Ansicht nach durch den Zweck erklärt werden müssen, zu dem sie hinstreben, verstand er die *polis* als eine *Assoziation* um des guten Lebens willen. Für Hobbes hingegen gibt es überhaupt kein wirkliches *telos*, und eine anders aufgefaßte Natur schafft eine Lage, in der – ehe eine bürgerliche Assoziation gebildet wurde – die Menschen einander in einem Zustand fortwährenden Konfliktes belauern: der Naturzustand ist ein Kriegszustand. Im einen Fall ist der Staat der Ausdruck einer Potentialität, im anderen ist er gleichbedeutend mit dem Vermeiden einer Katastrophe. Die Art der Begründung zeigt, worin der Wert der Assoziation gesehen wird, und verrät uns eine Menge darüber, wie sie beurteilt werden soll.

Im Folgenden will ich mich mit dem Charakter der bürgerlichen Assoziation und ihrer Grundlage befassen. Die Griechen sahen den Hauptzweck der bürgerlichen Assoziation im guten Leben, aber für Hobbes bezeichnete der Ausdruck »gut« lediglich das, worauf sich die Begierde eines Menschen richtete. Nach seinem Verständnis war ein Staat oder eine bürgerliche Assoziation ein Zusammenschluß von Menschen, die aus Angst vor einem selbstzerstörerischen Konflikt übereingekommen sind, ihren Willen mit dem einer souveränen Gewalt in Einklang zu bringen und so »eine wirkliche Einheit aller«[2] zu schaffen. Sache des Souveräns ist es, die der Assoziation angehörenden Individuen zu schützen, die Sache der Assoziation (d. h. die öffentliche Sache oder *res publica*) zu führen und die Regeln zu erlassen und durchzusetzen, durch die die Assoziierten gebunden sind.

Der Staat ist demnach eine Assoziation von individuellen

---

2 *Leviathan*, ch. 17. Ed. Oakeshott, Oxford o. J., S. 112.

Menschen. Oft wird Hobbes und anderen Verfechtern der Idee des Gesellschaftsvertrages entgegengehalten, das Individuum sei eine moderne Abstraktion ohne Realität, konkret seien die Menschen in Familien, Klassen und sonstigen kollektiven Verbänden aneinander gebunden. Damit geht man aber am eigentlichen Punkt, ja sogar an zwei Punkten vorbei. Hobbes war Materialist, und da nur Körper für ihn real waren, vertrat er zwangsläufig die Ansicht, das einzig Reale, aus dem der Staat gemacht sein *könnte*, seien menschliche Körper.[3] Was jedoch wichtiger ist: für Hobbes beruhte die Dynamik des modernen Staates wesentlich auf sich entscheidenden Individuen. Er erkannte, daß Klassen – vielleicht sogar Familien – an Kultur und Technologie gebunden sind. Das gilt nicht für Individuen. Mitglieder der Assoziation sind individuelle Willen, und nur Willen können Subjekte sein. Ein Staat ist eine Assoziation von Subjekten, ein Begriff mit weitergehenden philosophischen Anklängen, denn bei Hobbes steht das politische Problem der Unsicherheit in direktem Zusammenhang mit dem erkenntnistheoretischen Problem des Wissens. In der Argumentation des *Leviathan* sind subjektive Materialien der Grundstoff von Personen und Personen der Grundstoff der Obrigkeit.

Ich möchte behaupten, daß Hobbes' Darstellung des Staates die vollständigste mögliche Version eines christlichen Politikverständnisses ist. Das mag durchaus ungewohnt klingen, teils weil Hobbes vielfach (nicht zuletzt von seinen eigenen Zeitgenossen) als Atheist betrachtet wurde, teils weil ein Gutteil des Individualismus im modernen Denken aus dem römischen Recht kam. Was den Vorwurf des Atheismus angeht, so werden wir niemals wissen, was Hobbes wirklich über die Gottheit glaubte; gewiß war er eine sehr skeptische Natur. Aber es gibt überhaupt keinen Zweifel daran, daß der *Leviathan* das Christentum in der Tat sehr ernst nimmt. Und nur dadurch konnte ein europäischer Autor das klassische Insistieren auf dem Vorrang des öffentlichen gegenüber dem privaten Leben umstülpen, wie es Hobbes sicherlich getan hat. Ein moderner Staat

---

3 Siehe zu dieser Frage J. W. N. Watkins: *Hobbes' System of Ideas*. London 1965, besonders ch. VI.

setzt sich zusammen aus individuellen Menschen, wobei anerkannt wird, daß für jeden von ihnen die eigenen Gedanken, das eigene Schicksal und der eigene Standpunkt das Wichtigste ist, was es gibt. Das eigentliche Problem des Staates besteht darin, aus dem Zusammentreffen von (unausweichlich partiellen) Standpunkten eine öffentliche Welt zu konstruieren. Dies ist aber eine Übertragung ins Politische der christlichen Position, daß jede Seele in den Augen Gottes gleich sei, eine Position, die Platon und die griechischen Philosophen für eine Absurdität gehalten hätten.

Daß christliche Voraussetzungen die Hobbessche Sicht des Staates im Innersten bestimmen, wird daran deutlich, daß er auf dem Frieden als dem Grund der bürgerlichen Assoziation besteht. Ebenso wie bei Augustin, auf den er sich offensichtlich stark stützt, findet man in seinem Denken eine Theorie der Gerechtigkeit angedeutet, aber viel mehr Gewicht hat seine Ansicht, daß ehrgeizige Männer, die das, was sie für Gerechtigkeit halten, bis ins letzte durchzusetzen trachten, eine Gefahr für den Frieden des Gemeinwesens sind. Und wenn wir nach dem Zweck des Staates fragen, erhalten wir von Hobbes als Antwort nur: der Friede. Aber Friede wozu, könnten wir weiter fragen. Der Wert des Friedens liegt eindeutig darin, daß er die Tötung von Menschen verhindert, und ohne Frieden sind solche Wohltaten wie die Wissenschaft oder ein »bequemes Leben« nicht möglich. Aber warum, so könnten wir weiter fragen, sollte uns am Leben oder Wohlergehen der Menschen gelegen sein? Aristoteles würde darauf antworten, daß es die Natur und der Zweck des Menschen sei, das gute Leben zu erlangen; bei Hobbes gibt es eine solche positive Bestimmung nicht. Von Wert ist eine Welt aus Individuen, die ihre Wahlfreiheit ausüben, indem sie gewissermaßen einem natürlichen Chaos Befriedigungen abringen. Die Vorhaben der gewöhnlichen Menschen haben ihren Wert nicht als mehr oder weniger angemessene Repräsentationen der Natur, sondern als Dinge, die für den einzelnen sinnvoll und wertvoll sind. Hobbes' politische Philosophie liefert so eine Theorie für unsere moderne Welt der Romane, Filme, Dramen und Persönlichkeiten, in der die Handlungen im Rahmen allmählich sich wandelnder Konventionen den vergänglichen Vorlieben der jeweiligen Generation entsprechen. Und im Hintergrund können wir die Vorstellung vom christlichen Spiel des Lebens erkennen, in dem – durch das Paradoxon des glücklichen Sündenfalls[4] – Männer und Frauen ständig mit dem ringen, was zur jeweiligen Zeit als Sünde und Versuchung verstanden wird.

Dies also ist die Grundlage der bürgerlichen Assoziation der Menschen, und es sollte klar sein, daß es für sie wesentlich ist, daß sie immer vom Naturzustand bedroht bleibt. »Lebe jeden Tag, als ob es dein letzter wäre«, lautet ein bekannter Ratschlag der Lebensklugheit. Alle Konzeptionen des menschlichen Lebens im Sinne eines Sichausrichtens an einer umfassenden Natur oder selbst an einem göttlichen Lebensplan sind bei Hobbes hinfällig geworden, und so kann die moderne Welt einen Wert in der unsicheren Erlangung jener gewöhnlichen und trivialen Dinge sehen, die von den Griechen in den untergeordneten Bereich des Haushalts verbannt worden waren. Und diese Entdeckung wird einfach dadurch möglich, daß Menschen lernen, im strikten Sinne zu Tieren zu werden, die gelernt haben, eine Reihe von staatlichen Regeln zu befolgen.

3. Es ist nicht übertrieben zu sagen, daß Hobbes mit dieser Darstellung der bürgerlichen Assoziation die Moderne in unverfälschter Reinheit erfaßt. Schauen wir uns ein wenig genauer an, wie er die Assoziierten charakterisiert. Jeder ist ein abstrakter Wille, von Neigungen und Abneigungen bestimmt, und unter diesen Abneigungen bekommt die Furcht vor einem gewaltsamen Tod überragendes Gewicht als eine Quelle von Ordnung. Jeder Wille ist auf die Verfolgung individueller Interessen gerichtet. Die einzelnen Willen sind praktisch reiner Wille und weitgehend ohne eine Gattungsnatur, die das, was sie tun, oder das, was sie tun sollten, bestimmen könnte. Das heißt natürlich nicht, daß jede dieser Individualitäten egoistisch ist, denn die Verfolgung des eigenen Interesses bedeutet lediglich, daß man für sich selbst festlegt, was man tatsächlich

---

4 Milton and the paradox of the fortunate fall, E. L. J.: *A Journal of English Literary History*, 4:161, 1937.

verfolgen wird. Eine der Leidenschaften, die Hobbes verzeichnet, ist die »Güte«, die darin besteht, »dem anderen etwas Gutes zu wünschen«.[5] Als ein Mensch, der umsichtig und rational sein Eigeninteresse verfolgt, hat der Hobbessche Assoziierte die Fähigkeit, sich selbst einer Reihe von Regeln und Verpflichtungen zu unterwerfen, und durch diese Fähigkeit tritt er aus dem Naturzustand (der ein Kriegszustand ist) heraus und schafft er die bürgerliche Assoziation. Die höchste Verpflichtung ist Gehorsam gegenüber den vom Souverän gewollten Regeln, eine Verpflichtung, die beseelt ist von dem fortwährenden Gefühl, daß die Alternative ein menschlicher Zustand ist, der »ekelhaft, armselig, einsam, tierisch und kurz«[6] wäre. Die bürgerliche Assoziation bedeutet also Unterwerfung unter Regeln, und der Assoziierte ist nichts anderes als ein Untertan. Assoziierte in diesem Sinne müssen keine Freunde sein, und sie brauchen sich nicht zu lieben; sie müssen keine gemeinsame Sprache, Abstammung oder Nationalität haben; ihre moralischen Anschauungen weichen wahrscheinlich extrem voneinander ab, und gewiß werden sie sich für gewöhnlich über kein einzelnes gemeinsames Projekt einig sein. Aristoteles hatte die *polis* als eine etwas »wässrige« Assoziation charakterisiert, doch diese Assoziation ist entschieden anämisch.

Und doch ist ebendieser abstrakte Charakter der bürgerlichen Assoziation das Erfolgsgeheimnis der Moderne. Denn Mitglieder einer solchen abstrakten bürgerlichen Assoziation werden bei der Erkundung der Welt in hohem Maße unbelastet sein von Tabus, Hemmungen, Bräuchen, starren Denkgewohnheiten und – wie man zugeben muß – in vielen Fällen auch von moralischen Skrupeln.[7] Es könnte eingewandt werden, daß diese Darstellung der bürgerlichen Assoziation zwar auf die rastlose Welt der Händler, Abenteurer und Kapitalisten zu-

---

5 *Leviathan*, ch. 6, S. 34.

6 *Leviathan*, ch. 13, S. 82.

7 Damit wir uns aber von der Zielstrebigkeit der Modernen nicht übermäßig beeindrucken lassen und sie als Skrupellosigkeit mißdeuten, sollten wir uns andererseits daran erinnern, daß erst die moderne Welt die Sklaverei abgeschafft und allen Menschen Rechte zuerkannt hat.

treffe, auf die Art von Leuten, die oft als »bourgeois« charakterisiert werden, daß sie aber dem geregelten Leben der modernen Welt eigentlich nicht entspreche. Das Leben der meisten Menschen sei tatsächlich von der Familie, der Region und der Klasse geprägt. Das ist wahr. Doch geregelte Gewohnheiten sind in der modernen Welt nicht durch gesellschaftlichen Kitt geschützt und sie ändern sich auch mit der Zeit, den sich ändernden Neigungen entsprechend, die diese eingeschränkte Konzeption der bürgerlichen Assoziation, wenn man so sagen darf, erlaubt.

Diese Neigungen haben durch einen Prozeß, in dem altvertraute Typen menschlicher Transaktion (wie zum Beispiel Märkte) ein Eigenleben entwickelten, ganz neue Typen der Assoziation hervorgebracht. Das erste Anzeichen dafür ist vielleicht die Verwendung des Ausdrucks »Gesellschaft« nicht nur für die *Tatsache* der Assoziation mit seinesgleichen, sondern auch für die bürgerliche Assoziation selbst, verstanden unter dem Aspekt der vielfältigen Transaktionen zwischen ihren individuellen Mitgliedern. Für einige von der Vertragsidee ausgehende Denker des 17. Jahrhunderts ging die »Gesellschaft« in diesem Sinne dem Staat voraus. Schließlich entdeckte man, daß eine besondere Klasse dieser Transaktionen, nämlich »die Wirtschaft«, ein System für sich darstellt. Ähnlich waren die Kultur und die Nation als spezielle Arten der Assoziation mit der fundamentalen bürgerlichen Assoziation der modernen Staaten verschlungen. Daneben erkannte man in der Moral und den Sitten eigene Systeme von Regeln und Werten, die unterschiedliche Rollen für die Mitglieder der bürgerlichen Assoziation konstituierten.

4. Was Hobbes theoretisch formulierte, war eine neue menschliche Möglichkeit, deren Stärke auf ihren Beschränkungen, man könnte sagen, ihrem Minimalcharakter beruhte. Es war eine Assoziation, deren einziges Ziel darin bestand, andere Assoziationen zu erleichtern. Sie stand somit auf einer anderen, fundamentaleren Ebene. Sie mußte selbstgenügsam oder *aut-*

ark sein[8], aber sie mußte auch Freiheit lassen, die Hobbes als »das Schweigen des Gesetzes« definierte. Hier, in den schöpferischen Möglichkeiten des Staates, wird deutlich, daß die bürgerliche Assoziation die Bedingung einer wirklichen Zivilisation ist. Sobald wir aber diese Höhen der Theorie verlassen und in die europäische Wirklichkeit des 17. Jahrhunderts zurückkehren, können wir etwas beobachten, das die Menschen jener Zeit sehr beunruhigte. Nur durch die ungeheure Macht des Souveräns ließ sich ein Staat aufrechterhalten, aber gerade diese Macht stellte für die meisten europäischen Herrscher eine ungeheure Verlockung dar, sie für ihr bevorzugtes Projekt zu nutzen, nämlich zur Kriegsführung. Ein Souverän wie Ludwig XIV. hatte mit der Idee der bürgerlichen Assoziation, so wie wir sie beschrieben haben, wenig im Sinn: für ihn war Frankreich ein Bündel von menschlichen und materiellen Ressourcen, die er zum Zwecke der Machtausdehnung zusammenfassen und einsetzen konnte. Alle absoluten Monarchien Europas waren von dieser Tendenz befallen, und daß Großbritannien von ihren weniger wünschenswerten Auswirkungen verschont blieb, lag allein an einem kostspieligen Bürgerkrieg im 17. Jahrhundert. Doch überall wurde die Vision einer bürgerlichen Assoziation, die dem individuellen Willen Raum gibt, lebendig erhalten, am konkretesten vielleicht in den Tiefen des menschlichen Gewissens, aus dem ein Strom religiöser Impulse hervorbrach, der das populäre Projekt religiöser Gleichförmigkeit unmöglich machte. Zum Glück kamen die meisten Staaten zu der Einsicht, daß ein toleranter Herrscher ebenso mächtig sein kann wie ein repressiver.

Vor allem der Mißbrauch der Macht des Souveräns und die frösteln machende Substanzlosigkeit des bürgerlichen Verhältnisses ließen bald eine neue Spielart des modernen Staates auftauchen. Ihr lag die Auffassung zugrunde, die Mitglieder einer bürgerlichen Assoziation seien nicht bloße Untertanen, sondern Teilhaber. Kritiker von Hobbes sahen in der Bürgerlich-

---

8 Siehe zu diesem speziellen Punkt Michael Oakeshott: *On Human Conduct*. Oxford 1975, der überhaupt eine brillante Darstellung der Idee der bürgerlichen Assoziation gibt.

keit ein »dickes« und substantielles Verhältnis, waren sich über seine Substanz allerdings nicht einig. Hegel argumentierte, daß das gemeinsame geschichtliche Erbe, an dem die Mitglieder der bürgerlichen Assoziation teilhaben, ihre Identität konstituiert, und Edmund Burke gab dieser historischen Betrachtungsweise mit unvergleichlicher Brillanz in einer nichtphilosophischen Sprache Ausdruck. Bald darauf wurden Stimmen laut, die Mitglieder der bürgerlichen Assoziation sollten ein neuentdecktes Gefühl namens »Nationalität« genießen. Man meinte, diese Identität habe ein Recht auf einen eigenen Staat. Das alles ist selbstverständlich eine äußerst heterogene Denkrichtung, aber ich kann mein zentrales Argument am wirksamsten unter Verweis auf Rousseau verdeutlichen, der in vielerlei Hinsicht ihr Begründer ist. Rousseau betonte die gemeinsame Beteiligung aller Mitglieder eines Staates an den öffentlichen Dingen, was bedeutet, daß er ein neu belebtes Interesse an einem Machiavellschen Republikanismus ausdrückte.

Welcher Art das Problem ist, dem Rousseau sich zuwandte, wird deutlich in den ersten Kapiteln des *Gesellschaftsvertrages*, wo er unverkennbar gegen Hobbes loszieht. »Man lebt auch in den Verliesen ruhig«, bemerkt er verächtlich, »genügt das, um sich dort wohl zu fühlen? Die Griechen, die in der Höhle des Zyklopen eingeschlossen waren, lebten dort ruhig und warteten, bis sie an die Reihe kamen, verschlungen zu werden.«[9] Und dann stellt er die berühmte Frage, um die sich alles dreht: »Finde eine Form der Assoziation, (...) durch die (...) jeder, indem er sich mit allen vereinigt, doch nur sich selbst gehorcht und genauso frei bleibt wie zuvor.«[10] Man ist versucht, sogleich zu erwidern, daß eine solche Assoziation nicht möglich sei. Revolutionäre Führer träumen manchmal davon, daß die Willen und Werte sich so vollkommen synchronisieren ließen, daß es für eine vollkommene Ordnung keiner Kompromisse, keiner Befehle, keiner Anpassung an Regeln bedarf, aber wenn der Traum Wirklichkeit wird, finden wir (in Burkes Worten) einen

9 *Du contrat social*, I, 4. (Œuvres complètes, III, S. 355f.)
10 *Du contrat social*, I, 6. (Œuvres complètes, III, S. 361.)

Galgen an jeder Straßenecke. Nur die Überlebenden bleiben möglicherweise so frei wie zuvor. Sich zu assoziieren bedeutet, daß man bereit ist, sein Verhalten bestimmten Einschränkungen zu unterwerfen; jeder Ehegatte, jedes Club-, Kirchen- oder Gewerkschaftsmitglied weiß das. Etwas anderes zu behaupten ist kindisch.

Ich betone diesen Punkt so stark, weil Rousseaus Sirenengesang unsere Ohren für das Absurde, das ihm anhaftet, abstumpfen könnte. Aber es gibt in der Philosophie nur wenige Dinge, die *bloß* absurd sind, und es ist gewiß wahr, daß Rousseau ein Wunschziel beschwört, dem gegenüber Hobbes gleichgültig gewesen war, nämlich das, was wir heute als »Demokratie« bezeichnen. Dabei geht es natürlich nicht um die Demokratie der alten Griechen (eine Regierungsform, die Rousseau zufolge nur für Götter, nicht für Menschen gemacht ist), sondern um eine Reihe von konstitutionellen Vorkehrungen, welche die Macht der Regierenden beschränken und darauf hinzielen, sie für das empfänglich zu machen, was die Regierten gutheißen. Rousseau brachte also wieder die Idee ins Spiel, daß die Mitglieder einer bürgerlichen Assoziation nicht bloße Untertanen seien, sondern auch Bürger, und daß sie nur dann Mitglieder einer freien Assoziation seien, wenn sie als Bürger die Gesetze, denen sie unterworfen sind, bestimmen können.

Uns geht es bei dieser Betrachtung Rousseaus um die engere Frage seiner Reaktion auf Hobbes und überhaupt nicht um seine (für ihn tatsächlich ebenso wichtige) Kritik am *ancien régime*. Er, der in der Einführung von Privateigentum praktisch den Sündenfall des Menschen sah, betrachtete gewiß die meisten Formen der Ungleichheit als mit der bürgerlichen Assoziation unvereinbar. Doch wir können feststellen, daß Hobbes nicht minder egalitär war, denn im Verhältnis zum Souverän ist jeder Assoziierte gleich. Im *Leviathan* werden sowohl die gesetzliche Regelung des Eigentums als auch die Gewährung von Rechten und Titeln vom Souverän eingeführt. Unterscheidungen zwischen den Menschen sind nach Hobbes nicht in der Natur begründet, aber dennoch gab es gewiß eine Fülle von Unterscheidungen. Bisweilen scheint jedoch die Leidenschaft für die Gleichheit bei den Europäern mächtiger zu werden als der

Stolz auf Rang und Reichtum. Im 18. Jahrhundert war das bei vielen Europäern der Fall; von einem starken philosophischen Impuls getrieben, richteten sie sich nicht an den konventionellen Ungleichheiten der Zeit aus, sondern assoziierten sie sich mit ihren Mitmenschen auf der Grundlage eines gleichen Interesses an Ideen. Dieser Impuls führte zur Gründung von Clubs, Logen und Akademien und bestimmte in hohem Maße die Atmosphäre, in der die Revolution von 1789 möglich wurde.[11] Mit anderen Worten: viele von denen, die in den Staaten des 18. Jahrhunderts miteinander assoziiert waren, wollten die Bedingungen der Assoziation unbedingt verändern, und Rousseau trug eine Theorie vor, die diesem Verlangen Ausdruck gab.

Im Gegensatz zu Hobbes' abstrakter Bürgerlichkeit betonte er eine konkrete Bürgerlichkeit, bei der der Bürger, wenn er sich um die öffentlichen Angelegenheiten kümmert, klassische Tugend an den Tag legt. Er nötigt uns damit zu der Einsicht, daß die Ausdrücke »politisch« (von *polis*) und »civil/bürgerlich« (von *civitas/Bürgerschaft*), obwohl sie bloß das griechische bzw. römische Adjektiv zur Beschreibung einer ähnlichen Art von Assoziation sind, sich im modernen europäischen Sprachgebrauch voneinander entfernt und unterschiedliche Bedeutungen angenommen haben. Ein bürgerliches Recht steht jedem Untertan zu, während politische Rechte bis vor relativ kurzer Zeit einer begrenzten Klasse von Bürgern vorbehalten waren. Hobbes' Theorie erscheint daher unvollständig – sie hat lediglich eine bürgerliche Assoziation zu ihrem Gegenstand, eine Gruppe von Menschen, die unter Gesetzen leben, während wir bei Rousseau eine Assoziation antreffen, die sowohl bürgerlich als auch politisch ist.

Es scheint, als sei Rousseau ein Fortschritt gegenüber den Unzulänglichkeiten von Hobbes, aber tatsächlich haben wir es mit einer vollständigen Transformation der Idee der bürgerlichen Assoziation zu tun. Zunächst verstand man unter einem Bürger ein Mitglied einer Elite; das klassische Bürgerrecht be-

---

11 Siehe Billington: *Fire in the Minds of Men; Origins of the Revolutionary Faith*. London 1980.

ruhte auf der Sklaverei und sicherlich auf dem Ausschluß aller Mitglieder des Haushalts mit Ausnahme des männlichen Oberhaupts von der Beratung der öffentlichen Angelegenheiten. In der Praxis waren die antiken Stadtstaaten ihrem Wesen nach Oligarchien, denn selbst in Demokratien wie Athen stammten die wirklichen Regierenden aus aristokratischen Familien. Außerdem glaubte man allgemein, diese Elite erfülle durch ihre öffentliche Tätigkeit die edelsten Möglichkeiten der menschlichen Natur. Freiheit bestand aus dieser Sicht in der tugendhaften Übereinstimmung mit dem öffentlichen Wohl; sie war himmelweit entfernt von jenem Schweigen des Gesetzes, in dem Hobbes den Schauplatz für die Individuen gesehen hatte, ihr Leben zu leben. Die Bürger der Antike waren potentiell Freunde, Bundesgenossen und Krieger, die in der Schlacht Seite an Seite kämpften. Bürgerlichkeit in diesem Sinne war also eine substantielle ideale Eigenschaft und nicht eine formale Verpflichtung.

Da wir in demokratischen Zeiten leben, werden wir Rousseau vermutlich beipflichten, wenn er die politische Aktivität herausstreicht, durch die die Gesetze des Staates in einem guten Zustand gehalten werden können. Dabei vergessen wir, daß das klassische Politikverständnis sich aus der Sicht des christlichen Glaubens der modernen Europäer ausgesprochen unattraktiv ausnahm. Der Ruf Machiavellis als eines Lehrers des Bösen beruht zu einem erheblichen Teil auf der Tatsache, daß er die etwas bestürzenden Dinge, die die Alten als selbstverständlich vorausgesetzt hatten, beinahe als Binsenwahrheiten aussprach. Zum einen hatten sie die Sklaverei als selbstverständlich vorausgesetzt. Zum anderen sahen sie es für eine bürgerliche Assoziation als unverzichtbar an, daß die Bevölkerung dazu überredet würde, an erbauliche religiöse Geschichten zu glauben, von deren Unwahrheit die herrschende Elite überzeugt war. Und drittens verlangt die politische Aktivität eine Herrschaft von Männern, die für ihren Ruhm mit der Tatsache bezahlen, daß sie es sich nicht leisten können, tugendhaft zu handeln: sie müssen skrupellos und undankbar sein, ihre Freunde betrügen, mit der Wahrheit sparsam umgehen, Versprechungen brechen usw. Für den Heiligen ist in der Politik kein Platz. Gründet der klassische Staat auf dem Kampf gegen Korruption, so ist der Hobbessche Staat auf das Vermeiden von Unordnung begründet.

Entsprechend bedarf es der Macht, um eine bürgerliche Assoziation aufrechtzuerhalten, und ihre Aktivität schließt ein, daß den Untertanen nötigenfalls Schrecken eingeflößt wird. Aber was war, so können wir fragen, in Hobbes' Darstellung der bürgerlichen Assoziation aus dieser politischen Aktivität geworden? Sie steckte verborgen im Begriff der souveränen Macht. Hobbes brauchte diesen Aspekt der bürgerlichen Assoziation für seine Zwecke nicht zu entfalten, weil er *praktische* Gründe dafür anführt, der Monarchie als der besten Verfassung für eine bürgerliche Assoziation den Vorzug zu geben. Europäische Könige, durch die Krönung und die Rituale der Kirche heilig und unantastbar, bedurften nicht in gleichem Maße des klassischen Realismus – etwa durch die Beseitigung aufstrebender Rivalen – wie die antiken Herrscher, deren Denkweise Machiavelli zum Nutzen lokaler *Parvenus* wiederaufleben ließ. Ebensowenig brauchten sie auf die Gründungsmythen der Alten zurückzugreifen, denn der christliche Glaube wurde von den Herrschern und Denkern der modernen Welt (wie skeptisch manche als Individuen auch immer sein mochten) keineswegs nur seiner politischen Zweckmäßigkeit wegen gepflegt. Schließlich hatte die Moderne die Sklaverei abgeschafft, zumindest in Europa, und da sie an eine allgemeine und nicht an eine hierarchische Form der menschlichen Natur glaubte, durfte auch der Geringste im Land in den Genuß der Freiheit des Gesetzes kommen. Abgesehen von diesen praktischen Überlegungen bleibt die Tatsache, daß der Hobbessche Souverän gänzlich abstrakt ist. Er läßt sich durchaus mit konstitutionellen Vorkehrungen vereinbaren, die einem Teil der Bürgerschaft bis zu einem gewissen Grade die Mitwirkung an den Prozessen der Herrschaft erlauben. Im übrigen hat Hobbes unermüdlich betont, daß es für das Leben in einer bürgerlichen Assoziation unerheblich sei, ob man in einer Monarchie oder einer Republik lebt: die Gesetze, was immer sie sein mögen, sind hier wie dort bindend.

5. Mein Argument ist nun, daß der moderne europäische Staat von der Idee der Bürgerlichkeit her verstanden werden muß, die ein Verhalten innerhalb einer Assoziation umfaßt, dem ein ganzes Bündel von Regeln, Sitten und Höflichkeit zugrundeliegt, ein Verhalten, das weder Liebe noch Freundschaft, Verwandtschaft, tiefe Anteilnahme oder auch nur ein tiefes gemeinsames Einbezogensein voraussetzt. In der antiken Welt waren die Mitglieder der bürgerlichen Assoziation Bürger, und ihre Zahl beschränkte sich auf eine aktive politische Elite. In der modernen Welt, die aus einer christlichen Sicht der *conditio humana* hervorging, ließe Bürgerlichkeit sich am besten im Hobbesschen Sinne als Unterwerfung unter die von einem Souverän verkündeten und durchgesetzten Gesetze charakterisieren. Tatsächlich argumentierte Hobbes, daß der Befehl des Souveräns das Wesen des Gesetzes selbst sei. Es war natürlich offenkundig, daß die meisten Gesetze nicht *de novo* befohlen wurden, sondern aus der Vergangenheit stammten; jene Historizität, die spätere Autoren so stark beeinflußte, ließe sich daher ohne Problem in die Hobbessche Darstellung des Staates einbeziehen. Auch die Berücksichtigung von konstitutionellen Vorkehrungen für die Wahl eines souveränen Amtsträgers wäre angesichts des abstrakten Charakters der Hobbesschen Souveränitätsidee keine Schwierigkeit. Was Rousseau und seine Nachfolger taten, war, daß sie die in der Idee einer modernen bürgerlichen Assoziation enthaltenen Möglichkeiten der konstitutionellen Souveränität und der Volkssouveränität zutage förderten. Ich behaupte jedoch, daß sie noch mehr taten: sie ließen die klassische Idee wiederaufleben, daß es nur eine einzige angemessene Lebensform für die Menschen gebe.

Man kann die moderne Politik als einen Dialog zwischen dem klassischen und dem christlichen Strang der westlichen Tradition auffassen, die beide zwar ständig umgeformt werden, aber dennoch unter den Zufälligkeiten an der Oberfläche einer hartnäckigen Eigenlogik folgen. Die Politik der europäischen Staaten ist in der Tat ungeheuer kompliziert, und gewiß folgt sie nicht den Argumenten der politischen Philosophen; gleichwohl decken diese Philosophen im Labyrinth des Zufälligen oft mit Scharfsinn grundsätzliche Zusammenhänge auf. Was Hobbes fand, war eine Form der Assoziation, die zwischen dem Gesetz des Landes und den individualistischen Möglichkeiten der Subjektivität den größtmöglichen Freiraum ließ. Diese Möglichkeiten setzen die von ihm vorgetragene »dünne« Konzeption des Verhältnisses der Bürgerlichkeit voraus.

Das Problem bei diesem Argument ist die Charakterisierung der unendlich vielfältigen Details der »dicken« Vorstellung von Bürgerlichkeit, die sich aus der Theorie und Praxis des modernen Staates ergibt. Am besten geht man wohl so vor, daß man sich an denen orientiert, deren eingestandenes Ziel es ist, den modernen Staat abzuschaffen, etwa den Kommunisten, die im Staat einen Unterdrückungsapparat sehen und ihn durch eine freiwillige Gemeinschaft ersetzen möchten. In diesem Sinne könnten wir der »Bürgerlichkeit«, als einem »dünnen« Verhältnis von Assoziierten, denen nicht mehr gemeinsam sein muß als die gemeinschaftliche Unterwerfung unter den Souverän, die »Geselligkeit« gegenüberstellen, bei der es sich um eine Beziehung von Menschen handelt, die ein wahrhaft gemeinsames Leben miteinander leben. Die frühen Revolutionäre versuchten, dieses Verhältnis als »Brüderlichkeit« zu fassen. Die vollkommen integrierte Gesellschaft ist aber bislang ein Traum geblieben, und was wir in den liberalen Demokratien wirklich haben, ließe sich als »dicke Bürgerlichkeit« beschreiben, eine Assoziation, in der uns die Bürgerlichkeit zunehmend verpflichtet, dieselbe Art von Leben zu führen. Wir kennen die Geschichte der Schritte, die dazu geführt haben:

Der Hobbessche Untertan war verpflichtet, nichts anderem als einem relativ minimalen Gesetz zu gehorchen und an die minimalen Doktrinen zu glauben, die der Souverän für die Erhaltung des öffentlichen Friedens für unerläßlich hielt. Darüber hinaus war die Geselligkeit – oder deren Fehlen – völlig freiwillig. Der Bürger Rousseaus wiederum war frei nicht aus dem Hobbesschen Grund, daß er statt den Befehlen eines Herrn den Gesetzen gehorchte, sondern weil er theoretisch an der Aufstellung dieser Regeln mitwirkte. Als dann im 19. Jahrhundert das Bürgerrecht demokratisiert wurde, glaubte man, das bürgerliche Verhältnis erfordere, daß der Staat für Bildung, »Wohlfahrt« und andere Lebensformen sorge, die erfunden worden waren von jenen, die erfolgreich zu nutzen verstanden, was der moderne Staat möglich gemacht hatte, nämlich von jenen, die man gemeinhin als Bourgeoisie bezeichnete. Theoretisch (die Praxis ist selbstverständlich unendlich vertrackter) hat die Basis des Staates sich vom Untertanenverhältnis über das Bürgerrecht zum Embourgeoisement verlagert. Mit jeder Veränderung muß der Charakter, müssen die Neigungen der Mitglieder der bürgerlichen Assoziation zunehmend fixiert und starr werden. Ist das Leben des Menschen in der »dünnen« bürgerlichen Assoziation eine Sache der individuellen Entscheidung im Rahmen des Gesetzes, so wird das bürgerliche Leben, je »dicker« die Assoziation wird, immer mehr zum Gegenstand von Verhandlungen zwischen Gruppen, die ihre Interessen im Rahmen eines sich rasch verzweigenden gesetzlichen Regelwerks festzuschreiben suchen.

Dieses Argument klingt vielleicht sehr abstrakt. Ich darf deshalb auf das Werk von Mancur Olsen verweisen, der sich gewissen Aspekten des Problems, das mich beschäftigt, aus einer ganz anderen Richtung nähert. Er hat in seinen Untersuchungen über die Logik kollektiven Handelns einen Prozeß beleuchtet, durch den moderne Volkswirtschaften Gruppen hervorbringen, deren Interesse darin besteht, sich politisch zu organisieren, um die Bedingungen, unter denen sie florieren, aufrechtzuerhalten. Der Kern der »dünnen« Bürgerlichkeit, die den Individuen erlaubt, nach Belieben immer wieder neue Bindungen einzugehen, wird durch Regelungen überlagert, in denen das, was man dem Gesetzgeber als wünschenswert nahebringen kann, gesetzlich festgeschrieben wird. Bei Olsen heißt es an einer Stelle: »Stabile Gesellschaften (...) neigen dazu, kollektives Handeln in wachsendem Maße auf geheime Abmachungen und Organisation zu stützen.«[12] Das ganze Phänomen der sogenannten »Schattenwirtschaft« ist eine Reaktion auf die dadurch entstehende soziale Unbeweglichkeit. Olsen und andere befassen sich vornehmlich mit dem Bereich der Wirtschaft, aber mir bereitet es nicht geringere Sorge, daß die Vor-

---

12 *The Rise and Decline of Nations.* Yale University Press 1982, S. 41.

stellung davon, was es heißt, ein menschliches Individuum zu sein, selbst von einer unausgesprochenen Vorstellung, der zufolge eine einzige Lebensweise richtig ist, beherrscht wird. Vielleicht besitzt der Materialismus eine Tendenz zur Homogenität, während die Religionen, die von unsichtbaren Welten handeln, die Welten der Imagination vervielfältigen, in denen die Menschen leben.

Meine Sorge geht also weiter als die dieser ökonomischen Kritiker der modernen Gesellschaft, und offensichtlich hat sie auch eine andere Zielrichtung. Diese Kritiker befassen sich mit einem ihrer Meinung nach natürlichen Prozeß, sei es, wie bei Olsen, einer Logik des kollektiven Handelns, sei es einer historischen oder soziologischen These über Tendenzen zur Erstarrung und zum Niedergang, die unter solchen Umständen auftreten. Meine Sorge gilt dagegen dem Menschen als einem denkenden Wesen. Ideen bestimmen, was Menschen tun, und im Falle der Bürgerlichkeit haben wir es mit zwei verschiedenen Ideensträngen zu tun, die nicht ganz zusammenpassen.

Aus diesem Grund gehe ich einerseits auf das Christentum, andererseits auf die Klassik ein. Denn ungeachtet ihrer radikal verschiedenen Konzeptionen von der *conditio humana* können diese Traditionen so formuliert werden, daß es den *Anschein* hat, als seien ihre jeweiligen Werte miteinander vereinbar, auch wenn sie einander in Wirklichkeit direkt widersprechen. Beide bejahen zum Beispiel die Gleichheit, aber jeweils in einer ganz anderen Bedeutung. Für die klassischen Griechen ist Gleichheit zum Beispiel Voraussetzung politischer Aktivität, aber diese Gleichheit schließt keineswegs Gleichheit der verschiedenen Rangstufen ein, die es innerhalb der menschlichen Natur gibt. Christliche Gleichheit bedeutet dagegen, daß jede Seele mit ihren besonderen Vorlieben und Neigungen in den Augen Gottes den gleichen Wert hat, und ist daher die Grundlage des Individualismus, der von der modernen Welt nicht zu trennen ist. Sie ist offenkundig auch die Grundlage des modernen demokratischen Egalitarismus. Was wird nun geschehen, wenn man in dem Versuch, *jedermann* den Ehrenstatus eines Bürgers im Sinne der klassischen Welt zu verleihen, diese beiden Ideen miteinander verknüpft? Um einen solchen

Versuch geht es selbstredend in der Theorie der partizipatorischen Demokratie nicht weniger als in der idealen Sprechsituation, die Jürgen Habermas' Theorie des kommunikativen Handelns entwirft.[13]

Den Sinn eines solchen Versuchs, die klassische Wurzel der Bürgerlichkeit mit der christlichen zu vereinen, hat Andy Warhol treffend mit seiner berühmten Bemerkung erfaßt, daß jeder fünf Minuten lang berühmt sein sollte. Wenn jeder berühmt ist, ist selbstverständlich keiner berühmt, und es ist dieses Paradoxon der vielen Befreiungen, das eine wirkliche Verschmelzung der christlichen und der klassischen Idee der Bürgerlichkeit unmöglich macht. Es liegt auf der Hand, daß nicht jeder die Ehre genießen kann, am politischen Leben teilzunehmen; das können nur wenige. Die klassische Welt erkannte diese Tatsache an, indem sie das Spiel der Politik einer kleinen Elite vorbehielt. Die moderne Welt strebte dagegen nach fortschreitender Gleichstellung von jedermann, so daß alle in der Politik eine Rolle spielen konnten; gleichzeitig nahm sie aber der Politik viel von ihrem Ehrenstatus, so daß die meisten am politischen Leben nicht teilnehmen *wollten*. In beiden Fällen blieb die politische Aktivität das Monopol einer Elite. Was aber würde geschehen, wenn man zu der Ansicht käme, daß nur diejenigen, die sich umfassend an der Politik beteiligen, ihre menschlichen Möglichkeiten erfüllten? Die Politik würde ohne Frage zu einer Scharade, zu einem bloßen Schattenspiel.

Das Problem reicht noch tiefer als schon angedeutet. Der Versuch, einem im Grunde christlichen Baum neo-klassische Zweige aufzupfropfen, hat zu einer Vulgarisierung der klassischen Idee des guten Lebens geführt. Statt eine komplexe Abstufung der menschlichen Natur anzuerkennen, bei der jede Stufe ihre eigene Form der Verwirklichung und Erfüllung hat, nähern wir Modernen uns immer mehr der Idee, ein erfülltes menschliches Leben müsse im Genuß einer bestimmten Menge erstrebenswerter Erfahrungen bestehen, die jetzt technisch

---

13 Siehe Jürgen Habermas: *Theorie des kommunikativen Handelns*. Bd. 1: Handlungsrationalität und gesellschaftliche Rationalisierung. Frankfurt am Main 1981.

verfügbar sind. Einige dieser Erfahrungen sind in der Tat elementar und kaum anfechtbar; sie werden heute vielfach als Bedürfnisse oder Rechte, etwa auf Nahrung, Wohnung, Sicherheit usw., formuliert. Andere, etwa eine Sexualität, die – statt als ein Aspekt des Begehrens – als individuelles Bedürfnis oder Recht verstanden wird, sind eher zweifelhaft. Höhere Bildung wiederum ist etwas, was man nicht wie Nahrung an die Menschen austeilen kann, denn sie hängt von einer geistigen Aufnahmefähigkeit ab, die die meisten Menschen nicht besitzen. Gleiches gilt für viele der modischen Erscheinungen der modernen Gesellschaft, vom Tourismus bis hin zu der Idee, jeder sollte Karriere machen.

6. Die Menschen der Moderne sehnen sich also nach dem, was ihnen unerreichbar ist: sie können weder die unkomplizierten Lehren des klassischen *summum bonum* noch den inneren Frieden des christlichen Pilgers haben. Die »dünne« Bürgerlichkeit der von Hobbes beschriebenen Assoziation ließ keinen Raum für den großartigen Aufbruch politischen Engagements, der im europäischen Leben eine so bedeutende Rolle spielen sollte. Der von Rousseau skizzierte Staat mit seinem dichten Geflecht von Tugend, Nationalität und anderen Empfindungen, die den Zusammenhalt stärkten, gab diesem politischen Engagement in der Tat Ausdruck, aber die verheerenden Kriege des 20. Jahrhunderts sind als seine fatale Kulmination verstanden worden. Der Skeptizismus in der Philosophie und sein Partner, die Entlarvung im Journalismus, haben den modernen Staat seines transzendentalen Nimbus beraubt; keiner denkt daran, im Staat den Wandel Gottes auf Erden zu sehen. Statt dessen scheint sich eine dritte Form der Assoziation abzuzeichnen, eine, deren Loyalitäten universal sind und deren charakteristische Eigenschaft es sein muß, die Fülle und den Überfluß des bourgeoisen Lebens einem jeden zugänglich zu machen. Der gegenwärtige Partikularismus der aus einem langen Prozeß geschichtlicher Konsolidierung hervorgegangenen Staaten ist diesen Ansprüchen (wie auch der Umwelt) manchmal entschieden abträglich. Holland, Belgien oder Deutschland – was bedeuten diese oder andere europäische Staaten ih-

ren Bürgern in einer Zeit erweiterter internationaler Kontakte? Die formale Schlußfolgerung aus meiner Argumentation lautet also, daß die Institution des Staates irgendwann abfallen wird wie eine alte Hülse, und vielleicht werden supranationale Gebilde wie die Europäische Gemeinschaft übrigbleiben.

Die Realität ist natürlich nicht das Ergebnis einer formalen Analyse. Aber gelegentlich kann eine solche Analyse unsere Aufmerksamkeit auf Realitäten lenken.

(Unter Mitwirkung des Herausgebers aus dem Englischen übersetzt von Friedrich Griese)

JEAN-FRANÇOIS LYOTARD
Zeit heute

I

Der Titel »Zeit heute« ist paradox. »Heute« ist ein Zeit-De-signator, eine Deixis, die die Zeit indexiert, so wie »jetzt«, »gestern« usw. Wie jede temporale Deixis operiert dieser De-signator nur dadurch, daß er das, was er bezeichnet, auf die Gegenwart des Satzes selbst bezieht oder auf den Satz, sofern er gegenwärtig ist. Er temporalisiert den Referenten des gegen-wärtigen Satzes ausschließlich dadurch, daß er ihn im Hinblick auf die Zeit situiert, zu der dieser Satz stattfindet, also auf die Gegenwart. Und keineswegs auf die Zeit, *in* der der Satz sei-nerseits z. B. mittels einer Uhr oder eines Kalenders lokalisiert werden könnte. Im letzteren Fall könnte Satz 1 selbst zum Re-ferenten eines anderen Satzes 2 gemacht werden, der z. B. lau-ten würde: »Satz 1 wurde am 24. Juni geäußert«. Kalender und Uhr konstituieren »objektive« Zeitraster, die es erlauben, den Zeitpunkt von Satz 2 zu lokalisieren, ohne sich auf die Zeit »von« Satz 1 zu beziehen. Selbst wenn ein neuer Satz (nennen wir ihn 3) keine Daten oder Stunden benutzt, um sich auf Satz 1 zu beziehen, wie z. B. in diesem Satz 3: »Satz 1 wurde gestern geäußert«, in dem das Ereignis von Satz 1 allein durch den Be-zug auf den gegenwärtigen Satz 3 lokalisiert wird, kann Satz 1 trotzdem durch die Deixis »gestern« bezeichnet werden. Satz 1 ist dabei nicht mehr die darstellende Gegenwart, sondern wird zu einer »damals darstellenden und jetzt dargestellten«[1] Ge-genwart, d. h. zur Vergangenheit.

---

1 A. d. Ü.: Lyotard spielt hier mit den verschiedenen Bedeutungen von »pré-

Als Vorkommnis ist jeder Satz ein »Jetzt«. Er stellt jetzt eine Bedeutung, einen Referenten, einen Sender und einen Empfänger dar. Im Hinblick auf diese Darstellung muß man sich die Zeit eines Vorkommnisses einzig und allein als Gegenwart vorstellen. Diese Gegenwart ist als solche unfaßbar[2] und absolut. Sie kann nicht *direkt* mit anderen Gegenwarten synthetisiert werden. Die anderen Gegenwarten, mit denen sie verbunden werden kann, werden notwendig und unmittelbar in dargestellte Gegenwarten, d. h. in Vergangenheit umgewandelt.

Wenn aber sich die Zeit der Darstellung so erklärt, daß »jeder« Satz zu »jeder« Zeit erscheint, vergißt man die unvermeidliche Transformation der Gegenwart in Vergangenheit; man montiert alle Momente gleichberechtigt auf eine einzige diachronische Linie.

Folglich läßt man sich von der darstellenden Zeit, die »jedes« Vorkommnis war, zu der dargestellten Zeit, die es wurde, gleiten, oder besser gesagt: von einer Zeit als »jetzt« oder »nun« zu einer Zeit als »dieses Mal« – ein Ausdruck, der voraussetzt, daß »einmal« und »das andere Mal« äquivalent sind. Bei einer solchen objektivierenden Synthesis vergißt man, daß sie selber *jetzt* stattfindet, d. h. in dem darstellenden Vorkommnis, das die Synthese vollzieht, und daß dieses »jetzt« *noch nicht* eines der »Male« ist, welche es auf der diachronischen Linie darstellt.

Da die darstellende Gegenwart absolut ist, ist sie nicht faßbar: sie ist entweder *noch nicht* oder *nicht mehr* gegenwärtig. Es ist immer zu früh oder zu spät, um die Darstellung selbst zu erfassen und darzustellen. Von dieser spezifischen und paradoxen Beschaffenheit ist das Ereignis. Daß etwas als Vorkommnis geschieht, bedeutet, daß der Geist enteignet wird. Der Ausdruck »Es geschieht, daß . . .« ist geradezu die Formel dafür, daß das Selbst nicht Herr über sich selbst ist. Das Ereignis

---

senter« (engl. »to present«): darstellen (im Kantischen Sinne), präsentieren und vergegenwärtigen. Das kann im Deutschen nicht nachvollzogen werden, muß aber im folgenden stets mitgedacht werden.

2 A. d. Ü.: Frz. »insaisissable« (engl. »ungraspable«), bzw. frz. »saisir« (engl. »to grasp«) hat nicht nur den wörtlichen Sinn von »greifen, begreifen«, sondern heißt auch »erfassen« (von Daten in der Informatik).

macht das Selbst unfähig, von dem, was es ist, Besitz zu ergreifen und es unter Kontrolle zu halten. Es bezeugt die grundsätzliche Empfänglichkeit des Selbst für eine rekursive Alterität.

Mit dem Titel »Zeit heute« habe ich meine Rede offensichtlich dieser Empfänglichkeit unterstellt. Es geht hier in keiner Weise darum, vollständige – und sei es theoretische – Kontrolle über den Referenten Zeit auszuüben. Ich beabsichtige lediglich, einige Modi, wie die Moderne mit der Zeitbedingung umgehen kann, herauszugreifen.

II

Der kurze Abriß, den ich Ihnen gerade von der Zeitproblematik unter dem Blickwinkel der Darstellung gegeben habe, ist begrifflich von der Bevorzugung der Diskontinuität, der »Diskretion« und der Differenz geprägt. Es ist klar, daß diese Beschreibung als ihren Widerpart und ihre Ergänzung die Fähigkeit voraussetzt, eine ganze Reihe von diskontinuierlichen Momenten zu sammeln und – zumindest potentiell – in ein und derselben »Präsenz« zu halten. Wie das Wort nahelegt, impliziert Bewußtsein Gedächtnis im Husserlschen Sinn einer elementaren »*Retention*«*. Indem es die Synthese der Diskontinuität entgegensetzt, scheint das Bewußtsein gerade dasjenige zu sein, was die Alterität eigentlich herausfordert. In diesem Kampf geht es um die Bestimmung der Grenzen, innerhalb deren das Bewußtsein in der Lage ist, eine Mannigfaltigkeit von Momenten (oder »Informationen«, wie man heute sagt) zu umfassen und sie »jedes Mal« zu aktualisieren, wenn es nötig ist.

Man hat guten Grund, zwei äußerste Grenzen der Fähigkeit, viele verschiedene Informationen zu synthetisieren, anzunehmen, eine minimale und eine maximale. Das ist die zentrale Intuition, die Leibniz' Werk, insbesondere die *Monadologie*, leitet. Gott ist die absolute Monade, insofern er die Gesamtheit der Informationen, die das Universum konstituieren, in voll-

---

* = im englischen Original und in der französischen Übersetzung Lyotards deutsch.

ständiger Retention zusammenhält. Wenn Gottes Retention vollständig sein soll, so deshalb, weil sie auch die Informationen einschließt, die so unvollständigen Monaden, wie unserem Geist, noch nicht gegenwärtig sind, aber aus dem, was wir Zukunft nennen, noch hervorgehen sollen. So gesehen ist das »noch nicht« nur der Grenze zuzuschreiben, die das Synthesevermögen beschränkt, welches den Zwischenmonaden zur Verfügung steht. In Gottes absolutem Gedächtnis ist die Zukunft dagegen immer schon gegeben. Daher können wir uns eine obere Grenze der Zeitbedingung vorstellen, die durch die vollkommene Fähigkeit des Aufzeichnens und Archivierens bestimmt ist. Als meisterhafter Archivar steht Gott außerhalb der Zeit. Das ist eine Grundlage der modernen abendländischen Metaphysik.

Dagegen findet die moderne abendländische Physik ihre Grundlage an der entgegengesetzten Grenze. Man kann sich ein Wesen vorstellen, das vollkommen unfähig ist, vergangene Informationen aufzuzeichnen und zu benutzen, indem es sie zwischen Ereignisse und deren Wirkungen einfügt. Dieses Wesen könnte also die Informationseinheiten – die Bits – lediglich so übermitteln oder weitergeben, wie es sie empfängt. Unter dieser Bedingung, d. h. in Ermangelung jeglichen Filters als Interface zwischen *Input* und *Output*, würde sich solch ein Wesen auf Stufe Null von Bewußtsein oder Gedächtnis situieren. Dieses Wesen nennt Leibniz »materiellen Punkt«. Es repräsentiert die einfachste Einheit, die für die Wissenschaft der Bewegung, für die Mechanik, erforderlich ist. In der zeitgenössischen Physik und Astrophysik wird die Familie der Elementarteilchen durch Entitäten gebildet, die beinahe ebenso »nackt« sind (das Wort stammt von Leibniz) wie der materielle Punkt.

Trotzdem hat jede in dieser Familie enthaltene Untergruppe von Teilchen Eigenschaften, die es diesen Elementen erlauben, mit den anderen nach besonderen Regelungen in Verbindung zu treten. Diese Spezifität bedeutet, daß ein Elementarteilchen gleichwohl über eine Art elementares Gedächtnis und folglich über einen Zeitfilter verfügt. Deshalb neigen die zeitgenössischen Physiker zu der Annahme, daß die Zeit aus der Materie selbst hervorgeht. Sie ist keine Entität außerhalb oder innerhalb des Universums, die dazu dienen könnte, die verschiedenen Zeiten in eine Universalgeschichte zu versammeln. Lediglich in einigen Bereichen könnten derartige – allerdings nur partielle – Synthesen ausfindig gemacht werden. Es gibt Determinismusbereiche, in denen die Komplexität anwächst.

Diesem Ansatz zufolge sind das menschliche Gehirn und die Sprache Anzeichen dafür, daß die Menschheit ein zeitweiliger und sehr unwahrscheinlicher Komplex solcher Art ist. Es ist daher ein verführerischer Gedanke, daß die sogenannte Forschung und Entwicklung in der zeitgenössischen Gesellschaft, deren Ergebnisse unsere Umwelt unaufhörlich bedrohen, viel eher die Auswirkung eines derartigen »kosmolokalen« Komplexifizierungsprozesses ist als das Werk eines menschlichen Genies, das sich der Entdeckung des Wahren und der Realisierung des Guten verschrieben hat.

III

Lassen Sie mich denjenigen Aspekt dieser Hypothese etwas näher ausführen, der mit dem Thema »Zeit heute« in besonders enger Verbindung steht. Ich habe das Gefühl, daß die heute in Philosophie und Politik vorherrschende Sorge um »Kommunikation«, »*kommunikatives Handeln*«*, »Pragmatik«, Transparenz im Ausdruck von Meinungen usw. so gut wie nichts mit den »klassischen« philosophischen und politologischen Problemen zu tun hat, die sich bezüglich der Begründung von *Gemeinschaft**, *Mitsein**, *communitas*, und selbst von Öffentlichkeit stellen, wie sie die Aufklärung gedacht hat.

Ein derart obsessiver Zwang zu kommunizieren und die Kommunikabilität von allem möglichen (von Gegenständen, Dienstleistungen, Werten, Ideen, Sprachen, Geschmäckern) sicherzustellen, wie er insbesondere im Zusammenhang mit den Neuen Technologien zum Ausdruck kommt, kann meiner Meinung nach eigentlich nur dann in Frage gestellt werden, wenn man auf die Philosophie der Emanzipation der Menschheit verzichtet, welche die »klassisch« moderne Metaphysik implizierte. Jede Technologie – angefangen beim als *techne* verstandenen Schreiben – ist ein Artefakt, das seinen Benutzern erlaubt, mehr Informationen zu speichern, ihre Kompetenz zu verbessern und ihre Leistungen zu optimieren. Die Bedeutsamkeit der auf Elektronik und Datenverarbeitung basierenden Technologien liegt darin, daß sie das Programmieren und die Kontrolle der Speicherung, d. h. die Synthese verschiedener Zeiten in einer Zeit, in immer größerem Maße von den irdischen Lebensbedingungen emanzipieren. Wie die Neuen Technologien beweisen, ist es sehr wahrscheinlich, daß das menschliche Gehirn unter den uns bekannten Materiekomplexen am meisten dazu befähigt ist, seinerseits Komplexität hervorzubringen. Dank dieser Befähigung bleibt es auch die oberste Instanz, die diese Technologien kontrollieren kann.

Sein eigenes Überleben erfordert jedoch, daß es von einem Körper ernährt wird, der seinerseits nur unter irdischen Lebensbedingungen oder in einem Simulakrum derselben existieren kann. Ich vermute, daß eines der wesentlichen Ziele der Forschung heute darin besteht, das Hindernis zu beseitigen, das der Körper für die Entwicklung der Kommunikationstechnologien, also für das neue, sich erweiternde Gedächtnis darstellt. Dies könnte sogar der eigentliche Sinn der Forschungen in Sachen Fruchtbarkeit, Schwangerschaft, Geburt, Krankheit, Tod, Sex, Sport usw. sein. Sie scheinen alle auf das eine Ziel hinauszulaufen, den Körper unter nichtirdischen Überlebensbedingungen ersetzbar oder anpaßbar zu machen.

Wenn man nun die beträchtliche Veränderung in Betracht zieht, der unsere Kultur heute unterworfen ist, so wird man beobachten, in welch hohem Maße die Neuen Technologien analog dazu im Begriff sind, die Sperre aufzuheben, durch die das menschliche Leben an die Erde gebunden ist. Die traditionellen Ethnokulturen sind lange Zeit Dispositive zur Speicherung von Informationen gewesen, dank deren die Menschen imstande waren, ihren Raum und ihre Zeit zu organisieren. Durch sie konnten insbesondere viele verschiedene Zeiten (»Male«) in einem einzigen Gedächtnis versammelt und bewahrt werden (B. Stiegler). Ihrerseits als *technai* betrachtet, stellten sie Verbänden von Individuen und Generationen über Dauer und Ausdehnung, effiziente Informationsspeicher zur

Verfügung. Insbesondere haben sie jene spezielle Organisation der Zeitlichkeit hervorgebracht, die wir historische Erzählungen nennen. Es gibt viele Arten, eine Geschichte zu erzählen, aber die Erzählung als solche kann als technisches Dispositiv betrachtet werden, das die Menschen mit den Mitteln ausstattet, Bits – mit anderen Worten: Ereignisse – zu speichern, zu ordnen und abzurufen. Genauer gesagt sind die Erzählungen wie Zeitfilter, deren Funktion darin besteht, die emotionalen Ladungen, welche Ereignisse mit sich bringen, in Sequenzen von Informationseinheiten umzusetzen, die schließlich so etwas wie Bedeutung zu erzeugen vermögen. Ich werde darauf zurückkommen.

Nun steht außer Frage, daß diese kulturellen Dispositive, die relativ erweiterte Formen von Gedächtnis bilden, mit dem historischen und geographischen Kontext, in dem sie operieren, eng verbunden bleiben. Dieser Kontext liefert dem betreffenden Gedächtnis die meisten Ereignisse, die es erfassen, speichern, neutralisieren und verfügbar machen soll. Auf diese Weise bleiben die traditionellen Kulturen zutiefst von ihrer Lokalisation auf der Erdoberfläche geprägt. Sie lassen sich daher nicht so leicht verpflanzen oder kommunizieren. Bekanntlich bildet diese Trägheit einen Hauptaspekt der Probleme, die heute mit dem allgemeinen Phänomen der Immigration und Emigration verbunden sind.

Im Gegensatz dazu sind die Neuen Technologien – da sie kulturelle Muster liefern, die nicht von Anfang an in lokalen Kontexten wurzeln, sondern sich immer schon im Hinblick auf ihre größtmögliche Verbreitung über den ganzen Globus formieren – ein bemerkenswertes Mittel, das Hindernis zu überwinden, das die traditionellen Kulturen für das Erfassen, die Übertragung und die Kommunikation von Informationen darstellen.

Es scheint kaum so zu sein, daß diese durch die neuen kulturellen Güter gewährleistete allgemeine Zugänglichkeit ein Fortschritt im eigentlichen Sinne ist. Das Eindringen des technisch-wissenschaftlichen Apparats in den kulturellen Bereich bedeutet keineswegs, daß dadurch im Geist Erkenntnis, Sensibilität, Toleranz und Freiheit zunähmen. Indem man diesen Apparat stärkt, emanzipiert man nicht den Geist, wie die *Auf-*

klärung* es noch hoffen konnte. Wir machen eher die umgekehrte Erfahrung: neue Barbarei, Neoanalphabetismus und Verarmung der Sprache, neue Armut, eine gnadenlose Umformung der Meinung durch die Medien, eine Verelendung des Geistes, eine Atrophie der Seele, wie sie Walter Benjamin und Theodor W. Adorno unaufhörlich hervorgehoben haben.

Das soll jedoch nicht heißen, daß man sich mit der von der *Frankfurter Schule** geäußerten Kritik an der Unterordnung des Geistes unter die Regeln und Werte der Kulturindustrie zufriedengeben kann. Ob positiv oder negativ, diese Diagnose rührt noch von einem humanistischen Standpunkt her. Die Fakten aber sind zweideutig. Die »postmoderne« Kultur ist tatsächlich im Begriff, sich über die ganze Menschheit auszudehnen. Aber eben in diesem Maße tendiert sie dazu, die lokalen Einzelerfahrungen aufzuheben. Sie hämmert mit groben Stereotypen auf den Geist ein, so daß für Reflexion und Bildung anscheinend kein Platz mehr bleibt.

Wenn die neue Kultur so unterschiedliche Auswirkungen haben kann, nämlich Generalisierung und Destruktion, so deshalb, weil sie weder durch ihre Ziele noch durch ihre Ursprünge zum menschlichen Bereich zu gehören scheint. Die Entwicklung des technisch-wissenschaftlichen Systems zeigt nur allzu deutlich, daß die Notwendigkeit, mit der die Technologie und die ihr zugehörige neue Kultur ihren Aufstieg vorantreiben, auf den Prozeß der Komplexifizierung (oder Negentropie) bezogen werden muß, der in dem von Menschen bewohnten kosmischen Bereich stattfindet. Die Menschheit wird durch diesen Prozeß sozusagen »vorwärts« gerissen, ohne im mindesten in der Lage zu sein, Herr über ihn zu werden. Sie muß sich auf die neuen Bedingungen einstellen. Das ist wahrscheinlich in der Geschichte der Menschheit schon immer der Fall gewesen. Und wenn wir uns dessen heute bewußt werden können, so aufgrund des gegenwärtigen exponentiellen Wachstums der Wissenschaften und Technologien.

Das elektronische Datenverarbeitungsnetz, das sich über die Erde erstreckt, bringt eine globale Speicherkapazität hervor, die nur nach einem kosmischen Maßstab eingeschätzt werden kann, der nichts mit dem Maßstab der traditionellen Kulturen gemein hat. Das Paradox eines solchen Gedächtnisses liegt darin, daß es letztlich niemandes Gedächtnis ist. Doch »niemand« heißt in diesem Fall lediglich, daß der Körper, der dieses Gedächtnis trägt, kein irdischer Körper mehr ist. Immer mehr Zeit (oder »Male«) kann (oder können) mit Computern synthetisiert werden, so daß Leibniz von diesem Prozeß hätte sagen können, er sei im Begriff, eine sehr viel »vollständigere Monade« zu erzeugen, als es die Menschheit selbst jemals hat sein können.

Die Menschheit sieht sich bereits mit der Notwendigkeit konfrontiert, in viereinhalb Milliarden Jahren das Sonnensystem verlassen zu müssen: Sie wird der vorübergehende Träger eines sehr unwahrscheinlichen Komplexifizierungsprozesses gewesen sein. Der Exodus wird schon jetzt programmiert. Die einzige Aussicht, daß er Erfolg haben wird, besteht darin, daß sich die Menschheit auf die sie bedrohende Komplexität einstellt. Und wenn der Exodus gelingt, wird das, was er bewahrt haben wird, nicht die Gattung selbst sein, sondern die »vollständigste Monade«, die hervorzubringen sie in der Lage war.

IV

Man wird über die Fiktionalität des Tableaus, das ich gerade entworfen habe, lächeln. Ich möchte gerne einige seiner »realistischen« Implikationen skizzieren, indem ich die Ausgangsfrage wiederaufgreife, wie die Zeit in unserem Denken und in unserer Praxis heute synthetisiert wird.

Ich komme auf die »Leibnizsche« Hypothese zurück. Je vollständiger eine Monade ist, desto mehr Daten speichert sie, was sie befähigt, das, was geschieht, zu vermitteln, bevor sie darauf reagiert, und sich dadurch ihrer direkten Abhängigkeit vom Ereignis zu entziehen. Folglich sind die ankommenden Ereignisse um so mehr neutralisiert, je vollständiger die Monade ist. Für eine als perfekt angenommene Monade – wie Gott – gibt es schließlich überhaupt keine Bits mehr. Gott muß nichts lernen. In Gottes Geist ist das Universum instantan.

Das Anwachsen der technisch-wissenschaftlichen Systeme

scheint von diesem Ideal einer *Mathesis universalis* – oder, um sich der Metapher von Borges zu bedienen, einer Bibliothek von Babel – magisch angezogen zu werden. Die Vervollständigung von Informationen besteht in der zunehmenden Neutralisierung von Ereignissen. Was schon bekannt ist, kann im Prinzip nicht als Ereignis empfunden werden. Wenn man einen Prozeß kontrollieren will, ist es infolgedessen am besten, die Gegenwart dem unterzuordnen, was man (noch) »Zukunft« nennt, denn unter dieser Bedingung wird die »Zukunft« vollständig vorherbestimmt, und die Gegenwart hört ihrerseits auf, sich gegenüber einem unsicheren und kontingenten »Nachher« zu öffnen.

Darüber hinaus wird das, was »nach« dem »Jetzt« kommt, dann »vor« ihm geschehen können. In dem Maße, wie eine ihr Gedächtnis auf diese Weise vervollständigende Monade Zukunft speichert, verliert die Gegenwart ihr Privileg, der unfaßbare Punkt zu sein, von dem aus sich die Zeit im Grunde zwischen Zukunft (»noch nicht«) und Vergangenheit (»nicht mehr«) aufteilen sollte.

In der alltäglichen Praxis des Tausches bietet sich ein Modell für eine derartige Zeitsituation an. Jemand (X) gibt jemandem (Y) einen Gegenstand *a* zur Zeit *t*. Die Bedingung für diese Gabe ist, daß Y X einen Gegenstand *b* zur Zeit *t'* geben wird. Ich lasse hier einmal die klassische Frage beiseite, wie *a* und *b* gleichwertig gemacht werden können. Für uns kommt es vielmehr darauf an, daß die erste Phase des Tausches dann – und nur dann – stattfindet, wenn die zweite so vollkommen garantiert ist, daß sie als bereits realisiert angesehen werden kann.

Es gibt viele »Sprachspiele« – ich ziehe es vor, »Diskursgenres« zu sagen –, in denen ein bestimmtes, später folgendes Vorkommnis bereits in dem Moment erwartet, versprochen wird usw., in dem das erste stattfindet. Im Falle des Tausches wird das »zweite« Vorkommnis – die Bezahlung – jedoch nicht während des »ersten« erwartet, sondern als dessen Bedingung vorausgesetzt. Auf diese Weise bedingt die Zukunft die Gegenwart. Der Tausch erfordert, daß das Zukünftige wie gegenwärtig sei. Garantien, Versicherungen, Sicherheiten sind Mittel, Fälle als zufällig zu neutralisieren, sagen wir: der Zu-kunft vorzubeugen.

158

Bei dieser Art und Weise, mit der Zeit umzugehen, hängt der Er-folg vom Pro-zeß[3] der Datenverarbeitung ab, der darin besteht sicherzustellen, daß zur Zeit t' nichts anderes geschehen kann als das zur Zeit t programmierte Vorkommnis.

Im Hinblick auf das soeben in Erinnerung gerufene Grundprinzip des Tausches ist die Dauer von t bis t' irrelevant. Sie ist jedoch interessant – und das muß einmal gesagt werden –, insofern sie das Interesse bestimmt. Je größer der Zeitabstand wird, desto wahrscheinlicher wird es, daß etwas Unerwartetes geschieht, desto größer wird also im großen und ganzen das Risiko. Das Anwachsen des Risikos kann nach seiner Wahrscheinlichkeit berechnet und in einen Geldbetrag übersetzt werden. Dabei erscheint das Geld als das, was es wirklich ist: gespeicherte Zeit, um dem vorzubeugen, was geschieht. Ich entwickle diesen Gedanken hier nicht weiter.

Sagen wir nur, daß das, was man Kapital nennt, auf das Prinzip gegründet ist, daß Geld nichts weiter ist als Zeit, die gespeichert und verfügbar gemacht wird, wobei wenig daran liegt, ob dies im nachhinein oder im voraus zu dem erfolgt, was man die »reale Zeit« nennt. Die »reale Zeit« ist nur der Moment, in dem die als Geld verwahrte Zeit realisiert wird. Für das Kapital ist nicht die bereits in Gütern und Dienstleistungen investierte Zeit von Bedeutung, sondern die noch als Vorrat von »freiem« oder »frischem« Geld gespeicherte Zeit, weil diese die einzige Zeit ist, die von Nutzen sein kann, um die Zukunft zu organisieren und das Ereignis zu neutralisieren.

Deshalb kann man sagen, daß zwischen dem, was ich die sich erweiternde, vom technisch-wissenschaftlichen Dispositiv produzierte Monade genannt habe, einerseits und der Vorherrschaft des Kapitalismus in den am höchsten »entwickelten« Gesellschaften andererseits eine enge und einschlägige Korrelation besteht, und zwar insbesondere durch den Gebrauch, der in den letzteren vom Geld gemacht wird. Das Kapital muß

---

3 A. d. Ü.: Die französische Fassung betont hier den zeitlichen Abfolgecharakter der als Fälle verstandenen Ereignisse und setzt »suc-cès« für Erfolg und »pro-cès« für Prozeß, um den in ihnen enthaltenen »Fall« (cas) hervorzuheben.

nicht nur als eine der Hauptgestalten der menschlichen Geschichte, sondern auch als irdische Auswirkung eines kosmischen Komplexifizierungsprozesses angesehen werden. Im Kapitalismus geht es sicherlich darum, den Tausch und die Kommunikation zwischen den Menschen flexibler zu machen, wie man am Verzicht auf den Goldstandard bei der Bewertung der Währungen und an der Einführung eines Systems freier Wechselkurse, der Einführung von elektronischen Zahlungsmitteln, der Einrichtung von multinationalen Konzernen usw. sieht. Alle diese Phänomene sind Anzeichen für die Notwendigkeit, die menschlichen Beziehungen zu komplexifizieren. Aber woher kommt diese Notwendigkeit, wenn es stimmt, daß ihre Resultate für die Menschheit im allgemeinen nicht immer vorteilhaft sind, ja nicht einmal für den Teil dieser Menschheit, der ihr direkter Nutznießer sein soll? Warum werden wir dermaßen dazu angehalten, Geld und Zeit zu sparen, daß dieser Imperativ gleichsam zum höchsten Gesetz unseres Lebens wird? Weil das Sparen – wohlgemerkt das Sparen nach Maßgabe des Systems – dem System erlaubt, die Geldmenge zu vergrößern, die dazu bestimmt ist, die Zukunft zu antizipieren. Das ist insbesondere für das Kapital der Fall, das in die Forschung und Entwicklung investiert werden soll. Der Genuß der Menschheit – das ist klar – muß dem Interesse der sich erweiternden Monade geopfert werden.

Von den zahlreichen Auswirkungen, die diese unbestreitbare Hegemonie hervorbringt, möchte ich nur zwei erwähnen. Seit ihren Anfängen hat die Menschheit ein spezifisches Mittel eingesetzt, das sich zur Kontrolle der Zeit eignet: die mythische Erzählung. Der Mythos erlaubt in der Tat, eine Sequenz von Ereignissen in einen festen Rahmen zu stellen, in dem der Anfang und das Ende einer Geschichte eine Art Rhythmus oder Reim bilden, wie Hölderlin geschrieben hat. Die Vorstellung von einem Schicksal, die lange Zeit in menschlichen Gemeinschaften vorgeherrscht hat – und, wenn man Freud glaubt, noch heute im Unbewußten herrscht –, setzt die Existenz einer zeitlosen Instanz voraus, welche die gesamte Abfolge der Momente »kennt«, die ein individuelles oder kollektives Leben konstituieren. Was geschehen wird, ist durch das göttliche Orakel vorherbestimmt, und die Menschen haben lediglich die Aufgabe, Identitäten zu entfalten, die synchronisch oder achronisch bereits festgelegt sind. Obwohl das Orakel des Apollon schon zur Zeit von Ödipus' Geburt verkündet wurde, schreibt es das Schicksal des Helden bis zum Tode vor. Auf diesen anfänglichen, summarischen Versuch, unerwartete Vorkommnisse zu neutralisieren, wurde immer weiter verzichtet, je mehr der technisch-wissenschaftliche Geist und die Gestalt des Kapitalismus heranreiften, die beide in Sachen Zeitkontrolle sehr viel effizienter waren.

Ganz anders und doch sehr ähnlich geht nun die Moderne mit dem Problem um. Meiner Ansicht nach ist die Moderne keine geschichtliche Epoche, sondern eine Art und Weise, eine Sequenz von Momenten so zu gestalten, daß diese ein hohes Maß an Kontingenz zuläßt. Es ist bezeichnend, daß sich diese Gestaltung an so unterschiedlichen Werken wie denen von Augustinus, Kant oder Husserl verifizieren läßt. Die Beschreibung der Zeitsynthese, die ich zu Beginn skizziert habe, gehört ebenfalls zu der so verstandenen Moderne.

Noch mehr Aufmerksamkeit verdient jedoch der Umstand, daß die moderne Metaphysik dennoch zur Rekonstitution von Großen Erzählungen (Christentum, Aufklärung, Romantik, Deutscher Spekulativer Idealismus, Marxismus) geführt hat, die den mythischen Erzählungen gar nicht so fern sind. Sie implizieren zwar, daß die Zukunft – unter dem Namen der Emanzipation – als letztes Ziel der menschlichen Geschichte offenbleibt. Aber sie behalten das mythische Prinzip bei, daß der allgemeine Verlauf der Geschichte bestimmt werden kann.

Die moderne Erzählung bewirkt sicherlich eher eine politische als eine rituelle Einstellung. Trotzdem soll das am Ende der Emanzipationserzählung stehende Ideal begreifbar sein, selbst wenn es – unter dem Namen der Freiheit – etwas Leeres oder »Unbeschriebenes« enthält, dessen Unbestimmtheit bewahrt werden muß. Mit anderen Worten: *Bestimmung** ist nicht Schicksal. Doch beide bezeichnen eine diachronische Reihe von Ereignissen, deren »Grund« zumindest als erklärbar eingeschätzt wird: im einen Fall durch die Tradition als Schicksal, im anderen durch die politische Philosophie als Aufgabe.

Im Unterschied zum Mythos gründet das moderne Projekt seine Legitimität jedoch nicht auf die Vergangenheit, sondern auf die Zukunft. Deshalb bietet es auch eine größere Angriffsfläche für den Komplexifizierungsprozeß. Trotzdem: die menschliche Emanzipation zu projektieren, ist eine Sache; die Zukunft als solche zu programmieren, eine andere. Freiheit ist nicht Sicherheit. Was einige »Postmoderne« genannt haben, bezeichnet vielleicht nur einen Bruch oder zumindest einen Riß zwischen dem einen »Pro-« und dem anderen: zwischen dem Projekt und dem Programm. Das letztere scheint heute sehr viel eher als das erstere in der Lage zu sein, den Kampf mit der Herausforderung aufzunehmen, der sich die Menschheit durch den Komplexifizierungsprozeß gegenübersieht. Unglücklicherweise müssen zu den Ereignissen, die das Programm soweit wie möglich zu neutralisieren bemüht ist, auch die unvorhergesehenen Auswirkungen der Kontingenz und der Freiheit gezählt werden, die dem menschlichen Projekt eigentümlich sind.

V

Wie es sich gehört, fehlt mir die Zeit, um die Argumentation »abzuschließen«. Ich begnüge mich damit zu sagen, wie fremd die quasi-leibnizsche Hypothese, die ich gerade dargestellt habe, meinem Denken ist. Einige »Thesen« sollen das zum Schluß kurz zeigen.

1. Das technisch-wissenschaftliche Dispositiv, das Heidegger das »*Gestell*«* nennt, »vollendet« in der Tat die Metaphysik, wie er schreibt. Der *Satz vom Grund** verortet die Vernunft[4] auf dem Gebiet der »Physik«, und zwar dem metaphysischen Postulat gemäß, daß jedes Ereignis in der Welt als Wirkung einer Ursache erklärt werden muß und Vernunft darin besteht, diese Ursache (oder diesen »Grund«) zu bestimmen,

---

4 A. d. Ü.: Frz. »raison«; der englische Text setzt hier »rationality«, also eher »Rationalität«. Lyotard spielt in diesem Absatz mit den zwei Bedeutungen von »raison« im Französischen: »Grund« und »Vernunft«.

d. h. das Gegebene zu rationalisieren. Es besteht nun aber eine enge Verwandtschaft zwischen dem Rationalisieren des Gegebenen und dem Neutralisieren der Zukunft. Die sogenannten Humanwissenschaften sind beispielsweise in weiten Bereichen zu einem Zweig der Physik geworden. Der Geist, ja selbst die Seele werden erforscht, als ob sie Interfaces in physikalischen Prozessen wären. Daher kommt es, daß Computer anfangen, Simulakren von einigen mentalen Operationen zu liefern.

2. Das Kapital ist kein ökonomisches und soziales Phänomen. Es ist der Schatten, den der Satz vom Grund auf die menschlichen Beziehungen wirft[5]. Vorschriften wie: ›kommuniziere‹, ›spare Zeit und Geld‹, ›kontrolliere Ereignisse und beuge ihnen vor‹, ›vergrößere den Austausch‹, eignen sich allesamt, die »große Monade« zu erweitern und zu verstärken. Daß der »kognitive« Diskurs die Hegemonie über die anderen Genres erlangt hat und daß in der Alltagssprache der pragmatische und interrelationale Aspekt an die erste Stelle rückt, während »die Poesie« immer weniger Aufmerksamkeit zu verdienen scheint – alle diese Züge der zeitgenössischen Sprachbedingung können nicht verstanden werden, wenn man sie als Auswirkungen jenes einfachen Tauschmodus betrachtet, der in der ökonomischen und historischen Wissenschaft »Kapitalismus« genannt wird. Sie sind vielmehr Anzeichen für die Ausbreitung eines neuen Sprachgebrauchs, bei dem es darum geht, die Gegenstände so exakt wie möglich zu erkennen und über sie zwischen gewöhnlichen Sprechern einen ebenso großen Konsens herzustellen, wie er in der wissenschaftlichen Gemeinschaft herrschen soll.

Der Erkenntnis ist jeder Gegenstand recht, jedoch unter der doppelten Bedingung, daß man sich erstens in einem logisch und mathematisch konsistenten Vokabular und mit einer ebensolchen Syntax auf ihn beziehen kann, deren Regeln und Termini mit einem Minimum an Zweideutigkeit kommuniziert werden können, und daß zweitens irgendein Beweis für die

---

5 A. d. Ü.: Frz. »projeter« (engl.: »to project«). Im Deutschen kann der Bezug auf das vorher angesprochene »Projektieren« sprachlich nicht bewahrt werden.

Realität der Gegenstände, auf die sich die so gebildeten Aussagen beziehen, erbracht werden kann, indem Sinnesdaten aufgewiesen werden, die man bezüglich dieser Gegenstände für einschlägig hält.

Die erste Bedingung hat nicht nur den bemerkenswerten Aufstieg des logischen und mathematischen Formalismus erzeugt, der seit Mitte des vergangenen Jahrhunderts zu beobachten ist. Sie hat außerdem erlaubt, neue Gegenstände oder neue Idealitäten (sagen wir neue Sätze) in der mathematischen und logischen Kultur zuzulassen und dadurch neue Probleme zu entdecken. Daß es unter anderem gelingt, zahlreiche Paradoxa zu formulieren, denen die Tradition ratlos gegenüberstand, ist ein unbezweifelbares Anzeichen dafür, daß die Komplexifizierung der symbolischen Sprachen Fortschritte macht und daß die Wissenschaften sich gegenwärtig Gegenstände aneignen, die sie bisher vernachlässigt haben. Es ist bemerkenswert, daß viele dieser Paradoxa direkt oder indirekt der Zeitproblematik angehören. Ich erwähne nur Fragen wie die Rekurrenz (der Gebrauch des rätselhaften Ausdrucks »und so weiter«), insbesondere beim Ergründen des Lügnerparadoxons (das Russell durch sein Typenprinzip eliminiert), die Entwicklung von Zeitlogiken und -linguistiken, welche es erlaubt, die schwierigen Probleme der Modalität zu lösen oder besser anzugehen, die Katastrophenmathematik (René Thom), die Relativitätstheorie...

Die zweite für eine »kognitive« Sprache geforderte Bedingung, also die Notwendigkeit, Beweise für Behauptungen zu erbringen, impliziert, daß die Technologien fortlaufend weiterentwickelt werden. Denn wenn die zu verifizierenden (oder zu falsifizierenden) Aussagen immer raffinierter werden sollen, müssen die Dispositive, denen die Aufgabe zufällt, die einschlägigen Sinnesdaten zu liefern, immer weiter verfeinert und komplexifiziert werden. Die Teilchenphysik, die Elektronik und die Informatik sind heute für die Konzipierung (und Realisierung) der meisten »Beweismaschinen« unentbehrlich. Ich beobachte, daß der Kapitalismus an dieser Frage des Beweises stark interessiert ist. Denn die für den wissenschaftlichen Prozeß erforderlichen Technologien bahnen den Weg für die Produktion und Distribution neuer Waren, die entweder direkt der wissenschaftlichen Forschung dienen oder für den Laiengebrauch modifiziert werden können. Mindestens in diesem Maße werden Erkenntnismittel zu Produktionsmitteln, und das Kapital erscheint als das mächtigste, wenn nicht als das einzige Dispositiv, um die auf dem Gebiet der kognitiven Sprachen erreichte Komplexität zu realisieren. Das Kapital regiert nicht die Erkenntnis der Realität – es verleiht der Erkenntnis Realität.

Man denkt häufig, daß das ökonomische System nur durch Profitgier dazu getrieben wird, sich auf diese Weise zu verhalten. Und in der Tat erlaubt die Verwendung von wissenschaftlichen Technologien bei der industriellen Produktion, das Quantum an Mehrwert zu vergrößern, weil Arbeitszeit gespart wird. Dennoch scheint der »letzte« Antrieb dieser Bewegung seinem Wesen nach nicht der Ordnung des menschlichen Begehrens anzugehören: er besteht eher in dem negentropischen Prozeß, der den von der Menschheit bewohnten kosmischen Bereich zu »bearbeiten« scheint. Man könnte so weit gehen zu sagen, daß das Begehren nach Profit und Reichtum zweifellos nichts anderes ist als dieser Prozeß selbst, insofern er auf die Nervenzentren des menschlichen Gehirns einwirkt und vom menschlichen Körper direkt erfahren wird.

3. Anscheinend wird heute vom Denken verlangt, am Rationalisierungsprozeß teilzunehmen. Jede andere Denkweise wird als irrational verurteilt, isoliert und abgelehnt. Seit der Renaissance und der Klassik – sagen wir seit Galilei und Descartes – schwelt ein latenter Konflikt zwischen der Rationalität und den anderen Denk- und Schreibweisen, insbesondere der Metaphysik und der Literatur. Mit dem Wiener Kreis wird der Krieg offen erklärt. Unter dem gleichen Motto, im Namen der »Überwindung der Metaphysik«, spalten Carnap einerseits und Heidegger andererseits die abendländische Philosophie in logischen Positivismus und in poetische »Ontologie«. Dieser Bruch betrifft essentiell die Natur der Sprache. Ist die Sprache ein Instrument, das par excellence dazu bestimmt ist, den Geist mit der exaktesten Erkenntnis der Realität auszustatten und deren Veränderung soweit wie möglich zu kontrollieren? Die

wahre Aufgabe des Philosophen bestünde dann darin, der Wissenschaft zu helfen, sich den Inkonsistenzen der natürlichen Sprachen zu entziehen, indem er eine reine und eindeutige symbolische Sprache konstruiert. Oder muß die Sprache im Gegenteil als eine Art Wahrnehmungsfeld gedacht werden, das in der Lage ist, von sich aus – unabhängig von jeder Bedeutungsabsicht – »Sinn zu machen«? Die Sätze ließen sich dann – ohne im entferntesten in die Verantwortlichkeit der Sprecher zu fallen – eher als krampfhafte, diskontinuierliche Konkretionen eines kontinuierlichen »Sprechmediums« wie der Heideggerschen *Sage** vorstellen. Auf ebendieses Medium, das man im Französischen eher »sprachlich« als linguistisch nennen würde, spielen Malraux und Merleau-Ponty mit dem Ausdruck »Les voix du silence« (Die Stimmen der Stille) an.

Bis zu einem gewissen Grad stimmt die erste Option mit dem Typus von »Rationalität« überein, welchen die sich erweiternde Monade erfordert. Seine vollständige Entsprechung zur Komplexität wird jedoch durch jenen Rest an humanistischer Philosophie verhindert, den das Prinzip, daß die Sprache ein Werkzeug des menschlichen Geistes ist, paradoxerweise enthält. Es ist in der Tat möglich, und es ist wirklich eingetreten, daß zahlreiche Aussagen dem menschlichen Geist auf den ersten Blick weder brauchbar noch evident erscheinen, obgleich sie nach den Kriterien der neuen Wissenschaften wohlgeformt und wohlbegründet sind. Genaugenommen kann diese Schwierigkeit aber ihrerseits als Anzeichen dafür betrachtet werden, daß der eigentliche »Benutzer« der Sprache nicht der menschliche Geist ist, insofern er menschlich ist, sondern die voranschreitende Komplexität, deren lediglich vorübergehender Träger der Geist ist. Das Kommunizieren im allgemeinen und das Kommunikabelmachen jeder Behauptung führt nicht dazu, daß die menschliche Gemeinschaft in sich transparenter wird, sondern dazu, daß beträchtlichere Mengen an Informationen miteinander kombiniert werden können, so daß ihre Totalität ein flexibles und effizientes Betriebssystem zu bilden vermag: die Monade.

Die zweite, von mir ontologisch genannte Option ist schon durch ihre Natur denjenigen Sprachmodi zugewandt, in deren

Vokabular und Syntax es nicht um die erschöpfende Beschreibung der Gegenstände geht, auf die sie sich beziehen. Von diesen sprachlichen Modi seien – mit unterschiedlichem Anspruch – folgende erwähnt: freie Konversation, reflexives Urteil und Meditation, freie Assoziation (im psychoanalytischen Sinne), Poesie und Literatur, Musik, Bildende Künste, Alltagssprache. Für diese Sprachmodi ist charakteristisch, daß sie jeweils Vorkommnisse generieren, bevor sie die Regeln dieser Generativität kennen, und daß einige von ihnen sich nicht einmal darum kümmern, diese Regeln zu bestimmen. Diesen Umstand haben insbesondere Kant und die Romantiker unter der Rubrik des Genies – als einer im Geist selbst wirkenden Natur – thematisiert. Man kann die Diskursgenres, von denen ich spreche, auch mit dem Prinzip einer produktiven Einbildungskraft in Verbindung bringen. Man wird jedoch bemerken, daß eine derartige Einbildungskraft in der Wissenschaft selbst eine nicht geringere Rolle spielt, nämlich als das heuristische Moment, dessen die Wissenschaft zum Fortschritt bedarf. Diese unterschiedlichen, ja sogar heterogenen Formen haben die Freiheit und die Unvorbereitetheit gemeinsam, durch die sich die Sprache hier als fähig erweist, für das, was im »Sprechmedium« geschehen kann, empfänglich und für das Ereignis zugänglich zu sein. Dies geht so weit, daß man sich fragen kann, ob die wahre Komplexität nicht eher in dieser Empfänglichkeit besteht als in der Aktivität, die Sprache »zu reduzieren und zu konstruieren«, wie Carnap es sich vornahm.

Letztlich verdient eine Rationalität ihren Namen nicht, wenn sie die Rolle leugnet, welche die offene Empfänglichkeit und die unkontrollierte Kreativität in den meisten Sprachen, einschließlich der kognitiven, spielen. Soweit sie das tatsächlich leugnet, verdiente die technische, wissenschaftliche und ökonomische Rationalität eher den Namen »Ideologie«, wenn dieser Terminus nicht seinerseits zu viele metaphysische Voraussetzungen enthielte. Wie dem auch sei: es ist gewiß, daß das vorgeblich aus der argumentativen Gemeinschaft der Wissenschaften entlehnte und den menschlichen Gesellschaften als Ideal vorgeschlagene Konsensmodell bezeugt, wie sehr diese »Rationalität« ihre Hegemonie über die unterschiedlichen Diskursgenres ausübt, die in der Sprache potentiell enthalten sind. Diese Rationalität kann man nur dann rational nennen, wenn man die Performativität, die die Logik der großen Monade angesichts der kosmologischen Herausforderung beherrscht, als einzigen Wert anerkannt hat.

4. Man wird nicht darüber erstaunt sein, daß ich hier die zweite Hypothese vertrete. Fähig sein, zu empfangen, was zu denken das Denken nicht vorbereitet ist, das verdient, Denken genannt zu werden. Diese Einstellung findet sich, wie gesagt, in der als rational angesehenen Sprache ebenso wie in der Poesie, der Kunst und der gewöhnlichen Sprache, jedenfalls dann, wenn es für den kognitiven Diskurs wesentlich ist, Fortschritte zu machen.

Daher kann man die grobe Trennung von Wissenschaften und Künsten, wie sie die moderne abendländische Kultur vorschreibt, nicht anerkennen. Sie hat bekanntlich zur Folge, daß den Künsten und der Literatur die armselige Funktion zugewiesen wird, die Menschen von der sie permanent plagenden und aufreibenden Obsession, die Zeit unter Kontrolle zu bringen, abzulenken. Ich weiß, daß der Widerstand, den man dem Bildungs- und Expansionsprozeß der großen Monade entgegensetzen kann, an diesem Prozeß nichts ändern wird. Man sollte jedoch niemals vergessen: Wenn Denken tatsächlich darin besteht, das Ereignis zu empfangen, dann kann man nicht beanspruchen zu denken, ohne sich *ipso facto* in einer Position des Widerstandes gegenüber dem Prozeß der Zeitkontrolle zu befinden.

Denken heißt, alles in Frage zu stellen – auch das Denken, die Frage wie den Prozeß. Nun verlangt das Infragestellen aber, daß etwas geschieht, dessen Grund noch nicht bekannt ist. Wenn man denkt, akzeptiert man das Vorkommnis als das, was es ist, nämlich als »noch nicht« bestimmt. Kein Vor-Urteil, keine Sicherheit. Man wandert durch die Wüste. Man kann nicht schreiben, ohne von dem Abgrund der ankommenden Zeit Zeugnis abzulegen.

Diesbezüglich müssen zwei Arten des Fragens unterschieden werden, je nachdem, ob der Akzent auf der Dringlichkeit der Antwort liegt oder nicht. Der Satz vom Grund ist diejenige Art des Fragens, die ihr Ende – die Antwort – überstürzt. Durch die bloße Voraussetzung, daß immer ein »Grund« oder eine Ursache für jede Frage gefunden werden könne, haftet ihm eine Art Ungeduld an. Die nicht-abendländischen Denktraditionen zeigen eine völlig entgegengesetzte Einstellung. Bei ihrer Art des Fragens kommt es in keiner Weise darauf an, so schnell wie möglich die Antwort festzulegen, d. h. einen Gegenstand zu erfassen und auszuweisen, der als Ursache des in Frage stehenden Phänomens gelten kann. Sondern es kommt für sie darauf an, von ihm in Frage gestellt zu werden und zu bleiben, sich durch die Meditation in einem »Responsorium« mit ihm zu halten, ohne die von ihm ausgehende Beunruhigung durch eine Erklärung zu neutralisieren. Im Herzen der abendländischen Kultur gibt und/oder gab es ein Analogon zu dieser Einstellung: in der Seins- und Denkweise, die aus der jüdischen Tradition hervorgegangen ist. Was in dieser Tradition »Studieren« und »Lesen« genannt wird, verlangt, daß jede Realität wie eine dunkle Botschaft behandelt wird, die von einer unerkennbaren, ja unnennbaren Instanz gesandt worden ist. Einem Phänomen muß man wie einem Vers aus der Thora Gehör schenken; es muß selbstverständlich entziffert und interpretiert werden, aber mit Humor und in dem Wissen, daß die Interpretation ihrerseits wie eine Botschaft interpretiert werden wird, die nicht minder rätselhaft – Levinas würde sagen: wunderbar – ist, als es das anfängliche Ereignis war. Die Derridasche Problematik der Dekonstruktion und der *différance*, das Deleuzesche Prinzip der Nomadisierung rühren – so unterschiedlich sie auch sein mögen – von diesem Zugang zur Zeit her. Die Zeit bleibt dabei unkontrolliert und läßt sich nicht bearbeiten, zumindest nicht in dem Sinn, wie man das Wort »arbeiten« gemeinhin versteht.

Eine letzte Bemerkung über das, was ich Empfänglichkeit genannt habe. Es wäre vermessen, ja es wäre ein Verbrechen von seiten eines Denkers oder Schriftstellers, wenn er sich als Zeuge oder Garant des Ereignisses ausgäbe. Das soll heißen, daß keineswegs die Entität – was auch immer sie sein mag –, die behauptet, mit dieser Empfänglichkeit für das Ereignis betraut zu sein, Zeugnis ablegt, sondern das Ereignis »selbst«. Das, was sich erinnert oder sich etwas merkt, ist nicht ein Vermögen des Geistes, es ist nicht einmal die Zugänglichkeit für das, was geschieht. Sondern im Ereignis erscheint[6] »von Zeit zu Zeit« die unfaßbare und unleugbare »Präsenz« von Etwas, das anders ist als der Geist...

5. Heidegger hat versucht, den Widerstand, von dem ich spreche, auf das griechische Modell der als *techne* verstandenen Kunst zu gründen. Seit Platon begreift sich die Kunst oder *Dichtung*** jedoch als Umformung, als »*plattein*«, und ist sie der Hauptmodus gewesen, in dem der Politiker die Gemeinschaft nach diesem oder jenem metaphysischen Ideal zu gestalten suchte. Lacoue-Labarthe folgend, meine ich, daß zwischen der politischen Kunst und den schönen Künsten eine enge und wesentliche Korrelation besteht. Ein Paradefall dieser Verbindung findet sich in Platons *Staat*: das politische Problem besteht lediglich darin, bei der Gestaltung der menschlichen Gemeinschaft das richtige Modell – das Modell des Guten – zu befolgen. *Mutatis mutandis* wird man dasselbe Prinzip in der politischen Philosophie des Mittelalters, der Renaissance und der Moderne finden.

Der Nationalsozialismus hat das Verhältnis in gewisser Weise umgedreht: die »Kunst« ersetzt hier ausdrücklich die Politik. Die Nazis machen bekanntlich vom Mythos, von den Medien, der Massenkultur und den neuen Technologien einen ausgedehnten und systematischen Gebrauch, um die totale Mobilmachung der Energie in allen ihren Formen zu verwirklichen. Auf diese Weise schreiben sie den Wagnerschen Traum vom »Gesamtkunstwerk« in die Welt der Tatsachen ein. Syberberg hat gezeigt, daß sich das *Gesamtkunstwerk** sehr viel eher im Film – allgemeiner gesagt in der *teletechne* – als in der Oper verwirklichen läßt. Auch wenn die Rechtfertigungen anders lauten und die Argumente manchmal entgegengesetzt sind, ist die Politik heute von derselben Natur. In dem, was man die moderne Demokratie nennt, besteht die Hegemonie des Prinzips fort, daß die Meinung der Massen durch Prozeduren umge-

---

6 A. d. Ü.: Frz. »arriver« (engl. »to occur«), also »geschehen, ankommen«, was innerhalb des deutschen Satzes unverständlich wäre.

formt werden müsse, die ich »telegraphisch« nennen möchte, d. h. durch die verschiedenen Arten einer »Einschreibung aus der Ferne«, die es erlauben, zu beschreiben und vorzuschreiben. Und in diesem Sinne hat der Nationalsozialismus gewonnen.

6. In dem Maße wie das Denken und Schreiben sich der »Telegraphie« nicht unterordnen läßt, wird es isoliert und ins Ghetto abgedrängt (in dem Sinn, in dem Kafkas Werk dieses Thema entfaltet). Aber der Name Ghetto ist hier nicht bloß eine Metapher. Die Warschauer Juden sind nicht nur dem Tode geweiht gewesen, sondern sie mußten außerdem für die »Schutzmaßnahmen« bezahlen, die gegen sie ergriffen wurden – angefangen mit der Mauer, die auf Beschluß der Nazis gegen die angeblich drohende Typhusepidemie errichtet wurde. Ebenso verhält es sich mit den Denkern und Schriftstellern: Wenn sie sich dem heute vorherrschenden Gebrauch der Zeit widersetzen, sind sie nicht nur dazu prädestiniert zu verschwinden, sondern müssen sie auch noch zur Herstellung eines »cordon sanitaire« beitragen, der sie isoliert und in dessen Schutz sie ihre Vernichtung aufschieben zu können glauben. Doch sie »kaufen« diesen kurzen und vergeblichen Überlebensaufschub, indem sie ihre Denk- und Schreibweise so modifizieren, daß ihre Werke mehr oder weniger kommunikabel und austauschbar, mit einem Wort: kommerzialisierbar werden. Nun tragen aber der Tausch, der Verkauf und der Ankauf von Ideen und Wörtern ganz im Gegenteil unweigerlich zur »Endlösung« des Problems bei, wie man schreiben und denken kann. Ich meine, daß sie dazu beitragen, die Hegemonie der großen Regel der Zeitkontrolle zu verstärken. Unter diesen Bedingungen hört die *Öffentlichkeit** auf, der Raum zu sein, in welchem sich ein Geisteszustand erprobt, versucht und behauptet, der für das Ereignis offen ist, und in welchem der Geist – insbesondere im Zeichen des »Neuen« – eine Vorstellung von ebendiesem Zustand auszuarbeiten sucht. Der öffentliche Raum verwandelt sich heute in einen Markt für kulturelle Güter, auf dem »das Neue« zu einer zusätzlichen Quelle von Mehrwert geworden ist.

7. Wenn es darum geht, die Kapazität der Monade zu erwei-

tern, scheint es vernünftig zu sein, die Teile der Menschheit aufzugeben, ja sogar aktiv zu vernichten, die für diesen Zweck überflüssig und nutzlos erscheinen. Zum Beispiel die Bevölkerung der Dritten Welt. Eine noch spezifischere Bedeutung kommt dem Umstand zu, daß der Nationalsozialismus für die Zwecke der Ausrottung gerade die europäischen Juden ausgewählt hat. Ich habe gesagt, daß der Teil des alten europäischen Erbes, den das jüdische Denken ausmacht, eine Denkweise repräsentiert, die sich ganz dem unablässigen, endlosen Hören und Interpretieren einer Stimme zugewandt hat. Das ist es, was Heideggers Denken, das vom griechischen Modell fasziniert war, vollständig verfehlt – und gefehlt – hat.

8. Die Vorschrift: »Du sollst Widerstand leisten (insofern Du denken oder schreiben sollst)« impliziert ganz gewiß, daß das Problem der gegenwärtigen Zeit in keiner Weise die Kommunikation ist. Was die Aufmerksamkeit auf sich zieht und die eigentliche Frage ausmacht, ist vielmehr dasjenige, was diese Vorschrift voraussetzt: Wer oder was ist der Autor (der Sender) dieses Gebots? Worin besteht seine Legitimität? Es wäre zu bedenken, daß dieser Befehl befehlen könnte, die Frage offenzulassen, wenn es wahr ist, daß dieses »Du sollst« die Ankunft einer unerwarteten Zukunft bewahrt und verwahrt.

(Unter Mitwirkung des Herausgebers aus dem Französischen übertragen von Christine Pries. Das englische Original wurde bei der Übersetzung berücksichtigt.)

HANS-MARTIN GAUGER

Gibt es eine Sprache der Moderne?

Was geschah Philipp Lord Chandos? Der Chandos-Brief von Hofmannsthal, gar in die Lesebücher der gymnasialen Oberstufe eingedrungen, ist ein »locus classicus«; er wurde 1901, als die literarische Moderne eben begonnen hatte, geschrieben. Der Autor fingiert einen Brief, den 1603 ein junger englischer Lord, Philipp Chandos, an Francis Bacon, also einen der gründenden Väter der Neuzeit, richtet.[1] Übrigens ist schon diese Perspektive bemerkenswert: ein Brief, sich auf die literarische Moderne, nämlich ihr Sprachproblem, beziehend und zurückdatiert, auch sprachlich stilistisch, auf den Beginn der Neuzeit, zu der die Moderne gehört. Fiktiver Anlaß des Briefs von Chandos war ein Brief Bacons. Bacon hatte sich bei dem jungen Freund besorgt erkundigt nach dem Grund seines sich schon zwei Jahre hinziehenden literarischen Schweigens. Chandos ist, in dem Brief, sechsundzwanzig. Als Neunzehnjähriger hatte er eine Reihe pastoraler Dichtungen verfaßt: »diese unter dem Prunk ihrer Worte hintaumelnden Schäferspiele«; so kennzeichnet er sie nun selbst. Der Dreiundzwanzigjährige schrieb sodann, in Venedig, einen lateinischen Traktat, dessen Gegenstand im Brief undeutlich bleibt. Die Rede ist danach (Bacon hatte Chandos daran erinnert) von drei literarischen Plänen: ein Bericht über die ersten Regierungsjahre Heinrichs VIII., dann der Versuch, die »geheime, unerschöpfliche Weisheit« zusammenzustellen, die die antiken Fabeln und Mythen enthalten, schließlich eine Sammlung von »merkwürdigen Aussprüchen«, »Apophthegmata«, von »gelehrten Män-

---

1 H. v. Hofmannsthal: Ein Brief, in: H. v. Hofmannsthal: *Prosa II. Gesammelte Werke in Einzelausgaben*. Frankfurt (Fischer) 1951, S. 7–22.

nern und geistreichen Frauen unserer Zeit« (man beachte die feine Differenzierung: »gelehrt« und »geistreich«). Sentenzen der Alten und der Italiener und anderes sollte sich dem enzyklopädisch angelegten Opus hinzugesellen, und es sollte den delphischen Titel – durchaus in dessen Zweideutigkeit – »Erkenne dich selbst« tragen, »Nosce te ipsum«.

Der hohe Reiz des Briefs liegt in der hergestellten historischen Patina, der ebenfalls hergestellten urbanen, kulturgesättigten Leichtigkeit, seiner Eindringlichkeit, auch seiner Wärme, schließlich in seinem sich selbst eindrucksvoll widerlegenden Charakter, denn von der geschilderten sprachlichen Ohnmacht des Schreibers ist hier mit verbaler Präzision und gezielter Üppigkeit die Rede.

Was, also, geschah dem jungen Lord? Früher, sagt er, sei ihm »in einer Art von andauernder Trunkenheit das ganze Dasein als eine große Einheit erschienen«. Alles, vom Tierischen bis zum Geistigsten, schien ihm zusammenzugehören. Und überall hatte er sich selbst gefühlt. Dies umfassende Bild von Einheit und Zusammenhang ist ihm zerbrochen. Aus der »rauschhaften Anmaßung« eines umfassenden Zugehörigkeitsgefühls wurde »Kleinmut«. Die hier mögliche religiöse Deutung wird sogleich zurückgewiesen. Es ist nicht so, daß er jetzt zu einer theologisch realistischen Einschätzung seiner selbst gekommen wäre im Sinne eines Erkennens und Erlebens seiner Erlösungsbedürftigkeit. Er ist nicht fromm geworden. Also nicht Pascals »misère de l'homme sans Dieu«. Die Glaubenslehre nämlich ist ihm ferngerückt, sie wurde ihm zu einer unwirklichen «Allegorie«. Auch die Alten, Seneca und Cicero, auf die er gebaut hatte, helfen ihm nicht auf. In der Ordnung, dem schönen Reigen ihrer Begriffe, findet er nichts, was ihn bewegt; er fühlt sich von ihnen ausgeschlossen. »Mein Fall«, sagt er, »ist, in Kürze, dieser: Es ist mir völlig die Fähigkeit abhanden gekommen, über irgend etwas zusammenhängend zu denken oder zu sprechen.« Zuerst sind es nur die abstrakten Wörter, wie »Geist«, »Seele« oder »Körper«, die sich ihm entziehen. Sie bereiten ihm Unbehagen. Reizvoll, nebenbei, an diesen Aussagen ist, daß, was Chandos hier scheinbar als Krankheit, als klinischen Fall präsentiert, in Wirklichkeit und auch in seiner *eigenen* Meinung, ein Durchstoßen zur Wahrheit, zu einer (ihn lähmenden) *Erkenntnis* ist. Die berühmte Stelle lautet: »die abstrakten Worte, deren sich doch die Zunge naturgemäß bedienen muß, um irgendwelches Urteil an den Tag zu geben, zerfielen mir im Munde wie modrige Pilze«. Schließlich ergreift die sprachliche Ohnmacht auch das familiäre Gespräch. Die Wörter werden ihm zu »Wirbeln«, die ihn schwindelnd ins Leere führen: »Es gelang mir nicht mehr, sie (die Dinge) mit dem vereinfachenden Blick der Gewohnheit zu erfassen. Es zerfiel mir alles in Teile, die Teile wieder in Teile, und nichts mehr ließ sich mit einem Begriff umspannen. Die einzelnen Worte schwammen um mich; sie gerannen zu Augen, die mich anstarrten und in die ich wieder hineinstarren muß: Wirbel sind sie, in die hinabzusehen mich schwindelt, die sich unaufhaltsam drehen und durch die hindurch man ins Leere kommt«.

Nun aber das Positive der eigentümlichen Veränderung. Sie führt nämlich auch zu neuen und glückhaften Erlebnissen. Es sind die einfachen Dinge, die ihn nun anziehen und ihm Erlebnisse von andrängender Wirklichkeit, Gegenwart, ja, Seinsfülle vermitteln: »Eine Gießkanne, eine auf dem Felde verlassene Egge, ein Hund in der Sonne, ein ärmlicher Kirchhof, ein Krüppel, ein kleines Bauernhaus, alles dies kann das Gefäß meiner Offenbarung werden«. Bemerkenswert, daß an dieser Stelle der religiöse Terminus »Offenbarung« nicht vermieden wird.

Man kann nicht sagen, denke ich, daß es Chandos völlig gelingt, dies neue Glück zu verdeutlichen. Eindrucksvoll jedoch ist die Schilderung, besonders die der an dem ausgelegten Gift sterbenden eingeschlossenen Ratten. Hier gerät der junge Elisabethaner in die Nähe Kafkas: »Da war eine Mutter, die ihre sterbenden Jungen um sich zucken hatte und nicht auf die Verendenden, nicht auf die unerbittlichen steinernen Mauern, sondern in die leere Luft, oder durch die Luft ins Unendliche hin Blicke schickte und diese Blicke mit einem Knirschen begleitete! – Wenn ein dienender Sklave voll ohnmächtigen Schauders in der Nähe der erstarrenden Niobe stand, der muß das durchgemacht haben, was ich durchmachte, als in mir die Seele dieses Tieres gegen das ungeheure Verhängnis die Zähne bleckte«.

All diese Erlebnisse jedenfalls, Erlebnisse eines »ungeheuren

Anteilnehmens«, sind jenseits der Worte, jenseits der Sprache. Da ist ein »rätselhaftes, wortloses Entzücken«. Die Wirbel, die von solchen Erlebnissen ausgehen, »führen nicht wie die Wirbel der Sprache ins Bodenlose…, sondern irgendwie in mich selber und in den tiefsten Schoß des Friedens«. Auch hier wieder, unüberhörbar, die religiöse Inanspruchnahme. Schließlich ist da die Ahnung von einer *neuen* Sprache, einer Sprache mit unbekannten Wörtern, einer Sprache *über* den vorhandenen: es ist, lesen wir, die Sprache, »in welcher die stummen Dinge zu mir sprechen«. Und nun ein Zusatz, den man als unguten, »rhetorischen« Einbruch betrachten muß, der aber nun wieder – und diesmal offenkundig – religiöse Bezugnahme zeigt: »und in welcher ich vielleicht einst im Grabe vor einem unbekannten Richter mich verantworten werde«. Die gewöhnliche Sprache, also, wird Chandos unbrauchbar, genauer: die Veränderung in ihm, von der er berichtet, ist dergestalt, daß die Sprache ihm zerfällt; ihre Elemente fügen sich ihm nicht mehr, wie zuvor, zu einem auf einen bestimmten Gegenstand orientierten Text, also zu einem konsistenten *Gewebe* (in diesem Fall trifft die Etymologie genau) zusammen.

Der Chandos-Brief enthält eine Reihe von Motiven, die für Sprachverhältnis und Sprachverwendung der Moderne bedeutsam sind. Er ist in dieser Hinsicht wirklich eine – knappe – Summa. *Erstens*. Die Krise, die der Brief beschreibt, ist nicht zunächst und primär eine solche der Sprache. Es ist eine Krise des Denkens, der Welthaltung insgesamt; die Welt wird nicht mehr als Einheit erlebt. Es ist nur so, daß sich (für einen literarischen Künstler ist dies natürlich) die Krise vornehmlich sprachlich äußert. Der Dichter erlebt dies intellektuelle und emotionale Auseinanderbrechen als *sprachliche* Krise, als Sprachentzug. Die Krise, also, äußert sich in der literarischen Sprache; sie ist aber die umfassendere Krise eines Weltverstehens und Verhaltens. *Zweitens* haben wir hier den Schwund oder (dies ist nahezu dasselbe) die Ästhetisierung des Religiösen. Das Religiöse wird zwar noch wahrgenommen, auch wohl als Bestandteil des Erbes mit Respekt und Rührung, aber es erscheint existentiell vergleichgültigt. Es wird, so heißt es im Brief, zum »leuchtenden Regenbogen, in einer stetigen Ferne, immer bereit, zurückzuweichen, wenn ich mir einfallen ließe hinzueilen...« Aber Chandos läßt sich dies nicht einfallen, er eilt nicht mehr hin. Natürlich ist dies nicht spezifisch modern. Es verstärkt und verbreitet sich jetzt nur. *Drittens* finden wir in dem Brief den Schwund der Tradition als Vorbild. Die literarische Tradition, oder auch nur (so war es in der Vergangenheit) einzelne Abschnitte von ihr, dienen nicht mehr als Vorbild für den eigenen literarischen Versuch. Man muß ganz neu und frei den Dingen selbst, und hier den ganz einfachen, begegnen. Für Mallarmé begann, wie er einmal sagte, »die große Abirrung« der Poesie bereits mit Homer. Und auf die Frage, was denn *vor* Homer gewesen sei, berief er sich auf die mythische Figur des Orpheus, an die sich, gewiß nicht zufällig, auch Rilke wandte.[2] Der Schwund bestimmter Traditionen als Vorbild schließt das Hantieren mit einzelnen Elementen der Tradition (und nun ganz verschiedener Traditionen), wie wir dies etwa bei T. S. Eliot (*The Waste Land*) oder gar Joyce (und bei vielen anderen) finden, natürlich nicht aus.[3] *Viertens*, dann, der Rückzug aus der Wirklichkeit. Im Chandos-Brief ist es nur ein partieller Rückzug, Rückzug auf einfache, zum Teil schöne, zum Teil aber – dies ist bedeutsam – wenig schöne Dinge. Ein zurückhaltender Hinweis auf die Ästhetik des Häßlichen. *Fünftens*, bei Chandos kaum konkretisiert, die Suche nach einer neuen Sprache, einer Sprache jenseits (oder diesseits) der traditionell als dichterisch geltenden Sprache. *Sechstens*, schließlich, bei Chandos recht deutlich – und im Zusammenhang mit der Vergleichgültigung des Religiösen zu sehen – die Erhebung des dichterischen Erlebens und Schreibens zu quasi religiöser Weihe, die Sakralisierung des Künstlerischen. *Siebtens*. Chan-

---

2 Vgl. H. Friedrich: *Die Struktur der modernen Lyrik, von der Mitte des neunzehnten bis zur Mitte des zwanzigsten Jahrhunderts*. Erweiterte Neuausgabe, Hamburg (Rowohlt) 1966 (erstmals 1956), S. 139.

3 Vgl. zu J. Joyce: W. Erzgräber: Stephan Dedalus and Language. Transitions and tensions between orality and literacy in James Joyce's Novels, in: *Studies in honor of René Derolez*. Gent (Seminarie voor Engelse en Oud-Germaanse Taalkunde R. U. G.) 1987, S. 157–179. Ferner: W. Erzgräber: Art and Reality. An Interpretation of ›Scylla and Charybdis‹, in: *James Joyce Quarterly*, Bd. 24 (1987), S. 291–304.

dos erlebt seine Krise, die, wie gesagt, nicht primär eine solche der Sprache ist, als Sprachentzug. Dies ist insofern stimmig, als moderne Dichter sich gerade der Sprache als dem einzig ihnen Verbleibenden gegenübersehen. Wenn die Sprache sich also ihnen entzieht, verlieren sie alles. Es ist in der modernen Literatur ein großes Vertrauen in die Sprache, ein Vertrauen jedoch, das, gerade wegen seiner Exklusivität (es ist sonst nichts da), ständig in Mißtrauen, ja, in die Angst des Verlusts umzuschlagen vermag. Die Sprache wird – im Zusammenhang mit dem Rückzug aus der Wirklichkeit – rein als solche für die moderne Dichtung in einer Weise bedeutsam, wie dies für frühere Dichtung undenkbar war. »Sprachmagie« ist zu Recht eines der Leitworte von Hugo Friedrichs *Struktur der modernen Lyrik* (1956).

Insofern also die lauernde Angst vor dem Verlust der Sprache. Botho Strauß bringt – dies zeigt die Kontinuität – achtzig Jahre später als Hofmannsthal, diese Angst zum Ausdruck, und zwar in *Paare, Passanten* (1981) in dem Abschnitt »Schrieb«. Es ist da, gleich eingangs, die Rede von einem, der auf freiem Feld in der Dämmerung ein ihm wichtiges Buch liest und dem sich nun, mit hereinbrechendem Dunkel, die Buchstaben entziehen. Da heißt es: »Er war im ganzen erfaßt durch den unausweichlichen Entzug: die Erblindung – die Trennung – die Kastration.« Dem schließt sich der weitere Gedanke an, auf den es mir ankommt: »Nur die Sprache, sagte er sich, hat dich bisher diese wie immer auch elende Einsamkeit überhaupt ertragen lassen. Du hast ja keine Ahnung, was geschieht, wenn diese Sprache einmal alles von dir fordert und bis auf den scheinbarsten Huscher fast gänzlich wegfällt. Du weißt ja nicht, was wirkliche Einsamkeit ist, bevor du nicht dies äußerst geringfügige Rascheln nur noch, irgendwo am Rande deines Geistes, vernommen haben wirst. Du hast ja keine Ahnung, wie du dann wohl sitzen und kauern mußt, wenn erst die Worte unter sich, du aber ausgeschlossen und erkenntnislos.« Die Sprache also, dies ist die eigentümliche, wie mir scheint, spezifisch moderne Furcht, setzt sich vom Schreibenden ab, er wird von den Wörtern, die hier wie belebte Wesen erscheinen, »ausgeschlossen«: sie lösen sich von ihm, bleiben »unter sich«, für sich allein. Nur »irgendwo am Rande« ein leichtes »Rascheln«

noch. Interessant, mit welchen Einbrüchen ins Umgangssprachliche, banal Redensartliche, sich diese Furcht hier artikuliert: das zweimalige »Du hast ja keine Ahnung«, dann das »wegfallen« (die Sprache fällt weg) oder der eigentümliche »scheinbarste Huscher«. Unvermeidbar, offensichtlich, der Terminus »Kastration«. Der sich anschließende Satz bringt die Ambivalenz, das Unsichere, Prekäre dieses Sprachvertrauens gut zum Ausdruck: »Es schafft ein tiefes Zuhaus und ein tiefes Exil, da in der Sprache zu sein.«[4] Somit: »tiefes Zuhaus«, aber auch »tiefes Exil« und »in der Sprache da sein«.

Anhand dieser beiden Texte haben wir schon nahezu alle Elemente genannt, die zum Sprachverhalten und zur Sprachverwendung der Moderne gehören. Die Fragestellung muß nun aber präzisiert werden: es geht ja nicht schlechthin um die Sprache der Moderne; es geht nicht um die Sprache, die die Moderne *hat*, die ihr also – ein schiefer, schwer vermeidbarer Ausdruck – zur Verfügung steht. Wie jede Zeit hat die Moderne die Sprache *ihrer* Zeit: das moderne Deutsch, das moderne Französisch, das moderne Englisch und so fort. Nichts Besonderes, bis hierher, und, soweit ich sehe, kein Problem. Die etwas undeutliche Frage, die unser Thema umreißt »Gibt es eine Sprache der Moderne?«, meint mit dem Wort »Sprache« eigentlich auch gar nicht dies, sondern Sprechweise, also spezifische Sprachverwendung. Übrigens entspricht dieser Gebrauch des Worts »Sprache« dem Sprachgebrauch selbst, denn wir verwenden das Wort »Sprache« (nicht nur im Deutschen) vielfach in diesem schwankenden Doppelsinn: einerseits meinen wir damit den Sprachbesitz, über den eine sprachliche Gemeinschaft und dann also jedes einzelne Mitglied von ihr in wechselndem Ausmaß verfügen, andererseits eine besondere Sprachverwendung. Im Französischen würde man im letzteren Fall eher von »langage« reden als von »langue«, entsprechend im Spanischen

---

4 B. Strauß: *Paare, Passanten*. München (Hanser) 1981, S. 101; dieser Abschnitt »Schrieb« enthält eine Reihe – gerade in ihrer geschwollenen Undeutlichkeit – interessanter Äußerungen, die zum Thema gehören. Es scheint mir da mehr »Gestus« zu sein, mehr modisch Zurechtgelegtes als existentielle Substanz.

und Italienischen von »lenguaje« und »linguaggio« statt von »lengua« oder »lingua«. Also: Sprechweise, Verwendung der Sprache, des Sprachbesitzes.[5] Das andere noch problematischere Wort im Titel ist natürlich das Substantiv »Moderne«. Hier ist moderne *Dichtung* gemeint, womit die Schwierigkeit ins Adjektiv verschoben wird. Es geht also um ein möglicherweise spezifisches Verhalten zur Sprache, das sich in dieser Dichtung manifestiert.

Hier muß aber wieder eine Einschränkung vorgenommen werden. Gegenstand soll nicht das Verhältnis zur Sprache und ihre Verwendung in der Dichtung der Moderne insgesamt sein. Dies wäre ein anderes Thema. Es soll vielmehr – im Bereich des Sprachlichen – um das spezifisch Moderne der modernen Literatur gehen. Denn es wäre falsch, als modern im Sprachverhalten gleichsam den gemeinsamen Nenner all dessen zu erblicken, was in den letzten hundert Jahren sprachlich in der Literatur hervorgetreten ist.

Etwas bieder einteilend darf man sagen, daß es in dieser Hinsicht *drei* Arten von Dichtungen in der Moderne gibt. Erstens ist vieles, was in ihr literarisch hervortritt, gar nicht oder nur wenig modern. Zweitens gibt es Dichtungen, die zwar modern sind, aber gerade nicht im Sprachlichen. Die Sprache etwa eines so evident modernen Autors wie Kafka ist nicht spezifisch modern: eine klassisch genaue, reinliche Sprache, die sich auszeichnet, neben anderem, durch die literarische Anverwandlung des Verwaltungsdeutsch. Und gewiß liegt die Faszination Kafkas nicht zuletzt in der Spannung zwischen *dieser* Sprache und den Inhalten, die sie – wiederum bieder formuliert – zum Ausdruck bringt. Auch Marcel Proust oder Thomas Mann oder André Gide, ganz gewiß Italo Svevo, auch wohl Robert Musil, sind in *dieser* Hinsicht nicht modern: da ist allenfalls Verfeinerung, Weiterführung in dieser oder jener Richtung der Sprache des 19. Jahrhunderts, in welchem ja ohnehin die Wurzeln der Moderne

---

5 Zu Sprachbesitz, Sprachäußerung und Sprechweise vgl. H.-M. Gauger: *Sprachbewußtsein und Sprachwissenschaft*. München (Piper) 1976, S. 11–72. Wichtig ist ferner, speziell für Sprechweise, der Begriff »Diskurstradition« (hierzu P. Koch in: *Distanz im Dictamen*, erscheint 1990).

sind. Dasselbe gilt für den bedeutendsten, noch immer in Deutschland fast unbekannten spanischen Lyriker dieses Jahrhunderts, Antonio Machado (ein bemerkenswerter Sonderfall, nebenbei, weil Machado als einziger moderner Lyriker wirklich, soweit dies überhaupt angeht, populär wurde in seinem Land; alle übrigen modernen Dichter wurden dies nicht). Drittens schließlich – und diese interessieren uns hier – gibt es die auch und gerade im Sprachlichen, in ihrer Sprachverwendung modernen Autoren: Rimbaud, Mallarmé, Joyce, Eliot, Lorca, Benn, Rilke, Céline und so fort. Also, noch einmal: unmoderne und moderne Autoren und unter den letzteren solche, die dies, rein sprachlich, nicht oder nur wenig sind, und solche, die modern, *spezifisch* modern, sind auch und besonders in ihrer Sprache. In anderen Worten: das Thema meint dasjenige, was *neu* ist in Sprachverhalten und Sprachverwendung der modernen Literatur; es geht um das, was es – in dieser Hinsicht – vorher, in vorhergehender Literatur, nie gegeben hat.

Was die Biederkeit betrifft, möchte ich bitten, von einem Linguisten nichts anderes, nämlich nur rationale Biederkeiten zu erwarten. Linguisten sind an sich bieder. Freilich findet sich unter ihnen, wie anderswo, auch die Species, auf welche die Bezeichnung paßt, die Faust, im *Urfaust*, für den Famulus Wagner verwendet: da redet er, in einem schönen Oxymoron, vom »trocknen Schwärmer«, der ihn »in der Fülle der Gesichte« störe. In der späteren Fassung wurde daraus der »trockne Schleicher«, was in andere Richtung geht. Also: »trockne Schwärmer«; wir wollen, was dies angeht, das »Schwärmen«, also selbstgefällige pedantische Fachlichkeit, meiden. Es wird aber, offen gestanden, an der »Fülle der Gesichte« ebenfalls fehlen. Man erwarte hier nicht originelle Thesen wie zum Beispiel, daß die Autobiographie nichts anderes sei – nichts anderes – als der Ersatz für die im Protestantismus abgeschaffte Beichte oder daß der literarische Diskurs, das »Aufschreibesystem«, der Moderne nichts anderes sei – nichts anderes – als das Ergebnis der Ablösung der Handschrift, des Manu-Skripts, durch neue Medien, durch Schreibmaschine und Sekretärin: so, lesen wir, wie die Dichtung der Goethe-Zeit ins Ohr der Mutter gesprochen habe, so nunmehr, ab 1900, ziemlich genau 1900, die »Literatur«

(denn nun handelt es sich nicht mehr um »Dichtung«, sondern um »Literatur«) ins Ohr und in die – anders als die der Mutter gearteten – flinken Finger (»rhododáktylos«) der Sekretärin. Es soll hier nicht zunächst um Originalität gehen – wo ist etwas, das bisher *keiner* gesagt hat? (diese sehr moderne Präokkupation!) –, sondern um Richtigkeit, womit nicht beansprucht wird, daß diese Darlegungen durchweg richtig seien, sondern nur, daß es ihnen primär darauf ankommt.[6]

Mit »Moderne« oder »modern« ist das Übliche gemeint: die Zeit, also, vom Ende des vergangenen Jahrhunderts an, somit ungefähr die letzten hundert Jahre. Diese Zeit setzen wir von der »Neuzeit« ab, in die sie, vielleicht als deren Ende, hineingehört. Natürlich bleibt die Frage – aber es muß nicht gerade unsere Frage sein – nach den Wurzeln der Moderne. Woher kommt die Moderne? Was sind ihre Grundlagen? Worin unterscheidet sie sich vom Vorhergehenden? Da jene Wurzeln oft in der Aufklärung gefunden werden, soll aber doch, andeutend zumindest, auf einen Einschnitt, einen tiefen Graben, hingewiesen werden, der zwischen der Moderne und der Aufklärung liegt.

Die Aufklärung liegt *vor* jener – vielleicht überhaupt bedeutsamsten – Veränderung des Denkens und Weltempfindens, auf die abkürzend der Begriff »geschichtliches Bewußtsein« zielt: der Durchbruch, die »Befreiung des geschichtlichen Bewußtseins«, wie Theodor Litt seinerzeit charakteristisch formulierte.[7] Im Vordergrund steht in der Aufklärung, etwa bei Voltaire und – entschieden komplexer – bei Kant, der Fortschrittsgedanke, die Erziehung zur Humanität, das heißt: es dominiert das Prospektive, die Negation des Vergangenen und des Bestehenden, die Zukunft. Der für diese Denker leitende Begriff der Vernünftigkeit wird von ihnen aber gerade nicht als geschicht-

---

6 Es geht um M. Schneider: *Die erkaltete Herzensschrift. Der autobiographische Text im 20. Jahrhundert*. München (Hanser) 1986, und F. A. Kittler: *Aufschreibesysteme*. 1800/1900. 2. Auflage, München (Fink) 1987.

7 Th. Litt: Die Befreiung des geschichtlichen Bewußtseins durch J. G. Herder (1942), in: Th. Litt: *Die Wiedererweckung des geschichtlichen Bewußtseins*. Heidelberg (Quelle und Meyer) 1956.

licher thematisiert; er rekurriert auf das wahre – ungeschicht-
lich gedachte – Wesen des Menschen. Bis in die Aufklärung
hinein war ja auch, philosophisch gesehen, Geschichte ein
Randthema. Im Unterschied dazu, mit Herder einsetzend, mit
Hegel ins Zentrum rückend, der Gedanke, daß alles Gegebene
»ein Gewordenes ist und demzufolge von seiner Vergangenheit
her gedeutet werden muß«.[8] Daraus dann, wenig später, die
historistische Relativierung alles in der Geschichte Anzutref-
fenden, auch die der jeweils eigenen Position. Unmöglichkeit,
somit, absoluter, also eben ungeschichtlicher Kriterien; Relativierung; alles hat seinen relativen Ort, seine relative Berechtigung in seiner jeweiligen Zeit. Der ganz neu erworbenen
Fähigkeit, »verstehend« einzudringen in die Vergangenheit, in
jeden einzelnen Abschnitt von ihr (Hofmannsthals Brief ist dafür ein hinreißendes Beispiel), korrespondiert ein Gefühl von
Ohnmacht gegenüber dem eigenen, das als geschichtlich auferlegt erfahren wird: das muß jetzt sein, das kann jetzt nicht anders sein als so, das gehört nun einmal »jusqu'à nouvel ordre«
zu *dieser* Zeit. Gleichzeitig, damit zusammenhängend ein Gefühl von Beliebigkeit, latent durchaus nihilistisch getönt, denn
dies Auferlegte erscheint ja nicht als von einem greifbaren Sinn
geleitet, vielmehr erscheint es als durch Kontingenz, wie sie
zum Historischen prinzipiell gehört, bestimmt. Ein moderner
Dichter, Gottfried Benn, beginnt ein spätes, Ende 1952 ent-
standenes, Gedicht mit diesen Zeilen: »Eingeengt in Fühlen
und Gedanken / Deiner Stunde, der Du anbestimmt…« Eine
Äußerung dieser Art hätten Voltaire oder Kant – unabhängig
von ihrer Form – nicht nur nicht getan: sie hätten sie nicht verstanden. Nehmen wir nur einmal die vielzitierte »selbstver-
schuldete Unmündigkeit«, in deren Überwindung, nach Kant,

---

8 W. Schulz: *Philosophie in der veränderten Welt.* Pfullingen (Neske) 1972,
S. 508; Schulz: »in der Aufklärung wird die leitende Bestimmung der Vernünftigkeit nicht historisiert. Vernünftigkeit ist das wahre, und das heißt das
an ihm selbst ungeschichtliche Wesen des Menschen« (S. 492); der ganze Teil
»Vergeschichtlichung« (S. 469–628) dieses Buchs ist für diesen Zusammenhang wichtig. Würde jener Graben gesehen, wäre zögerlicher die Rede von
»Aufklärung« im Blick auf das Hier und Jetzt.

die Aufklärung besteht. Sie ist für *uns* komplizierter geworden: erstens wissen wir nicht mehr genau, was Mündigkeit sei, zweitens aber (und vor allem) können wir »Unmündigkeit«, was immer sie sei, nicht schlechthin als »selbstverschuldet« betrachten. Sie ist möglicherweise vom Individuum gerade nicht verschuldet, sondern eben durch dessen es »einengende Stunde«, wozu auch die Institutionen gehören, in die es hineingeriet, zuallermeist ohne dies zu wollen. *Dies* ist der Graben, der uns von der Aufklärung trennt.

Die Moderne ist insgesamt, bewußt und unbewußt, durch den historistischen Relativismus bestimmt. Und vielleicht ist gerade die Dichtung der Moderne eine Reaktion auf diesen Relativismus, der eigentlich eine Form des Nihilismus ist. Vielleicht sucht diese Dichtung einen Halt – prekär wie auch immer – gerade in dem *einzig* ihr verbleibenden: in der Sprache. Und da dieser Dichtung – noch einmal – gerade nur noch die Sprache verbleibt, findet sich in ihr immer wieder, oft latent, die rational schwerlich begründbare Angst des Sprachentzugs, wie Botho Strauß, wirklich bereits ein wenig stammelnd, sie in der zitierten Stelle auszudrücken sucht.[9] Man kann ja, von klinischen Fällen abgesehen, die Sprache nicht verlieren, sie kann sich einem nicht, wie ein Wesen, entziehen, und die Wörter vermögen es nicht, den Sprechenden (oder den Dichtenden) von sich auszuschließen, ihn gleichsam aus ihrer Mitte zu verweisen. Was eintreten *kann*, ist dies: es kann zum Verlust der Möglichkeit literarischen Umgangs mit der Sprache kommen. Es entzieht sich dann eine auf die Sprache bezogene, mit ihr aufs engste verbundene *Fähigkeit*, nicht jedoch, wie hier behauptet, die Sprache. Wir haben in dieser Angst, die als solche, als *Symptom*, freilich von größtem Interesse ist, die gerade in der Gegenwart immer wieder hervortretende äußerst bedenk-

---

9 Die Sprache, sagte Strauß, verbleibt als »tiefes Zuhaus« und als »tiefes Exil«. Wieder dies nicht zu Ende Gedachte: entweder »Zuhause« oder »Exil«, oder, wenn beides, inwiefern »Zuhause«, inwiefern »Exil«? Läßt sich dies nicht genauer sagen? In Wahrheit ist die Sprache primär ein »Zuhause«, nur auf der Grundlage solcher, tief verwurzelter Heimatlichkeit kann das andere sich gelegentlich zeigen.

liche Hypostasierung der Sprache zu einer Art Wesen, einer Person.[10]

Zurück zum historischen Bewußtsein. Es erbringt nur scheinbare Macht. Es ist, als Möglichkeit umfassender Aneignung, *trügerische* Allmacht. Letztlich und eigentlich ist es Schwächung, Verunsicherung, Haltlosigkeit. Nietzsche hat dies (gerade als historisierender Philologe) früh desillusionierend nicht nur erkannt, sondern erlitten. Die große zweite *Unzeitgemäße*, die dies Erleiden artikuliert, gehört, wenngleich nicht sprachlich, so doch gedanklich und emotional, schon zur Moderne. Der Druck jenes Erlebens ist um so stärker, als gleichzeitig erfahren wird, daß das historische Bewußtsein, der »historische Sinn«, wie Nietzsche sagt, unaufhebbar ist: das als Schwächung Durchschaute wird gleichzeitig als das Unaufhebbare, Irreversible erkannt. In der Tat ist die Befreiung, welche die gefeierte »Befreiung des historischen Bewußtseins« erbringt, zu allermeist ambivalent: wären wir ohne sie nicht eigentlich freier?

Hinzu kommen nun die anderen, das Individuum, das sich zu Beginn des 19. Jahrhunderts, noch in der Romantik, so frei gefühlt hatte, entmachtenden, seine Bedingtheit aufzeigenden Tendenzen, die unbestimmt das Welterleben bestimmen oder ihrerseits durch dies Erleben ermöglicht sind: es deutet sich mit Darwin der Gedanke einer Genealogisierung des Menschen an, der Mensch hört auf, wie Nietzsche sagen wird, eine »ewige Tatsache« zu sein, wofür ihn die Philosophen, *alle* Philosophen, wie er betont, gehalten haben; bei Marx die Abhängigkeit von der ökonomischen Struktur, bei Freud die von der Triebschicht und vom Über-Ich: der Mensch zeigt sich, um die berühmte Formulierung aufzugreifen, als »nicht einmal Herr im eigenen Hause«.[11]

---

10 Dieser Gefahr (neben anderen) ist insbesondere M. Heidegger erlegen, freilich auf höchst interessante Weise, auch, natürlich, auf hohem Niveau; Sprache (die griechische und die deutsche; nur diese beiden!) als Ersatz-Offenbarung.

11 Vgl. W. Schulz: *op. cit.*, S. 674; zu Nietzsche vgl. *Menschliches, Allzumenschliches I*. Kritische Studienausgabe, G. Colli und M. Montinari, 2, S. 24; hier heißt es: »Mangel an historischem Sinn ist der Erbfehler aller Philosophen«.

Was nun aber das Literarische angeht, das ja nie *nur* das Literarische ist, so koinzidiert der relativierende Einbruch des historischen Bewußtseins zeitlich ziemlich genau – und gewiß damit zusammenhängend – mit dem Ende der normativen Poetik, also letztlich der Rhetorik, einer Tradition – dies muß man sich vergegenwärtigen – von über zweitausend Jahren. Dies Ende – denn es ist ein Ende (trotz Walter Jens und den Seinen) –, von der frühen Romantik herbeigeführt, gehört zu den literarischen Voraussetzungen der Moderne, die sie schon vorfindet.[12] Ihrerseits sucht sie sich nunmehr abzusetzen, ohne sie in diesem Punkt zu negieren, von der Romantik. Treffend kennzeichnet Hugo Friedrich Baudelaires Werk, das die Moderne vorbereitet, als »entromantisierte Romantik«.[13] Zu den Voraussetzungen der literarischen Moderne gehört aber auch das – im ambivalenten Sinn – faszinierte Erleben der sich rapid ausweitenden Maschinenwelt. In diesem Zusammenhang muß ja *dies* gesehen werden: die genannte Vergeschichtlichung, die schließlich den Begriff der Bildung insgesamt ergreift und zu dessen – dem 18. Jahrhundert sehr fremden – Orientierung am *Vergangenen* führt, ist auch als Gegenbewegung zu den sich verselbständigenden Naturwissenschaften und zur Technisierung der Lebenswelt zu begreifen; der vergeschichtlichte Bildungsbegriff hatte von Anfang an (und hat ihn bis heute) einen defensiven Charakter. Der Bildungshumanismus ist defensiv.[14]

Die immer weniger vermittelbare Koexistenz der später sogenannten »zwei Kulturen«, konkret dann des »humanistischen Gymnasiums« und des »Realgymnasiums« (eine entlar-

---

12 Vgl. H.-M. Gauger: Über das Rhetorische, in: *Jahrbuch der Deutschen Akademie für Sprache und Dichtung*, 1985 Heidelberg (Schneider) 1986, S. 85–102.

13 *op. cit.*, S. 58. Die Formel »entromantisierte Romantik«, mit der das Baudelaire-Kapitel Friedrichs schließt, bezieht sich genauer (und darüber hinaus) auf die Lyrik der »Erben« Baudelaires, also auf die moderne Lyrik, wie Friedrich sie versteht, insgesamt.

14 Hierzu besonders eindringlich Th. Litt: *Das Bildungsideal der deutschen Klassik und die moderne Arbeitswelt*. Bonn (Bundeszentrale für Heimatdienst) 1955.

vende Bezeichnung), diese Koexistenz – ist sie nicht eigentlich die Negation der Kultur? Sind zwei Kulturen nicht weniger als eine?[15] Das Nebeneinander beider »Kulturen«, jedenfalls, ist für die literarische Moderne konstitutiv. Dies zeigt gerade auch ihr spezifisches Verhältnis zur Sprache. In der Tat rebelliert oder reagiert die moderne Dichtung vielfach gegen die bewahrende, humanistische, pflegerisch am Vergangenen orientierte Sprachhaltung der vergeschichtlichten Bildung. Von ihr gerade sucht sie sich abzusetzen.

In Thomas Manns *Zauberberg* finden sich beide Positionen in den Figuren Lodovico Settembrini und Leo Naphta als Personen zusammengezogen. Für den in heiterer, plastischer Klarheit sich artikulierenden Italiener ist das Wort (wer könnte es schöner sagen als er?) »das Werkzeug, die glänzende Pflugschar des Fortschritts«. Später heißt es mit der Thomas Mann eigentümlichen, hier ironisch gebrochenen exakten Pathetik: »Und er sprach vom ›Worte‹, der Eloquenz, die er den Triumph der Menschlichkeit nannte. Denn das Wort sei die Ehre des Menschen, und nur dieses mache das Leben menschenwürdig. Nicht nur der Humanismus – Humanität überhaupt, alle Menschenwürde, Menschenachtung und menschliche Selbstachtung sei untrennbar mit dem Worte, mit Literatur verbunden... und so sei auch die Politik mit ihr verbunden, oder vielmehr: sie gehe hervor aus dem Bündnis, der Einheit von Humanität und Literatur.« *Ein* Wort gebe es, schließt Settembrini mit Betonung, das all dies zusammenfasse, das Wort *Zivilisation* – »Und indem Settembrini dies Wort von den Lippen ließ, warf er seine kleine Rechte empor, wie jemand, der einen Toast ausbringt.« Demgegenüber höhnt nun Leo Naphta, der im Dorf bei dem Schneider Lukaçek wohnt, in böhmischen Akzenten, mit seiner »vom Schnupfen sordinierten Stimme, die... an den Klang eines gesprungenen Tellers erinnerte, an den man mit dem Knöchel klopft«, demgegenüber höhnt Naphta gegen den »rhetorisch-literarischen Geist des europäi-

---

15 Zu den »zwei Kulturen«, der Debatte zwischen C. P. Snow und F. R. Leavis, vgl. W. Lepenies: *Die drei Kulturen. Soziologie zwischen Literatur und Wissenschaft*. München (Hanser) 1985, S. 185.

schen Schul- und Erziehungswesens und seinen grammatisch formalen Spleen, der nichts als ein Interessenzubehör der bürgerlichen Klassenherrschaft ... sei«.[16]

Die Moderne sucht, auch sprachlich, in deutlicher Abkehr von humanistischer Vergangenheitsorientierung, das ambivalente Neue der technischen Welt zu integrieren oder jedenfalls: sich ihm zu stellen, sich auf es einzulassen. Auch sie glaubt, wie Settembrini, an »die erlösende Macht der Sprache«, aber in ganz anderer Weise als er. Übrigens stieß, umgekehrt und durchaus konsequent, die moderne Literatur auf die Ablehnung der humanistisch Gebildeten. Sogar Hugo Friedrich, um nicht irgendeinen zu nennen, erklärt – und darüber darf man staunen – in einem späten knappen Lebensbericht, er habe »erst nachträglich bemerkt«, daß sein Buch *Die Struktur der modernen Lyrik* von 1956 »einen Akt der Abstoßung durch Erkenntnis vollzog«; so dreizehn Jahre später, 1969.[17]

Dies also die Prämissen der literarischen Moderne und ihres Sprachverhaltens: latentes Gefühl der Entmachtung durch die historistische Relativierung und die übrigen das Individuum entmachtenden Tendenzen, zu denen auch die zweideutige, Angst und Begeisterung mischende Faszination durch die Maschinenwelt gerechnet werden darf; Unbrauchbarkeit dann – spezifisch literarisch – der im bloßen Schulbereich, reduziert überwinternden Rhetorik (»feeding / A little life with dried tubers«), Rhetorik ist historisch abgetan; Unbrauchbarkeit aber auch der Gegenentwürfe von Romantik und Realismus, wobei aber Romantik, meine ich, insgeheim bestimmend bleibt; Vor-

---

16 Th. Mann: *Der Zauberberg*. Sonderausgabe. Frankfurt (Fischer) 1972, S. 190/191; vgl. S. 134, S. 630. Zur Rolle des Sprachlichen in diesem Roman: H.-M. Gauger: »Der Zauberberg« – ein linguistischer Roman (1975), jetzt in: H.-M. Gauger: *Der Autor und sein Stil, Zwölf Essays*. Stuttgart (Deutsche Verlagsanstalt) 1988.

17 In: Orden Pour Le Mérite für Wissenschaften und Künste, Sonderdruck aus »Reden und Gedenkworte«, 9. Band (1968/1969), S. 215; vgl. hierzu bereits das Vorwort der ersten Auflage der *Struktur*: »Ich selbst bin auch kein Avantgardist. Mir ist bei Goethe wohler als bei T. S. Eliot«. Das Buch widerspricht nicht diesem Satz, aber die Behauptung, daß hier »Abstoßung« vorliege, ist nicht glaubhaft; sie ist nachträgliche Interpretation.

bildlosigkeit überhaupt, auch gerade sprachlich; Abkehr von der als ausgelaugt, der Zeit nicht mehr gemäß erscheinenden Bildungssprache; Zurückgeworfenheit auf das pure Material der Dichtung, die Sprache also, den Sprachbesitz in seiner Vielfalt; Suche nach einer neuen, nun nicht mehr historisch, durch Diskurstradition vermittelten, sondern gleichsam überhistorisch, ja, mythisch konzipierten Sprache, wie uns dies eingangs bei Hofmannsthal entgegentrat.

Für die Suche der Moderne (es gab übrigens romantische Vorläufer) nach einer *neuen* Sprache, also Sprechweise, nur ein Beispiel (viele ließen sich nennen). Schon fünfundzwanzig Jahre vor dem Chandos-Brief schreibt der erste nun wirklich ganz moderne Dichter, der neunzehnjährige Arthur Rimbaud, in der aus sieben Prosastücken bestehenden Dichtung *Une saison en enfer* (1873): »Ich habe versucht, neue Blumen zu erfinden, neue Gestirne, neue Leiblichkeiten, neue Sprachen«, »J'ai essayé d'inventer de nouvelles fleurs, de nouveaux astres, de nouvelles chairs, de nouvelles langues«.[18] Die Sprachen – also übrigens im Plural – stehen am gewichtigen Ende des neu Erfundenen. Aber diese berühmten Sätze leiten nur das ihnen folgende Eingeständnis des Scheiterns ein. Entscheidend ist die Artikulation des Unbefriedigtseins an der überkommenen Dichtungssprache, am, wie Rimbaud auch sagte, »poetischen Trödelkram«, »la vieillerie poétique«. In der Tat werden nun, in der Moderne, gerade all die lexikalischen Elemente, die das Wörterbuch mit dem Index »poetisch« versieht, Typus *Lenz* statt *Frühling, Au* statt *Wiese*, von der Dichtung ausgeschlossen: dies nun gerade nicht, sondern das direkte, das übliche Wort! Nun also nicht mehr wie etwa bei Wordsworth, schon leicht parodierend, der schöne Vers »Und indem wir im Grase saßen, nahmen wir zu uns das wohlriechende Getränk, das aus Chinas Blättern gezogen wird«, nur um nicht zu sagen »Tee«

---

18 A. Rimbaud: Une saison en enfer, in: *Œuvres complètes*. Pléiade, Paris (Gallimard) 1972, S. 243; nachher heißt es: »J'ai cru acquérir des pouvoirs surnaturels. Eh bien! je dois enterrer mon imagination et mes souvenirs! Une belle gloire d'artiste et de conteur emportée!«; »la vieillerie poétique« (S. 234).

(»And sitting on the grass partook the fragrant beverage drawn from China's herb«)[19].

Was ist von der Sprachwissenschaft her zu dieser neuen Sprache, zur Suche nach ihr, zu sagen? Zunächst ist festzustellen, daß es hier gar nicht um Sprache geht in dem diffusen Sinn, in dem man hier das Wort zu gebrauchen pflegt. Die Sprachwissenschaft hat in dieser Hinsicht nützliche, das Verständnis erst ermöglichende Unterscheidungen getroffen. Es geht um das, was man »Diskurstradition« nennen sollte. Sodann und vor allem: *die* Sprache – dies hat auch die Sprachwissenschaft nicht immer im Auge, obwohl sie es natürlich weiß – gibt es gar nicht. Es gibt nicht die Sprache im Singular; es gibt nur Einzelsprachen, historisch gewordene Einzelsprachen. Dies gilt für die Situation nach dem Ereignis von Babylon, mit dem die sogenannte »Urgeschichte« der biblischen Genesis schließt (Genesis, 11, 1–9). Babel ist eigentlich der Einbruch des Geschichtlichen in die Sprache. Anders gesagt: die Erzählung der Genesis versucht einen narrativen Beweis für die Sprachenvielfalt, die ein Produkt der Geschichte ist. Sie »erklärt« faktisch die Geschichtlichkeit der Sprache! Nach Babel, *After Babel*, um den berühmten Titel zu zitieren, heißt Sprache Historizität; Historizität ist ein universeller Zug der Sprache.[20]

Historizität impliziert Wandel, aber auch – synchronisch betrachtet – interne Varianz: eine historisch gewordene Einzelsprache hat ihre interne Varietät erstens nach dem Raum (dialektale, diatopische Varianz), zweitens nach den sozialen Schichten (diastratische Varianz), drittens nach der Zeit (diachronische Varianz, denn die Sprechenden unterscheiden alte und neue Wörter, konkret: solche der Großeltern und solche der Enkel und Neffen). Und es gibt noch andere Varianzen, worunter auch die – für uns wichtige – zwischen dem Geschriebenen und dem Gesprochenen zählt: »geschrieben« und

---

19 Die Stelle aus Wordsworth zitiert (leider ohne Angabe) S. Ullmann: The Principles of Semantics. Zweite Auflage 1957, Oxford (Blackwell), S. 105.
20 G. Steiner: *After Babel. Aspects of Language and Translation*. London/ New York/Toronto (Oxford University Press) 1975.

»gesprochen« hier genommen als zwei verschiedene Typen sprachlicher Äußerung, nicht in jeder Hinsicht, aber doch ziemlich unabhängig von der Realisierung entweder im Akustisch-Gesprochenen oder im Optisch-Geschriebenen, denn *dies* muß ja gesehen werden: mit dem Prädikat »geschrieben« oder »gesprochen« beziehen wir uns nicht ausschließlich auf das eine oder das andere Medium der Realisierung, sondern auch auf die Anlage des Geäußerten in gewissem Sinn *unabhängig* vom Medium (typisch Geschriebenes kann gesprochen, typisch Gesprochenes aufgeschrieben werden).[21] Mario Wandruszka sagt in einem Buch von 1979: »Eine Sprache ist viele Sprachen«.[22] Dies erscheint paradox, geht vielleicht auch zu weit, weil es den Unterschied zwischen externer und interner Varianz unberücksichtigt läßt, jedenfalls aber ist bereits ein Begriff wie »das gegenwärtige Deutsche« ohne Zweifel eine erhebliche Abstraktion; eine *pure* Abstraktion ist aber gewiß der Begriff »die Sprache«. Diese Abstraktion ist sicher alles andere als unerlaubt, sie ist vielmehr notwendig; man muß sich aber vergegenwärtigen, daß es »die allgemeine Tätigkeit des Sprechens« nicht gibt, wie zum Beispiel der bekannte und bedeutende Linguist Coseriu sich auszudrücken pflegt. Coseriu verwechselt hier die »Ebene« der Untersuchung mit der untersuchten Sprache; er begeht einen »Übergang vom Verstand zur Sache«, »transitus ab intellectu ad rem«.[23] Das Sprechen vollzieht sich stets und unvermeidlich im Modus einer – durch Varianz gekennzeichneten Einzelsprache.

---

21 Hierzu der wichtige Aufsatz meiner Mitarbeiter P. Koch und W. Oesterreicher: Sprache der Nähe – Sprache der Distanz. Mündlichkeit und Schriftlichkeit im Spannungsfeld von Sprachtheorie und Sprachgeschichte, in: *Romanistisches Jahrbuch*, Bd. 36 (1985), S. 15–43. Die Begriffe »diatopisch«, »diastratisch« und »diaphasisch« verdanken wir L. Flydal und E. Coseriu (Angaben bei Koch/Oesterreicher).

22 M. Wandruszka: *Die Mehrsprachigkeit des Menschen*. München (Piper) 1979, S. 39. Entscheidend ist die prinzipielle Heterogenität (interne Varianz) jeder Sprache.

23 Vgl. E. Coseriu: *Einführung in die Allgemeine Sprachwissenschaft*. Tübingen (Francke) 1988, S. 250 ff., auch (besonders eindrucksvoll) B. Schlieben-Lange: *Traditionen des Sprechens, Elemente einer pragmatischen Sprachgeschichtsschreibung*. Stuttgart (Kohlhammer) 1983, S. 13–29.

Das Sprechen *ist* dieser Modus. Die Untersuchung darf dies nicht bloß feststellen; sie muß daraus Konsequenzen ziehen. Dies mag trivial erscheinen, aber noch immer glaubt ein bedeutender Teil der Sprachwissenschaft an die universelle Grammatik als an einen gleichsam der Geschichte entzogenen, biologisch vorgestellten »Kernbestand« der Sprache, so daß die Einzelsprache lediglich eine Modifikation dieses supponierten »Kernbestands« wäre. Die Einzelsprachen sind aber durch und durch geschichtlich; biologisch ist nur die durchaus rätselhafte Fähigkeit eines Neugeborenen, jede beliebige Sprache zu lernen oder – der Zusatz ist wichtig – *mehrere* beliebige Sprachen zugleich. Die alte Formel, die den Menschen bestimmt als das »Sprache habende Lebewesen«, »tò zóon lógon échon«, ist von hier aus – zumindest von hier aus – zu korrigieren. Der Mensch ist das Lebewesen, das eine historisch gewordene Einzelsprache spricht und – potentiell – mehrere solcher Sprachen erlernen kann. Wie immer es um die »Sprache«, die Signalsysteme der Tiere stehen mag, jedenfalls haben Tiere erstens nicht Sprachen, die in dieser Weise geschichtlich determiniert wären, zweitens haben sie, als Einzelwesen, nicht mehrere Sprachen zugleich; sie übersetzen nicht. In der Geschichtlichkeit der Sprache, also darin, daß es *die* Sprache nicht gibt, liegt die *differentia specifica* des Menschen auf jeden Fall. Und der komplizierte Prozeß, seinerseits geschichtlich, des individuellen Spracherwerbs ist der Einbruch des Geschichtlichen in das zunächst fast rein Biologische. Mit der Sprache und durch sie (natürlich nicht durch sie *allein*) wird der Mensch geschichtlich. Er erwirbt zum Beispiel eine geschichtlich gewordene vorwissenschaftliche Einteilung der Welt.[24]

Wir haben somit die vielfach durch Varianz gekennzeichnete Einzelsprache, und wir haben, innerhalb dieser Einzelsprachen in dem Bereich, der uns interessiert, dem Literarischen, Diskurstraditionen, also erneut Geschichtliches. »Man schreibt«, sagt Botho Strauß an der angeführten Stelle, »einzig im Auftrag der Literatur. Man schreibt unter Aufsicht alles bisher Ge-

---

24 Hierzu H.-M. Gauger: *Über die Vielfalt der Sprachen. Geteilte Sprache. Festschrift für R. Marten.* Amsterdam (Grüner), 1988, S. 191–202.

schriebenen«[25]. Der Autor braucht dies nicht immer so zu empfinden, er braucht es sich nicht so explizit zu Bewußtsein zu bringen. Er steht aber immer, auch gerade wenn er sich ihrer zu entwinden sucht, in einer oder mehreren Diskurstraditionen. Diese Diskurstraditionen können übrigens – dies ist interessant – auch übereinzelsprachlich sein, also mehrere Einzelsprachen umgreifen. Gerade hierum geht es bei der »Sprache« der modernen Literatur in besonderem Maß. Es handelt sich also bei der Suche nach der »neuen Sprache« der Moderne nicht um Einzelsprachen; es geht um Sprechweise innerhalb von Einzelsprachen; es geht darum, sich von Diskurstraditionen zu lösen und eine neue – vielleicht rein individuelle – zu schaffen.

Was ist neu am Sprachverhältnis der Moderne? Was an diesem Verhältnis gab es vorher nie? Zunächst dies: die Sprache wird der Literatur, der Dichtung, zum ersten Mal als solche, als Sprache an und für sich, zum Problem. Also schon hier der Versuch des sich der Geschichte Entwindens. Bisher galt das Sprachinteresse der Dichter nur *einzelnen* Sprachen und innerhalb dieser vorwiegend Fragen der Norm. Dies Interesse war immer von der Art, wie es sich, höchst bemerkenswert, etwa bei Dante zeigt in dem (unvollendeten) Traktat über »Dichtung in der Volkssprache«, *De vulgari eloquentia*, in dem die Frage behandelt wird, welcher der vierzehn (von Dante ganz zutreffend ausfindig gemachten) italienischen Dialekte als Hochsprache geeignet sei, in welchem also in Italien *gedichtet* werden soll[26]. Nun jedoch – sehr neu – theoretisch und praktisch das Interesse an der Sprache an sich. Hierher gehört gewiß, daß nunmehr zum ersten Mal massiv die Dichtung die Einzelsprache durchbricht. Die Dichtung gewinnt einen universalistischen Zug. Es finden sich Einsprengsel aus anderen Sprachen, etwa der deutsche Satz gleich zu Beginn von T. S. Eliots *The Waste Land*: »And went on in sunshine, into the Hofgarten, / And drank coffee, and talked for

---

25 B. Strauß: *op. cit.*, S. 109. Strauß fügt aber (und wirkt hierin glaubhafter) hinzu: »Man schreibt aber doch auch, um sich nach und nach eine geistige Heimat zu schaffen, wo man eine natürliche nicht mehr besitzt.«

26 Vgl. H.-M. Gauger, W. Oesterreicher, R. Windisch: *op. cit.* S. 40–42 (vgl. FN 29).

an hour. / Bin gar keine Russin, stamm' aus Litauen, echt deutsch. / And when we were children, staying at the arch-duke's...«[27] Besonders James Joyce ist hier zu nennen. Aber selbst ein zumindest sprachlich so unmoderner Autor wie Thomas Mann hat, sehr spät, im *Erwählten* dergleichen versucht, wo der Herbst amerikanisch »Fallzeit« heißt und das Wort »andererseits« als »an der anderen Hand« erscheint; auch vor einem »soßigen Kerl«, »a saucy chap«, schreckt Mönch Clemens, hinter dessen Maske sich der Autor in diesem Roman begibt, nicht zurück, und Clemens erklärt schon zu Beginn, mittelalterlich zugleich und modern: »Gott ist Geist, und über den Sprachen ist *die* Sprache.«[28]

Es ist nun überaus bemerkenswert und wurde, soweit ich sehe, nicht beachtet, daß um 1900 herum (und gewiß ganz unabhängig von Rimbaud oder Nietzsche) auch in der Sprachwissenschaft die Sprache als solche, ihre »Natur überhaupt« (Humboldt), zum Thema wird. Eine Rückkehr – so deutete sich Saussure selbst – zum 18. Jahrhundert. Wir haben da in der Tat bei Saussure, dem Begründer des europäischen Strukturalismus, eine völlige Schwenkung des Interesses gegenüber der vorausgehenden Sprachwissenschaft, der junggrammatischen Schule, der Saussure zunächst selbst angehörte, und eine Art Rückkehr zum 18. Jahrhundert. Die junggrammatische Schule (ab 1880) interessierte sich eigentlich nur für sprachliche Einzelheiten, für historische Einzelfakten und deren kausale Zusammenhänge. Nun aber gerät, wiederum begleitet von dem Versuch, der Historizität zu entrinnen, die Sprache als solche und als ganze, und dies hieß (für den Strukturalismus) als *System* in den Blick: eine geheime zeitbedingte Verbindung also – mehr soll nicht gesagt sein – zwischen Rimbaud und Saussure.[29]

27 T. S. Eliot: *The Waste Land*, in: T. S. Eliot: *Selected Poems*. London (Faber and Faber) 1952, S. 49; schon kurz vorher: »Summer surprised us, coming over the Starnbergersee / With a shower of rain...«.

28 Vgl. H.-M. Gauger: Falsche Freunde, in: *Romania historica et Romania hodierna*. Festschrift für Olaf Deutschmann. Frankfurt/Bern 1982, S. 90–92.

29 Vgl. H.-M. Gauger, W. Oesterreicher, R. Windisch: *Einführung in die Romanische Sprachwissenschaft*. Darmstadt (Wissenschaftliche Buchgesell-

Zur Moderne gehört insgesamt ein spezifisches und ganz neues, bisher nicht zu verzeichnendes Verhältnis zur Sprache: ein wichtiges und ohne Zweifel zu wenig beachtetes Element einer Diagnose der Moderne. Es ist bekannt, daß in der Philosophie das Thema Sprache, bisher ein Randthema in ihr, erst in diesem Jahrhundert ins Zentrum rückt. Dies heißt nicht, daß es nicht, von Plato an, eine philosophische Reflexion über die Sprache gegeben hätte. Aber zentral war diese Reflexion allenfalls bei Humboldt, der jedoch – auch dies ist charakteristisch – erst gegenwärtig (und noch immer unzureichend) auf das ihm gebührende Interesse trifft. In der Moderne ist das Sprachthema zur »prima philosophia« geworden. Dabei ist zu beachten, daß dies für philosophische Richtungen gilt, die unter sich ganz verschieden sind, ja, sich zum Teil gegenseitig ignorieren. Es gilt für die von Carnap bestimmte formalsprachlich konstruktive Richtung des logischen Empirismus, es gilt für den frühen und den späten Wittgenstein; es gilt für die von dem letzteren ausgehende Philosophie der Alltagssprache, »ordinary language philosophy«; es gilt für die Phänomenologie, für Heidegger und die hermeneutische Philosophie, es gilt für die »transzendentalphilosophische« Sprachreflexion bei Cassirer, Apel und anderen, und es gilt für den von hier ausgehenden Habermas; auch die evolutionäre Erkenntnistheorie, von Konrad Lorenz herkommend, darf hier genannt werden. Übrigens kündigt sich, wie Vieles, das Sprachthema bereits bei Nietzsche mächtig an.[30]

schaft) 1981, S. 46/47, S. 58–60, S. 68. Humboldt gehört in gewissem Sinn noch zum 18. Jahrhundert, er hatte denn auch wenig Einfluß auf die Sprachwissenschaft des 19. Jahrhunderts und ist noch immer, wie J. Trabant formuliert, »unabgegolten«; vgl. J. Trabant: *Apeliotes oder Der Sinn der Sprache. Wilhelm von Humboldts Sprachbild*. München (Fink) 1986.

30 Vgl. H. Fahrenbach: Zur Problemlage der Philosophie. Eine systematische Orientierung. Frankfurt (Klostermann) 1975, S. 46. Zu Nietzsche vgl. die Stelle aus der 4. *Unzeitgemässen* (über Wagner), Kritische Studienausgabe, G. Colli, M. Montinari, 1, S. 455. Auf diese bemerkenswerte Stelle weist U. Pörksen hin und stellt sie gerade dem Chandos-Brief entgegen (U. Pörksen: *Plastikwörter. Die Sprache einer internationalen Diktatur*. Stuttgart (Klett-Cotta) 1988, S. 45). Es ist hier aber, meine ich, Disparität. Beide Äußerungen sind auf ihre verschiedene Weise diagnostisch wichtig.

Grob gesprochen sind zwei Ausprägungen des Sprachinteresses zu unterscheiden: da ist einerseits Sprachskepsis, Zweifel an der Sprache als Mittel der Erkenntnis und als Mittel der Mitteilung des Erkannten, gerade bei Nietzsche erscheint diese Skepsis äußerst radikal; andererseits findet sich, bei Heidegger etwa, auch wieder großes Vertrauen in die Sprache (das bekannte »Haus des Seins«); es gibt bei ihm den – vorsichtig gesagt – schwierigen Versuch, *die Sprache selbst*, anstelle des reflektierenden Subjekts, zum Sprechen zu bringen. Es ist bemerkenswert, daß beide Ausprägungen, die sich bei den einzelnen Denkern auch komplex verbinden können, sich verteilen, letztlich, auf die beiden Wurzeln unserer sogenannten »abendländischen Welt«: während die biblische Welt, die jüdische wie die christliche, sich durch ungebrochenes, freilich ganz unheideggerisches Sprachvertrauen kennzeichnet (jedenfalls fehlt jegliche Skepsis), ist diese Skepsis gerade für das griechische Denken, von den Vorsokratikern und besonders den Sophisten an, konstitutiv. Platon geht in seiner Philosophie geradezu von solcher Skepsis aus, der sich die spezifische Skepsis gegenüber dem Geschriebenen, der Schriftlichkeit insgesamt, hinzugesellt; somit Sprachvertrauen hier, Sprachskepsis dort. Sprachskepsis fehlt übrigens nicht in der christlichen oder der späteren jüdischen Tradition; sie fehlt aber in der Welt der Bibel.[31] Versuchen wir nunmehr, die im Sprachlichen spezifisch *modernen* Tendenzen knapp zusammenzustellen, dasjenige, also, was es zuvor nicht gab. Diese Zusammenstellung ergibt, wie es scheint, zugleich eine ziemlich vollständige Übersicht über die Möglichkeiten, die überhaupt zur Verfügung stehen, denn dies fällt, von der Sprache her betrachtet, sogleich auf, ist aber, recht besehen, wenig überraschend: die *Knappheit* der Möglichkeiten; man kann mit der Sprache (*nur* mit der Sprache, denn dies ist unser Thema) soviel Verschiedenes nicht machen.

Eine erste Möglichkeit, genutzt besonders als Reaktion auf Realismus und Naturalismus, ist die Abhebung von der All-

---

31 Vgl. H.-M. Gauger: Die Sprache im Schöpfungsbericht der biblischen Genesis, in: *Festschrift für O. Szemerényi*. Den Haag (Mouton) 1990.

tagssprache durch Überhöhung; Verfremdung durch Feierlichkeit, Verfestlichung des literarischen Diskurses. Übrigens ist diese Tendenz schon vorher zu verzeichnen, im französischen Parnaß zum Beispiel, und ist nur in der Radikalisierung spezifisch modern. Mallarmés viel zitierte Formel lautet: »den Wörtern der Menge einen reineren Klang geben«, »donner un son plus pur aux mots de la tribu«.[32] Es ist die Linie Mallarmé, George, Rilke; auch Benn hat teil an ihr. Und in unseren Tagen haben wir ja, bei Handke und Botho Strauß, die neue Feierlichkeit. Man kann schockieren, in der Tat, auch durch sich abhebende Verfestlichung. Zu Stefan George hat schon Thomas Mann in einem Rückblick angemerkt, dessen »esoterische Spracherneuerung« sei »in ihrer Art ebenso revolutionär und herausfordernd (gewesen) wie der naturalistische Bürgerschreck«.[33] Dies bewährt sich, wie die Reaktion zeigt, auch im Fall von Handke und Strauß.

Zweite Möglichkeit, in die genau umgekehrte Richtung gehend: Abweichung von der literarischen Diskurstradition nicht nach oben, sondern nach unten. Es ist der Versuch, die literarische Sprache zu erneuern durch den Rekurs auf die tatsächlich gesprochene Sprache, Öffnung des dichterischen Sprechens nach *dieser* Seite hin. Verfremdung durch Alltagssprachlichkeit. Dies findet sich, bekanntlich, schon – und von dessen Ansatz her unvermeidlich – im Naturalismus, etwa bei Zola, und, gesteigert, bei Gerhart Hauptmann. Der alte Fontane bereits hat hier sogleich etwas gemerkt; er schrieb an seine Tochter über Hauptmanns frühes Drama *Vor Sonnenaufgang*: »Er gibt das Leben, wie es ist, in seinem vollen Graus; er tut nichts zu, aber er zieht auch nichts ab. Dabei (und das ist der Hauptwitz und der Hauptgrund meiner Bewunderung) spricht sich in dem, was dem Laien einfach als abgeschriebenes Leben erscheint, ein Maß von *Kunst* aus, wie es nicht größer gedacht

---

32 In dem Gedicht »Le Tombeau d'Edgar Poe«, Hommages et Tombeaux, in: S. Mallarmé: *Œuvres complètes*. Pléiade, Paris (Gallimard) 1965, S. 70.

33 Th. Mann: *Gerhart Hauptmann*. Gütersloh (Bertelsmann) 1953, S. 16 (Rede, gehalten am 9. November 1952 im Rahmen der Frankfurter Gerhart-Hauptmann-Woche).

werden kann.«[34] Da ist nun, sehr treffend, das äußerst schwer erreichbare Ideal, auch im sprachlichen Teil dieser Bemühungen um Lebenswahrheit, denn um *diese* geht es dem naturalistischen Hauptmann, gekennzeichnet: »das Leben, wie es ist«, also auch die Sprache, wie sie ist, und dennoch kein bloßes »Abschreiben« des Lebens, der *im Leben* gesprochenen Sprache, sondern – Kunst. Dies wird in der modernen Literatur weitergeführt und, unter Abwerfen, vielfach, des Kunstanspruchs selbst, radikalisiert. So ist in ihr insgesamt doch etwas Neues und Spezifisches. Es wird dem »gemeinen Mann auf dem Markt... auf das Maul gesehen«, wie es sich Luther nicht hätte träumen lassen.[35] Queneau und Céline, besonders dieser, Döblin im *Alexanderplatz* und natürlich, vor allen anderen, Joyce; aber dies ist nur *ein* Element des sprachlichen Universums von Joyce (multiple Joyce). *Diese* Sprachintention heißt natürlich auch Dialekt und Hereinnahme der Sprachvarianz (diatopisch, diastratisch, diaphasisch, diachronisch, gesprochen/geschrieben) *insgesamt*. Erneuerung, also, der als ausgelaugt und untauglich empfundenen literarischen Diskurstradition durch das tatsächlich in analoger lebenswirklicher Situation Gesprochene.

Übrigens gibt es eine traditionelle stilistische Regel, die auf die italienische Renaissance zurückgeht und in dieselbe Richtung zu gehen scheint, sie meint aber doch sehr Verschiedenes: die Anweisung »Schreibe, wie du redest!«; sie erscheint in Deutschland im 18. Jahrhundert. Aber diese Regel hat ein kultiviertes, in gewissem Sinn »schriftliches« Sprechen im Auge, worum es in der Moderne gerade nicht geht. So ist hier doch, auch in dieser Hinsicht, ein wirklicher Bruch, etwas *Neues*. Vor allem muß gesehen werden, daß die Moderne hier qualitativ anderes will als der Echtheitsanspruch, das Echtheitspathos des Naturalismus: es geht geradezu um die Schaf-

---

34 Diese Fontane-Stelle zitiert Th. Mann in der Hauptmann-Rede, *op. cit.*, S. 18.

35 M. Luther: *Sendbrief vom Dolmetschen* (1530), vgl. *Insel-Almanach auf das Jahr 1983*. Martin Luther: *Aus rechter Muttersprache*. Hrsg. Walter Sparn, Frankfurt (Insel) 1983, S. 38.

fung eines neuen *poetischen* Diskurses, nicht um genaue Wiedergabe.[36]

Eine dritte Möglichkeit, von der modernen Literatur vielfach genutzt und in der Radikalität gewiß spezifisch, ist die Hereinnahme des Fachsprachlichen. Man denke nur an Musil, bei dem dies gleich in den ersten Sätzen seines Hauptwerks erscheint, oder an die fachsprachlichen Orgien Gottfried Benns. Bei diesem Versuch werden – zumindest sprachlich und letztlich wohl *nur* sprachlich – die »beiden Kulturen« aufgebrochen; es ergibt sich eine Literarisierung des Fachvokabulars. Öffnung, jedenfalls auch hier; keine nach dieser Seite hin abgedichtete Literatursprache. Man will ja nun nicht mehr – dies gerade nicht – die Literatursprache als schöne Insel inmitten des Übrigen. Die Wendung gegen die *herkömmliche* literarische Diskurstradition zeigt sich besonders in diesem Punkt, denn jene Tradition hatte sich auch nach dem Fachlichen und Technischen humanistisch abgeschottet.

Eine vierte Möglichkeit, sich aus den drei genannten aufs natürlichste ergebend, ist die mehr oder minder raffinierte Mischung: feierlich Überhöhtes, banal Alltagssprachliches, Fachvokabular. Raymond Queneau zeigt das Verfahren paradigmatisch, wenn er das ordinäre, wenngleich überaus häufige Verbum *foutre* mit dem ausschließlich schriftsprachlichen »imparfait du subjonctif« und der gewählten Negation *ne... point* verbindet: »Obwohl er noch nicht sicher war, ob sie sich über ihn lustig machte«, »Quoiqu'il ne fût pas encore sûr, qu'elle ne se foutît point de lui«.[37] Auch was diese Sprachmöglichkeit, die

---

36 Vgl. H.-M. Gauger: »Schreibe, wie du redest!« Zur Geschichte und Problematik einer stilistischen Anweisung, jetzt in: H.-M. Gauger: *Der Autor und sein Stil*. Stuttgart (Deutsche Verlagsanstalt) 1988, S. 9–25. Céline, in dieser Hinsicht wohl der beste Zeuge, erklärt: »rien n'est plus difficile que de diriger, dominer, transposer la langue parlée, le langage émotif, le seul sincère, le langage usuel, en langue écrite, de le fixer sans le tuer...« (zit. bei R. Queneau in dem ebenfalls einschlägigen Aufsatz »Écrit en 1937« in: *Bâtons, chiffres et lettres*. Paris (Gallimard) 1952, S. 18).

37 Vgl. R. Queneau: *Pierrot mon ami*. Paris (Gallimard) 1972, S. 107; vgl. »Bienque je fleurtasse, je les avais comptées« (R. Queneau: *Le Journal intime de Sally Mara*, Paris (Gallimard) 1962, S. 174).

Mischung angeht, übrigens zusätzlich in gewaltiger historischer Vertiefung, dürfte wiederum Joyce am weitesten gegangen sein.

Eine fünfte Möglichkeit (die Reihenfolge, natürlich, ist unerheblich) ist der Rückzug des literarischen Sprechens aus der Wirklichkeit: Negation der Mimesis, Entwirklichung. Dichtung will nichts mehr sagen. Jedenfalls nichts Genaues mehr. Eigentümlich, daß dies bei dem Autor explizit zuerst erscheint, der die *Madame Bovary*, das Ur- und Vorbild, also, des realistischen Romans schrieb. Sein Wunsch gehe, sagte Flaubert in einem viel zitierten Brief, nach einem »Buch über nichts«, »un livre sur rien«.[38] In der Tat ist der Realismus Flauberts eher formaler, »stilistischer« Natur; einerseits nur Realität, andererseits deren Aufhebung durch Kunst. Der Rückzug des literarischen Sprechens aus der Wirklichkeit, das Desinteresse an ihr, das bis zur Weigerung gehen kann, irgend Greifbares überhaupt noch zu äußern, ist ein spezifisch moderner Zug. Mallarmé erklärt in dem berühmten Gedicht *Toute l'âme résumée*, das eine brennende Zigarre zum Anlaß nimmt (diese ist keineswegs *Gegenstand* des Gedichts), kategorisch: »Schließe das Wirkliche (aus der Dichtung nämlich) aus, weil es gemein ist«, »Exclus-en si tu commences / Le réel parce que vil«.[39] Im übrigen braucht die gefühlte Gemeinheit, ein ästhetisch aristokratischer Widerwille, nicht immer der Grund für den desinteressierten Rückzug aus der Welt zu sein. Jedenfalls haben wir in der Moderne zum ersten Mal den Fall, daß die Wirklichkeit nicht mehr »durch Nachahmung oder gar archetypische Steigerung in die Dichtung eingeht. Nur jener Rest an Realität, der zum Zwecke ästhetizistischer Bezugnahme unabdingbar ist, wird in den sprichwörtlichen elfenbeinernen Turm des Ästhetizismus eingelassen«; so Hugo Laitenberger anläßlich des Gedichts *Toute l'âme résumée* ... in einem bemerkenswerten Auf-

---

38 Vgl. H.-M. Gauger: *Der vollkommene Roman – Madame Bovary*, München (Carl Friedrich von Siemens Stiftung) 1985; jetzt in: H.-M. Gauger: *Der Autor und sein Stil. Zwölf Essays*. Stuttgart (Deutsche Verlagsanstalt) 1988, S. 57–80.

39 S. Mallarmé: »Toute l'âme résumée...«. Autres Poèmes et Sonnets, in: S. Mallarmé: *Œuvres complètes*. Pléiade, Paris (Gallimard) 1965, S. 73.

satz.[40] In unserem Zusammenhang wird deutlich, um was es sich bei diesem Rückzug *ebenfalls* handelt: einen Rettungsversuch durch Sprache.

Das genannte Zigarren-Gedicht Mallarmés, ein Wunderwerk, gewiß, in seiner Art (und nicht nur *seiner* Art), schließt mit den Versen, die eine Aufforderung an den Dichter überhaupt, eine ars poetica, sind: »Deine vage Literatur möge den zu genauen Sinn ausstreichen«, »Le sens trop précis rature / Ta vague littérature« (Subjekt ist hier also »littérature«, nicht »sens«). Demnach: Vermeidung des Genauen, oder positiv – denn da ist eine positive Anstrengung – Verdunkelung, Verrätselung des Textes. Dies nun ist eine sechste – mit der zuvor skizzierten zusammenhängende – Möglichkeit. Natürlich gab es schon früher schwer zu verstehende Dichtung; bereits in der ältesten mittelalterlichen Dichtung, dem provenzalischen Minnesang, gab es das sogenannte »verschlossene Dichten«, »trobar clus«, oder dann, im Barock, bei den »metaphysical poets« in England, oder dem großen Góngora in Spanien, der übrigens daneben – dies ist bemerkenswert – auch ganz einfache Gedichte schrieb. Hier ging es um Dichtung, die, indem sie – besonders durch kunstreich versetzte Syntax – schwierig sein wollte, bewußt und spielerisch an Kennerschaft appellierte, der sie den bedeutenden Genuß der Selbstbestätigung verschaffte. Diese Texte haben einen durch – begrenzte – Anstrengung durchaus freilegbaren Sinn. Dies ist nun bei Rimbaud, besonders jedoch bei Mallarmé, aber auch bei Celan, Jorge Guillén (und so vielen anderen, die hier zu nennen wären) sehr anders. Insofern ist die Berufung einer Reihe dieser Dichter auf ihre barocken › Vorgänger‹ unberechtigt.[41] Der Bruch liegt hier zwischen dem bereits vorbereitend modernen, noch aber durchaus

---

40 H. Laitenberger: Mallarmés Gedicht ›Le Tombeau de Charles Baudelaire‹, in: *Neusprachliche Mitteilungen aus Wissenschaft und Praxis*, 1969, S. 88.

41 Zur Góngora-Rezeption in Spanien: D. Alonso: Góngora y la literatura española, in D. Alonso: *Estudios y Ensayos gongorinos*. 2. Auflage, Madrid (Gredos) 1961. H. Friedrich sieht hier nicht das Mißverständnis dieser Rezeption (vgl. *op. cit.*, S. 144–146). Góngora wird hier schöpferisch, aber literarhistorisch zu Unrecht in Anspruch genommen.

verständlichen Baudelaire einerseits und Rimbaud andererseits, der insofern (zumindest insofern) der erste *ganz* moderne Dichter ist. Das literarische Sprechen verliert nun weithin, nicht nur in der Lyrik, was Hugo Friedrich schön die »kommunikative Wohnlichkeit« nennt.[42] Dies geht – und zwar sogleich bei Mallarmé und hier wohl noch immer am radikalsten – bis zur völligen »Unentscheidbarkeit der Texte«, die Hans-Jost Frey in einem Buch von 1986 unter dem Stichwort »referentielle Illusion« erläutert, wobei er Friedrich zutreffend korrigiert. Denn es geht ja nicht einfach, wie es bei Friedrich erscheint, um »sinndunkle Sprache« (also: Sprechweise), sondern um *qualifizierte* Dunkelheit, jedenfalls in den geglückten Fällen: die Referenz ist nicht schlechthin abwesend, es bleibt eine Spannung zur Mitteilung; was aber mitgeteilt wird, die Referenz, bleibt ungewiß, ist letztlich nicht entscheidbar. »Der literarische Text ist nicht der Text, der keine Referenz hat, sondern der Text, dessen Referentialität ungewiß ist.« Was hier, unter den Stichworten »Verdunkelung« oder »Verrätselung«, in Rede steht, ist äußerst komplex.[43] Es geht nicht um die prinzipiell gegebene Offenheit eines jeden (nicht nur des literarischen) Texts im geschichtlichen Prozeß der Rezeption. Diese Offenheit veranlaßte Platon zu seinem grundsätzlichen Mißtrauen gegen den philosophischen Text, gegen das Aufgeschriebene, das ohne seinen Vater, den Autor, wehrlos dem Mißverstehen ausgesetzt sei, andererseits auf Fragen nichts antworten könne.[44] Diese Art von Offenheit gehört zum Wesen der noch nicht ausreichend bedachten Schriftlichkeit grundsätzlich. Nichts läßt sich absolut mißverständnisgesichert sagen. Es geht auch nicht um das Phänomen des gleichsam objektiven, dem Autor selbst verborgenen Sinns seines Texts. Es geht jetzt, von Rimbaud an, um die vom Autor selbst produzierte, wortwörtlich ins Werk gesetzte, quasi dinghafte Bedeutungsoffenheit seines Texts, an der die Frage selbst, bei Góngora etwa

42 *op. cit.*, S. 17.
43 H.-J. Frey: Studien über das Reden der Dichter. München (Fink) 1986.
44 Platon: *Phaidros*, Kap. 59–60 (274 b–276 a). Sämtliche Werke, 4, Hamburg (Rowohlt) 1958, S. 54–56.

durchaus berechtigt, »was wollte der Dichter sagen?« scheitern oder sich auflösen soll.

Eine siebte Möglichkeit, nicht einfach identisch mit der zuvor angerissenen, ist Inkohärenz. Dies heißt: da ist zwar, im einzelnen, durchaus greifbarer Sinn, aber der Text insgesamt besteht aus zusammenhanglosen, genauer: einen Zusammenhang nicht erkennbar werden lassenden einzelnen Sinnstücken.

Eine weitere, also achte Möglichkeit ist die Reduktion des Syntaktischen, die Tendenz zur bloßen, syntaktisch nicht mehr organisierten Aneinanderreihung von Wörtern, wobei unter diesen die Nomina dominieren und die Verben, falls sie vorkommen, zumeist auch nur in einer ihrer *nominalen* Formen, als Infinitiv oder als Partizip, erscheinen. Die Tendenz zur desorganisierenden Auflösung oder Vermeidung des Syntaktischen (auch der Flexion) findet sich im Vers *und* in der Prosa. Modern und oft hervorgehoben ist jedenfalls ihre Steigerung und Verbreitung. Natürlich erbringt diese syntaktische Auflösung eine Verstärkung, im Bewußtsein, des Lexikalischen, somit der *nennenden* Elemente der Sprache. Diese bilden in der Tat deren Kernbestand: in ihnen zeigt sich das eigentliche Worumwillen der Sprache: das zeichenhafte Stehen für ein anderes, für etwas, das nicht sie selbst, die Sprache, ist.[45]

Als neunte Möglichkeit und, für die moderne Dichtung, *Wirklichkeit*, wäre der – zumindest partielle – Rückzug auf den Signifikanten zu nennen, der Rückzug, also, aus den Bedeutungen, den Signifikaten. Hugo Friedrich, der hierauf stark insistiert, allzu stark, spricht unter anderem von »sinnbefreiter Sprache«, »sinnüberlegenem Tönen«, »sinnfreien Klangfolgen«, »sinnentzogenen Sprach- und Spannungskurven«. Es geht hier einerseits um Laute und Lautfolgen, dann aber auch um Elemente, die die Linguistik »prosodisch« nennt oder »su-

---

45 Vgl. W. Raible: Der Dichter und seine Sprache. Bemerkungen zur französischen Literatur, in: K. Mönig: *Sprechend nach Worten suchen. Probleme der philosophischen, dichterischen und religiösen Sprache der Gegenwart* (Schriftenreihe der Katholischen Akademie, Freiburg). München/Zürich (Schnell und Steiner) 1984, S. 40–43. H. Friedrich redet von der »Satzfeindschaft der modernen Lyrik« (op. cit., S. 154).

prasegmentell«[46]: hierher gehört vor allem das so schwer greifbare (an sich schon – jedenfalls sprachlich gesehen – bedeutungsfreie) Sprach- und Sprechelement Rhythmus (denn es gibt Rhythmus, den die Sprache selbst vorschreibt, und Rhythmus, gleichsam frei, im Sprechen). Das Stichwort ist hier »Suggestion«: eine Form der Kommunikation nicht primär durch das in einzelne Bedeutungen artikulierte Nacheinander, sondern gleichsam an den Bedeutungen vorbei, nur lose auf sie sich stützend. Dann, damit zusammenhängend, »Sprachmagie«, die eine Art Substanzialisierung des Worts und besonders die seines materiellen, materiell realisierbaren Trägers, also des Signifikantenteils, zur Voraussetzung hat. Die Tendenz zum sinnunabhängigen Signifikanten ist auch als Musikalisierung zu begreifen: das Sprechen sucht, sich der nur tönenden, der nichts im strengen und eigentlichen Sinn *sagenden* instrumentellen Musik gleichzusetzen. Zur Dominanz, gar Verselbständigung des Signifikanten als extremer Möglichkeit des Sprechens und als Tendenz der Moderne, nur eine Äußerung (es ließen sich viele zitieren); T. S. Eliot sagt: »einige Dichter werden dem Sinn gegenüber unruhig, weil er ihnen überflüssig erscheint, und sie sehen Möglichkeiten dichterischer Intensität, die dadurch entstehen, daß man sich des Sinnes entledigt.«[47] Es braucht kaum hinzugefügt zu werden, daß *diese* Art von »Musikalisierung« nichts mit der traditionellen (gerade durchaus mimetischen) »Lautmalerei« zu schaffen hat.

Zehntens finden wir in der Moderne, in der Theorie mehr als in der Praxis, die Tendenz, nicht zu sprechen, sondern das Sprechen der Sprache selbst anheimzustellen, sich auf ihr gleichsam treiben zu lassen. Die Sprache wird hier als etwas Objektives, als etwas *außerhalb* der Sprechenden erfahren, vergleichbar, um es im Bild zu sagen, dem Wasser, in das man hineingeht, um sich von ihm tragen und treiben zu lassen. Natürlich ist dies auch wieder verbunden mit der Dominanz, dem Dominieren-Lassen der Signifikanten. Und gewiß erinnert dies

---

46 *op. cit.*, S. 18, S. 38, S. 213.

47 zit. bei H. Friedrich, *op. cit.*, S. 19.

Sprachvertrauen an Heideggers Urwort »Die Sprache spricht« und an die »Wegformel«, wie er sie nannte, in dem berühmten Münchner Vortrag *Der Weg zur Sprache* von 1959: »Die Sprache als die Sprache zur Sprache bringen«.[48] Der Denker sucht, die Sprache für sich denken, der Dichter, sie für sich dichten zu lassen.

In vermutlich bloß scheinbarem Widerspruch zu dieser, man möchte sagen sprachfrommen Haltung, findet sich aber auch – und dies ist eine weitere Möglichkeit – die Aussage oder das ihr entsprechende Gefühl, der Sprache gegenüber frei, geradezu *autonom* zu sein. Eindrucksvoll trat das Motiv bereits bei Rimbaud, in der angeführten Stelle aus *Une saison en enfer*, hervor. Auch bei Stefan George findet sich solcher Imperialismus, sich bereits im Graphischen äußernd. Der Dichter fühlt sich frei von der Sprache, glaubt, sie frei, das heißt unabhängig vom *allgemeinen* Gebrauch, gebrauchen zu können. Auch dann, übrigens, wenn er meint, ihr gerade auf *diese* Weise in einem tieferen Sinne zu dienen. Es gibt auch im Blick auf die Sprache geheuchelte oder gespielte Frömmigkeit.

Gegenüber diesen von der modernen Literatur vielfach begangenen Wegen, gegenüber den skizzierten sprachlichen Tendenzen will ich hier die These setzen, daß es sich, vom Wesen der Sprache und des Sprechens her geurteilt, zum Teil um Unerreichbarkeiten, um *Chimären*, zum Teil um Unmöglichkeiten, um *Aporien*, handelt.

Um mit der zuletzt genannten Tendenz zu beginnen: niemand ist gegenüber der Sprache autonom; auch (und gerade) nicht der Dichter. Von der Sprache, der jeweils historisch gewordenen Einzelsprache, gilt, was Bacon von der Natur sagte: »man kann sie nur beherrschen, indem man ihr gehorcht«, »nisi parendo non vincitur«. Man mag den Gedanken theologisch nennen oder religiös: wirklich ist es aber so, daß der Mensch gerade in dem, was seit alters als Zeichen seiner Herrschaft gilt, eigentlich, vom Individuum her geurteilt, ganz *ohnmächtig* ist; alles, was er sprachlich besitzt, hat er von anderen, den Vorfah-

---

48 Enthalten in M. Heidegger: *Unterwegs zur Sprache*. Pfullingen (Neske) 1959, S. 241–268, die »Wegformel« findet sich S. 242.

ren, die die Römer wortwörtlich »die Größeren«, »maiores«, nannten. Dies ist konsequent. Es gibt keine sprachliche Autonomie; Freiheit gibt es hier nur innerhalb sehr enger Grenzen.[49]

Die sprachliche Überhöhung, die Verfeierlichung des Sprechens, die zuerst genannt wurde, ist eine (mögliche) Möglichkeit innerhalb dieser Grenzen, eine Möglichkeit – aber davon braucht nicht geredet zu werden – voller literarischer Gefahren, von denen ungewollte Komik die nächstliegende ist.

Der Versuch, die wirklich gesprochene Sprache hereinzuholen in den literarischen Text, ist, man muß es ohne Umschweife sagen, eine Chimäre. Er scheitert am Medium der Schriftlichkeit selbst. Die Bedingungen des Geschriebenen sind nicht diejenigen, unter denen gesprochen wird. Das wirkliche Sprechen erfolgt in Situationen der Lebenswelt, die sehr weithin nur eine rudimentäre Versprachlichung erfordern. Vieles, außerordentlich Vieles, bleibt hier der Situation und den parasprachlichen Mitteln überlassen. »Der natürliche Ort des Sprechens«, sagt Goffman, »ist einer, in dem das Sprechen nicht immer anwesend ist«, »the natural home of speech is one in which speech is not always present«.[50] Möglich ist da für den literarischen Autor stets nur die mimetische, immer aber, im Ergebnis, künstliche, kunsthafte Angleichung. Diese kann – als solche – glücken; nie ist sie aber *wie* wirklich Gesprochenes; sie ist immer das Produkt von Stilisierung. Sie ist immer Stil. Für den Linguisten freilich ist es faszinierend zu beobachten, mit welchem Maß an intuitiver Sicherheit der literarische Autor oft diejenigen Elemente herausgreift, die den täuschenden Eindruck lebendigen Sprechens, den von Leben also, produzieren. Dem Autor gelingt es zu täuschen. Aber der Täuschende ist hier seinerseits ein Getäuschter.

---

49 Gerade in dem also, was den Menschen als Spezies auszeichnet vor allen übrigen und worauf im wesentlichen seine »höhere Organisation« (S. Freud) beruht, ist er – als Individuum – restlos abhängig. Niemand ist hier, biblisch geredet, »stark aus eigener Kraft« (1 Sam. 2,9) oder Paulus (im Blick auf das Evangelium): »was hast du, das du nicht empfangen hättest?« (1 Kor. 4,7).

50 E. Goffman: The neglected situation, in: *American Anthropologist*, Bd. 66 (1964), S. 135.

Die Hereinnahme des Fachsprachlichen – weiterer Punkt – stößt offensichtlich an enge Grenzen. Sie verringert den Rezeptionsradius, oder sie macht, eben durch Literarisierung, durch die Betonung der Suggestivqualität fachlicher Wörter, aus solchen Wörtern etwas, das sie ursprünglich nicht waren und eigentlich nicht sind. Sie pervertiert diese Wörter. Zur Mischung von feierlich Überhöhtem, Alltags- und Fachsprachlichem braucht nichts gesagt zu werden: es ist dies ein gangbarer, ja, dem Wesen der Einzelsprache entsprechender Weg.

Vieles dagegen wäre zu sagen zum Rückzug des literarischen Sprechens aus der Wirklichkeit. Insbesondere da dieser Rückzug nicht im Sinne des Verspielten oder Spielerischen erfolgt (Sprachen und Diskurstraditionen sind ein unausschöpfbarer Gegenstand des Spiels), sondern da er, in moderner Literatur, vielfach in nahezu sakralem Ernst geschieht. Es gibt viele (besonders kürzere) Dichtungen der Tradition, deren Intention nicht Mitteilung ist. Schon einer der frühesten volkssprachlichen Dichter, der provenzalische Troubadour Wilhelm IX., Graf von Poitou, Guilhem de Peitieu, beginnt ein Gedicht mit dem Satz: »Ich werde ein Lied über geradezu nichts machen; / es wird nicht um mich noch um andere gehen; / nicht um die Liebe noch um die Jugend; / noch um irgend etwas anderes, / denn es wurde im Schlaf gedichtet / auf einem Pferd«, »Farai un vers de dreyt nien; / non er de mi ni d'autra gen; / non er d'amor ni de ioven / ni de ren au; / qu'enans fo trobatz en durmen / sus un chevau«.[51] Man sieht, daß *diese* Inhalts- und Wirklichkeitslosigkeit etwas sehr anderes ist: hier wird gespielt, und noch in der Weigerung, etwas zu sagen, wird etwas gesagt. Anders in moderner Literatur: ganz unspielerischer Rückzug, zuallermeist, des Sprachlich-Formalen auf sich selbst.

Natürlich liegt es nahe, allzu nahe vielleicht, hier einfach zu sagen, daß dies nicht nur ein sehr abweichendes, sondern ein dem Sinn des Sprechens selbst zuwiderlaufendes Sprechver-

---

51 C. Appel: *Provenzalische Chrestomathie*. Vierte Auflage, Leipzig 1912, S. 80.

halten ist. Man spricht aus zwei Gründen: entweder um sich einem anderen, dem Angesprochenen, zuzuwenden, ohne Mitteilungsabsicht, aus welchen Gründen auch immer, Kommunikation somit *ohne* Mitteilung; oder man spricht, in der Tat, um eine Mitteilung (im weitesten Sinn) zu machen, oder auch, um eine solche vom anderen zu erhalten, oder schließlich, um den Angeredeten zu etwas zu veranlassen. Deklaration, Interrogation, Exhortation: damit sind – auch hier – die Möglichkeiten erschöpft. Eine bestimmte moderne Literatur will nun weder das eine noch das andere, weder akommunikative noch kommunikative Interaktion, und redet, ohne die Entschuldigung des Eingenicktseins auf einem gemächlich trabenden Pferde, *trotzdem*. Warum, darf man fragen, tut sie dies?

Die Inkohärenz des Textes, sodann, wäre zu sagen, ist ein Selbstwiderspruch, denn der Text definiert sich gerade durch Kohärenz. Text ist eine Ansammlung kohärenter, auf ein Ziel hin organisierter Sätze, wobei diese Sätze Elemente *mehrerer* Sprachen enthalten können. Sprachliche Einheitlichkeit ist kein essentielles Merkmal des Texts; dessen mögliche Einheitlichkeit ist keineswegs primär sprachlich, sondern auf anderem Wege bewirkt.

Schließlich Verdunkelung, Verrätselung des Texts. Hierzu ist ein Doppeltes zu sagen. Erstens ist Mitteilung über die Wirklichkeit, die natürlich auch eine bloß fiktive Wirklichkeit sein kann, zwar keinesfalls die einzige Funktion der Sprache, sie gehört aber, wie Heidegger sagen würde, zu deren »wesentlichem Wesen«. Zweitens aber – und vielleicht wichtiger – ist absolute Offenheit des Sinns, wie sie hier postuliert wird, gar nicht herstellbar. Ich kann zweideutig reden (dies ist ja bereits, *vor* jeder Literatur, ein Phänomen der Alltagssprache), aber Vieldeutigkeit oder gar wirkliche Offenheit ist nicht realisierbar. Es gibt nur entweder völlige Dunkelheit (diese herzustellen, ist nicht schwer) oder die nachträgliche Verrätselung – besonders durch Syntax – zunächst gegebener Eindeutigkeit.[52] Es

---

52 Hierfür gibt H. Laitenberger erhellende und einleuchtende Hinweise anläßlich seiner Interpretation des Mallarméschen Tombeau-Gedichts, in: *Neusprachliche Mitteilungen aus Wissenschaft und Praxis,* 1969, S. 81–90.

ist unmöglich, von der Beschaffenheit des Bewußtseins her, völlig Sinnoffenes zu denken. Was immer wir denken, hat diesen oder jenen »Sinn«.

Was schließlich die Tendenz zur Verdinglichung des Textes angeht, ist zu sagen, daß ein Text prinzipiell subjektgebunden ist. Er kann nicht – denn dahin geht der interessante Traum – zur für sich seienden Undurchdringlichkeit eines Dings werden, das – so erscheint es uns – in sich selber ruht. Ein Text tut dies nie; nicht einmal scheinbar.

Kein Problem hingegen ist die syntaktische Entgliederung, eben weil das dann noch verbleibende, ja, als solches gesteigerte *Lexikalische* für sich selbst eigentlich schon Sprache ist.

Eine Aporie ist aber auf jeden Fall die angestrebte Annäherung ans Musikalische. Die Aporie liegt darin, daß die Wörter, die das unvermeidbare Material, besser: *Medium* der Dichtung sind, bereits als virtuelle Elemente der jeweiligen Sprache, immer schon bedeuten. Sie enthalten »je schon«, würde Heidegger gesagt haben, Welt. Dichtung kann sich im Sinne einer Verleiblichung des Sprechens der Musik annähern; sie ist aber unausweichlich gebunden an das schon für sich selbst bedeutende, damit also welthafte, welthaltige Wort. Sie kann die Signifikata nicht wegschaffen und muß somit *immer* etwas sagen. Sie hat nicht, wie die Musik, Elemente als ihr Medium, die, für sich selbst genommen, nichts bedeuten. »Verse«, sagte Mallarmé zu Degas, »macht man nicht mit Ideen, sondern mit Wörtern«.[53] Eben – hier liegt das Problem (aber sieht es Mallarmé nicht auch?): wirkliche Sinnbefreiung ist ausgeschlossen, weil Wörter unentrinnbar Sinn enthalten. Wörter sind nicht *reine* Signifikanten, sie sind Signifikanten nur, indem sie auch – und vor allem – Signifikata sind. Im übrigen ist der Begriff des »rei-

---

53 Zit. bei H. Friedrich: *op. cit.*, S. 105/106. Mallarmé setzt, was mir verdächtig erscheint (hat er das Problem doch nicht gesehen?), hinzu: »Hier liegt das ganze Geheimnis«, und Friedrich kommentiert: »Mallarmé ist, wie die meisten der modernen Lyriker, von der alten Überzeugung durchdrungen, daß im Wort Potenzen liegen, die mehr vermögen als der Gedanke«. Dies aber ist etwas anderes: im Wort liegen – vermöge des an ihm haftenden Gedanklichen – unter Umständen solche Potenzen... Da geht es jedoch gerade nicht um »Sinnbefreiung«.

nen Signifikanten« ein Widerspruch in sich selbst: Signifikant kann etwas nur sein vermöge des bewußtseinsmäßig an ihm hängenden Signifikats. Ohne Signifikat kein Signifikant.

Schließlich ist es – eine weitere Aporie – ganz ausgeschlossen, sich der Sprache selbst anheimzugeben, sie *selbst* sprechen zu lassen, denn auch die Sprache, freilich in anderer Weise als der Text, ist an das Subjekt gebunden. Die realen Träger der Sprache sind die sie sprechenden Menschen. Die Sprache ist nicht irgendwo, ist kein für sich Seiendes. Das Haus der Sprache ist der Mensch. Die Sprache spricht nicht; sie dichtet auch nicht. Und wenn etwa Heidegger sie sprechen läßt, ist es doch, sehr unverkennbar, stets *er selbst*, der spricht. So verträgt sich, was als Demut erscheint, gut mit deren Gegenteil. Gespielte *pietas, pietas linguistica!*

Es ist deutlich geworden, daß in der modernen Literatur vielfach und zum Teil sehr stark ein Sprachverhalten und eine Sprachverwendung hervortreten, die völlig neu und ihr insofern spezifisch sind. Nur ist, um es noch einmal zu sagen, die moderne Literatur keineswegs als *ganze* durch die Tendenzen zu kennzeichnen, die wir herauszustellen und deren (der Sprache selbst inhärente) Schwierigkeiten wir zu umreißen suchten. In dieser Literatur ist auch Vieles sehr Anderes, auch gerade im Sprachlichen.

Sodann: die herausgestellten Chimären und Aporien wollten und sollten nicht dazu bringen, diese Dichtung, soweit sie jenen Tendenzen folgt, negativ zu beurteilen. Ein Teil der großen Faszination dieser Dichtung liegt gerade darin, daß sie *ringt* mit der Sprache und mit deren, wie angedeutet, *knappen* Möglichkeiten, die sie *alle* in Anspruch nimmt; sie liegt darin, daß diese Dichtung, in immer neuen Anläufen, anrennt an die Grenzen oder sich ihnen tastend nähert, die ihr gesetzt sind durch ihr Material, ihr Medium, durch die Sprache selbst.

JOSEPH CROPSEY

Über die Alten und die Modernen

Von den Alten und den Modernen zu sprechen heißt unvermeidlich, Geschichte heraufzubeschwören: es gab eine alte Epoche, und es gibt eine moderne Epoche. Zeit ist vergangen, und wer das sagt, meint höchstwahrscheinlich, daß *eine* Zeit vergangen ist. Ohne nähere Erläuterung von den Alten und den Modernen zu sprechen heißt auch, offen zu lassen, ob es um die Lebensweisen der Alten und der Modernen geht (was es »damals«, im Unterschied zu heute, bedeutete, zur großen Mehrzahl der Menschheit zu gehören), oder ob eine Frage, die scheinbar nur die Gelehrten zu beschäftigen braucht, die entscheidende ist: das antike Denken im Vergleich zum modernen Denken. Schließlich galt jahrhundertelang, daß man bloß die Worte »die Alten und die Modernen« auszusprechen brauchte, um die Vorstellung eines Streites hervorzurufen. Man ist zunächst geneigt, die Existenz des Streites als evident zu betrachten. Nach kurzer Reflexion neigt man dazu, den »Streit« als offenkundigen Anachronismus und damit als evidente Unmöglichkeit abzutun: wie kann es einen Streit zwischen Parteien geben, von denen nur eine am Leben ist und sich an der Auseinandersetzung beteiligen kann? Es wäre genauer, einfach von der Ablehnung der Alten durch die Modernen zu sprechen. Nach weiterer Reflexion scheint es, daß es durchaus einen Sinn gibt, in dem der Streit existieren und von größter Wichtigkeit sein könnte: falls nämlich die Modernen das Verständnis und die Auffassung der Alten von Gegenständen ablehnten, von denen die Alten wußten, daß sie problematisch sind, und über die sie selbst schon debattiert hatten. In diesem Fall würden die Modernen als späte Teilnehmer einer Debatte oder eines Streites erscheinen, dessen Kernpunkte von den Alten definiert worden waren. Auf jeden Fall wäre es unweise, vorschnell über das Ausmaß zu urteilen, in welchem die Modernen die Weisheiten der Alten ablehnten (oder, falls nötig, mit ihnen stritten). Ich glaube, daß sich – was nicht erstaunlich ist – beim Vergleich der Alten und der Modernen eine so große Übereinstimmung hinsichtlich der Identität der höchsten Fragen herausstellen wird, daß der Beobachter des Schauspiels zu der Überzeugung gelangt, es gebe so etwas wie die Philosophie – nicht bloß Philosophien oder die »abendländische« Philosophie oder zeitgebundene Philosophien, sondern die offenbar zeitlose Kontemplation des Zeitlosen. Dieser Schluß auf eine enorme Homogenität wird aus einer komplexen Heterogenität zu ziehen sein, die – wenngleich sie sich bei weitem nicht in ihr erschöpft – von der Disjunktion verkörpert wird, welche in der Unterscheidung zwischen dem Sokratischen und dem Vorsokratischen enthalten ist. Kann, falls der Streit zwischen den Alten und den Modernen in irgendeiner Weise durch die Berufung auf »die Philosophie« geschlichtet werden kann, die Disjunktion zwischen dem Denken des Sokrates und seinen Vorgängern gegen dieselben Überlegungen einer Schlichtung immun sein? Ich will zu zeigen versuchen, daß sie es nicht ist, ohne damit in irgendeiner Weise die großen Differenzen zwischen dem Verständnis der modernen Philosophen und dem der Alten oder zwischen dem der Vorsokratiker und dem der überragenden klassischen Philosophen herunterzuspielen. Außerdem will ich den Versuch unternehmen, diese Differenzen im Denken mit den Differenzen in den Lebensverhältnissen zwischen der Masse der Bürger des Altertums und der Moderne, soweit wir uns ein Bild von ihnen zu machen vermögen, in Beziehung zu setzen.

Es ist wohl offenkundig, daß das Vorhergehende eine bedauerlich unvollständige Darstellung des Standes der Dinge zwischen Altertum und Moderne ist. Gewiß gibt es ein Altertum, das nicht griechisch ist, wie uns sogleich wieder einfiele, wenn wir uns nur kurz daran erinnerten, was die Modernen Revue passieren ließen, als sie ihr moralisches und intellektuelles Erbe überprüften und »das Altertum ablehnten«. Hobbes' *Leviathan* ist zur Hälfte ein exegetisches oder ein scheinbar exegetisches Werk. Descartes wandte sich an die Doctores der Sorbonne in Fragen, die in ihren Bereich der Theologie fielen. Spinoza konnte nicht zur Moralphilosophie und zur Politischen Philosophie vordringen, ohne das nämliche schwierige Gelände zu durchqueren. Locke wurde von geistlichen Zeitgenossen mit Sorge betrachtet. Rousseau schlug eine bürgerliche Religion vor, die von der biblischen abweichen mußte. Die Liste ließe sich verlängern. Wir sind zu der Folgerung genötigt, daß unser Verständnis der Moderne von vornherein durch ein massives Mißverständnis jenes »Altertums«, das die Moderne ablehnte, verfälscht werden könnte; und die Entstellung des »Altertums« in dem Sinne, daß es nur dessen rationales oder nur dessen offenbartes Element umfaßte, wäre genau das Mißverständnis, das diese Verfälschung hervorzubringen vermöchte.

Wir sind jetzt in der Lage, den Plan unserer Untersuchung zu skizzieren. Die Platonisch-Sokratische Philosophie wird als Markstein einer Epoche betrachtet und stellt uns das Bild eines profanen Altertums vor Augen, welches aus einer dunklen Urzeit und einer aufklärerischen Reformation besteht. Das Erscheinen der biblischen Weisungen bietet eine kompliziertere Spielart des gleichen allgemeinen Paradigmas: es gab eine rückständige Urkonzeption des Göttlichen, die verdrängt wurde durch die aufklärende Reformation, welche die absolute Einheit des Gottes, der in keiner sichtbaren Form dargestellt werden kann, offenbarte. Diese Erleuchtung wurde ergänzt durch ein Zeugnis, welches die Lehre enthält: »Am Anfang war der Logos, und der Logos war bei Gott, und der Logos war Gott« – ein Gedanke, der sich mit den Erklärungen der heidnischen Alten aus der Zeit vor Sokrates in erstaunlicher Resonanz befindet. Ich werde argumentieren, daß der Mannigfaltigkeit, die wir so ungenau als »das Altertum« bezeichnen, wenn wir die Absicht haben, Altertum und Moderne nebeneinanderzustellen, das Ziel gemeinsam war, das Ganze zu erklären, wobei »erklären« bedeutete, innerhalb des Ganzen das Erste zu finden und die Art dieses Ersten zu erkunden; ob es irreduzible materielle Substanz oder ob es das Intelligible sei, das dem Ganzen auf eine zugängliche oder unzugängliche Weise als dessen innerste Wahrheit oder Sein innewohnt. Und ich werde ferner argumentieren, daß die Denker zu allen Zeiten von dem immerwährenden staunenden Fragen danach erfüllt waren, wie der Mensch in einem Kosmos lebt, dessen innerste Wahrheit die Wahrheit ist, welche die äußersten Anstrengungen des Menschen – mit oder ohne Beistand – ans Licht bringen: leben wir in einer Welt, die für uns wie unseres Vaters Haus ist, oder ist das Ganze ein unermeßliches Meer von Reichtümern und Kümmernissen, die uns von dem Blinden und Tauben zugemessen werden, der mehr nach unserer Fähigkeit als nach unserer Rechtschaffenheit gibt und nimmt?

Wir beginnen unsere Besichtigung des Altertums mit einem Blick auf die archaischen Menschen, deren Beschäftigung mit dem Ersten sich in Theogonie und Kosmogonie äußerte. Daß einige von ihnen das Erste in der Nacht und andere in der Luft oder einem anderen partikularen Irreduziblen ansiedelten, ist für uns von geringerem Belang als der Umstand, daß sie dieses Erste personifizierten, indem sie ihm einen Namen gaben und es als göttlich betrachteten. Sollte dieser frühe Akt der Dichter und der schattenhaften Orphiker uns veranlassen, darüber zu spekulieren, ob es zum Menschsein gehört, das Erste als das zu betrachten, welches definiert, was Gott genannt zu werden verdient? Aber das Erste ist auch das Irreduzible, das nicht beschrieben werden kann durch den Verweis auf etwas anderes, das »primärer« ist. Dieses Irreduzible mag das »Höchste« sein, jenes, aus dem alle Dinge fließen; aber »irreduzibel« ruft auch die Vorstellung des Niedersten hervor, des Woraus, aus dem alle Dinge zusammengesetzt sind. Wenn wir das Denken dieser archaischen Menschen betrachten, haben wir die einzigartige Gelegenheit, Menschen dabei zu beobachten, wie sie ihren Gott oder ihre Götter schaffen, was nichts anderes besagt, als daß sie bekunden, was es nach ihrem Verständnis ist, das den Namen Gottes verdient, oder daß sie ihre Einbildungskraft, jene Fähigkeit, die Erfahrung umzuformen, zum gleichen Zweck entfalten. Die Suche nach dem absolut Primären ist offenbar die theozetetische Tat, die Suche nach dem, was Gott zu sein verdient, eine Suche, die vom Wesen der *conditio humana* untrennbar zu sein scheint. Sie wird sicherlich, um zwei herausragende Beispiele zu nennen, in dem, was solche Modernen wie Descartes und Spinoza taten, zu finden sein. Durchaus nicht gewiß ist dagegen, daß alle jene, die die Frage nach dem Primären verfolgen, von sich selbst wissen oder denken, daß sie nach dem suchen, was Gott genannt zu werden verdient. Vielleicht ist das Göttliche primär; aber ist das Primäre göttlich? Wir erhalten eine erste Andeutung einer Differenz zwischen Altertum und Moderne, wenn wir feststellen, daß unsere Zeitgenossen darin geschult worden sind, die Suche nach dem Ersten von einer Suche nach dem Höchsten zu trennen. Hätten die Vorsokratiker nichts anderes für uns getan, so hätten sie uns dadurch in ihre Schuld gebracht, daß sie uns zwingen, darüber nachzudenken, ob das Bestreben, unsere natürliche Umgebung zu ergründen, uns notwendigerweise darauf verweist, nach einem »Göttlichen« zu suchen, das ein über das »Primäre« Hinausgehendes enthält, oder ob dem »Primären«, als was es sich auch immer herausstellen mag, nichts hinzugefügt werden kann und es »göttlich« ist, wenn dieser Ausdruck benutzt werden muß, einfach und gerade deshalb, weil ihm nichts hinzugefügt werden kann: es will nichts, hört nicht, spricht nicht, und vor allem, es sorgt sich um nichts.

Homer und Hesiod und die anderen frühen Denker des Altertums waren in der Tat bestrebt, sich ihre natürliche Umwelt zu erklären, wenn sie das Ursprüngliche erforschten, das ihr zugrunde lag, sei es die Nacht oder das Chaos (vielleicht mit der Bedeutung »chasmisch«, wie bei der Scheidung der Wasser oben von den Wassern unten) oder etwas anderes, womit wir uns aber nicht weiter zu befassen brauchen – wir haben nur festzuhalten, daß sie ihren Sinn auf das Erste von allem wandten. Es ist offenkundig, daß sie nicht nur an das absolute Vorher, sondern auch an das absolute Danach dachten. Man berichtet uns von der Lehre der archaischen Gestalt Musaios, nach welcher der Gerechte auf ewig in trunkener Unersättlichkeit schwelgen wird, während der Böse zu unablässiger fruchtloser Plackerei oder Schlimmerem verdammt sein wird. Aus alledem wissen wir eine Menge über die Weisheit des vorsokratischen Altertums. Sie umfaßte das Erste, das Göttliche, das Irreduzible, das Gerechte und das Leben der Seele in einer Dimension des Ganzen, die nicht Bestandteil unserer natürlichen

Erfahrung ist: sie fanden es entweder unmöglich oder nicht ratsam, ihre natürliche Erfahrung ganz und gar im Rahmen ihrer Erfahrung zu erklären. Ihr intellektuelles Bemühen ließe sich charakterisieren als ein Suchen nach einer Wahrheit, das heißt: nach einem Intelligiblen, dessen Existenznotwendigkeit ihnen innerhalb einer Erfahrungswelt plausibel wurde, deren Charakter es ist, über sich »hinauszuweisen« auf eine Erfahrung, die man innerhalb dieser Welt der Natur nicht haben konnte. Kurz, sie »wußten« von einer transempirischen Wahrheit, und sie »wußten«, dank ihres »Wissens« von der unsterblichen Seele, daß der Mensch in einem Universum lebte, in welchem von dem auf der Erde praktizierten Unterschied zwischen Gut und Böse Kenntnis genommen wurde. Wenn wir sagen, daß sie von diesen Dingen »wußten«, so drücken wir uns ein wenig unvorsichtig aus, denn wir wissen nicht, wie weit jene, die von diesen Dingen sprachen, an sie glaubten und wie weit sie sie nur aus praktischen Gründen äußerten. Wir werden bald in der Lage sein, ein plausibles Urteil in dieser Sache zu fällen, zumindest in Rücksicht auf einige der Vorgänger des Sokrates. Alldem sollte die den Orphikern zugeschriebene Einsicht hinzugefügt werden, daß das Ganze von Notwendigkeit und Unausweichlichkeit (*ananke, adrasteia*) erfüllt sei, eine Einsicht, die zuallermindest konsistent ist mit der für jedes mögliche Verständnis unerläßlichen Vorstellung, daß das Ganze ein Schauplatz von unentrinnbarer Ursache und Wirkung sei.

Wenn wir fortfahren in dem Versuch, das »Altertum« für uns zu definieren, verlassen wir den verschwommenen Bereich der archaischen Dichter und gelangen in das Gebiet, das von den Schriftstellern bevölkert ist, die uns durch die Fragmente und Berichte über ihr Werk bekannt sind, welche von Kommentatoren und Doxographen bewahrt wurden. Sogleich begegnen wir Anaximander. Seine Beiträge zur Kartographie sind für uns nicht von Belang, seine Physik dagegen sehr. Es wird berichtet,[1] er habe entdeckt, nicht eines der bislang benannten Elemente wie Luft und Wasser sei das Grundlegendste oder das

---

1 Diels-Kranz (*Die Fragmente der Vorsokratiker* 6. Aufl.) 12A1, nach Diogenes Laertius II,1.

Irreduzible, sondern vielmehr etwas, das er das Unbegrenzte, das Unbestimmte oder das Undefinierte (*apeiron*) nennt, etwas, das vermutlich »primärer« ist als alles, dem eine Form oder eine Verschiedenheit von etwas anderem zugeschrieben werden könnte. Es gibt die ursprüngliche Substanz, es gibt ewige Bewegung, und es gibt eine höchst fruchtbare Lehre vom Entstehen und Vergehen. Nach Anaximander[2] entsteht jedes Ding durch die Zerstörung von etwas anderem, und jedes neue Ding muß für diese Vernichtung schließlich mit seiner eigenen Auflösung bezahlen, um Platz zu machen für eine andere Entität, die durch ihre Geburt belastet ist mit einer Schuld, die sie nur mit ihrem Tod zurückzahlen kann. Wie alle Dinge entstehen wir aus dem Staub, zu dem wir wieder werden müssen. Dies ist es, was als die Gerechtigkeit der kosmischen Ordnung in den Blick kommt. Anaximander könnte als ein typisches Beispiel des Naturphilosophen dienen, insofern sein Paradigma der Gerechtigkeit ein Strafsystem enthält, das bereits innerhalb der Grenzen der natürlichen Welt vollständig ist und ohne den Bezug auf einen Zustand der unsterblichen Seele in einer jenseitigen Welt auskommt. Seine Konzeption, wie wir sie kennen, ist asymmetrisch, sie nimmt Kenntnis von Verstoß und Strafe, nicht aber von Güte und Belohnung. Jedenfalls macht Anaximander deutlich, daß es nicht nur möglich, sondern sogar ein Leichtes ist, in eine Lehre, nach der alles fließt, eine moralische Vorstellung einzubringen wie die, daß Gerechtigkeit gleiches und exaktes »Zurückzahlen« bedeutet, und – in einer natürlichen Lage, in der Werden, Erhaltung und Zerstörung einander endlos folgen – speziell das Zurückzahlen von Sein für Sein und von Leben für Leben. Dieses, das Gesetz der Vergeltung, könnte man sogar als das Gesetz der Natur bezeichnen. Wir können hier zur späteren Verwendung festhalten, daß Sokrates am Anfang der *Politeia* die vorgeschlagene Definition der Gerechtigkeit als eines »Zurückzahlens« verwirft. Wäre es wunderlich, wenn wir in unserem Bemühen, jenes »Altertum« zu definieren, dem die »Moderne« entgegentrat, an ein anderes

---

2 Diels-Kranz 12A9, nach Simplicius, besonders in bezug auf den Status der Elemente.

Beispiel aus dem Altertum erinnerten, in dem das Gesetz der Vergeltung verworfen wird, und zwar das, welches das »Auge um Auge« durch das »halte auch die andere Wange hin« zu ersetzen trachtete? Was immer an ihr als einer Definition der Gerechtigkeit problematisch sein mag, Anaximanders Regel hat den Vorzug, ein Unwandelbares zu identifizieren, das tiefer ist als das vergängliche Faßbare und das universales Recht verkörpert.

Unter den Vorgängern des Sokrates erheischt der vorparmenidische Xenophanes aus Elea eine gewisse Aufmerksamkeit. Inzwischen als Theologe mit Mißtrauen betrachtet und als Dichter verdächtigt, stellte er die Übung bloß, daß man sich Götter nach dem Bilde des Menschen machte, schauderte er vor der Niedrigkeit von Gottheiten zurück, die auf so grobe Weise erzeugt wurden, und bestand er darauf, daß Gott Eins sei, denn alles sei Eins, und Eins sei Gott. In seiner *Metaphysik*[3] sagt Aristoteles über Xenophanes, er habe nichts klar gemacht (*outhen diesaphenisen*). Da wir über so wenige schriftliche Zeugnisse von Xenophanes verfügen, sind wir geneigt, die Berechtigung von Aristoteles' strenger Kritik eher zu verstehen zu suchen als über sie zu urteilen: sie scheint, äußerlich betrachtet, zu besagen, daß Xenophanes seine Einsichten, wie es ein Dichter oder Mythenbildner getan hätte, einfach als Weisheiten vortrug, ohne sie durch Beweise zu erhärten. Wenn wir Aristoteles darin vertrauen, so bewahren wir Xenophanes dennoch unsere Hochachtung wegen seiner Vision eines Einen Göttlichen, das von allem in der empirischen Mannigfaltigkeit völlig verschieden und höher ist als dieses. Ihm steht deutlich die Vorstellung vor Augen, die in allen späteren Zeitaltern Ausdruck finden wird, die Bestandteil des Platonischen Sokratismus ist und die, soweit wir wissen, von seinen eigenen Vorgängern antizipiert wurde, daß nämlich die volkstümliche Religion eine Form von Blasphemie ist. Heraklit wird Grund zu der Ansicht geben, daß die volkstümliche Religion eine Form von Blasphemie sein muß.

---

3 986b21. Siehe G. S. Kirk und J. E. Raven: *The Presocratic Philosophers*. Cambridge University Press 1980.

Heraklit sah wie viele seiner Zeit alle Dinge im Fluß, und er sah zugleich, daß zum Fließen etwas hinzutrat, das nicht im Fluß war, nämlich das, was er *logos* nannte: »Nicht auf mich, sondern auf den *logos* hörend, ist es weise, anzuerkennen, daß alle Dinge eins sind.«[4] Das Eine, das alle Dinge ist, nennt Heraklit Gott: »Gott ist Tag Nacht Winter Sommer Krieg Frieden...«[5], in einer scheinbaren Vernichtung des Widerspruchs, die Aristoteles bekanntlich erregt hat und in der wir geneigt sein könnten, eine Betrachtung aller Dinge *sub specie aeternitatis* zu sehen. Heraklit stand im Altertum in dem Ruf, ein abschreckender Exzentriker zu sein – ein sarkastischer, in Rätseln sprechender Einsiedler, dessen misanthropische Ablehnung der Menschheit schon zu seinen Lebzeiten legendär war. Was könnte in seiner Sicht zu einer so heftigen Ernüchterung über die soziale und politische Existenz des Menschen und zum Rückzug aus ihr geführt haben? Die allgemeinste Antwort ist, daß er dem Urteil der Menschen zu mißtrauen und dann vermutlich es zu verschmähen gelernt hatte – von Menschen, die insgesamt unfähig waren, die Wahrheit aller Dinge einzusehen; denn »die Natur der Dinge pflegt sich zu verbergen«[6], und die Menschheit ist geneigt, das Universale zugunsten des Partikularen zu ignorieren, und ein jeglicher neigt dazu, nach seinen schwachen Verstandeskräften zu urteilen. Einer der bemerkenswertesten Sätze, die von ihm berichtet werden, lautet: »Für (oder vielleicht besser: in) Gott sind alle Dinge schön, gut und gerecht, aber die Menschen halten manche für ungerecht und manche für gerecht.«[7] Heraklit mag nicht der erste gewesen sein, dem die sonderbare Tatsache auffiel, daß der *logos* des Ganzen alles durchdringt, die Menschheit jedoch, die in diese Wahrheit eingebettet ist und durch sie existiert, für sie weitgehend unzugänglich bleibt. So wie er den *logos* Gottes als das Allumfassende begriff, so

---

4 Diels-Kranz 22B50: *ouk emou alla tou logou akousantas homologein sophon estin hen panta einai*, nach Hippolytus, Ref.

5 Diels-Kranz 22B67.

6 Diels-Kranz 22B123: *physis kryptesthai philei*, nach Themistius.

7 Diels-Kranz 22B102, nach Porphyrios.

zeichnete er ein derart abschreckendes und paradoxes Bild, daß es nicht erstaunlich ist, daß die Menschheit, die er aufzuklären hoffte, ihn verschmähte und sich damit ihrerseits seine Ablehnung zuzog. Denn er lehrte, daß der Krieg universal und Gerechtigkeit Konflikt sei, und daß alle Dinge durch Konflikt und Notwendigkeit entstünden[8], womit er auf die Lehre Anaximanders zurückgriff, daß ein jegliches sein Sein dem Tod von etwas anderem verdanke und Gerechtigkeit durch den unablässigen Austausch von Tod gegen Leben erreicht werde. Heraklits Welt ist ohne den Trost eines wissenden Gottes: »Weder irgendwelche Götter noch Menschen schufen diesen Kosmos, denn er war immer und wird immer sein – ewig lebendes Feuer, erglimmend nach Maßen und erlöschend nach Maßen.«[9] Heraklits Vision war die eines Ganzen, das kraft seiner äußersten Totalität zuerst vorhanden und göttlich ist. Alle Dinge innerhalb des Ganzen entstanden und erhalten sich durch eine Spannung – nenne man sie Konflikt oder »Krieg« –, die statt eines Chaos eine Welt hervorbrachte, weil zu den Widersprüchen eine Kraft hinzutrat und diese fruchtbar machte. Diese Kraft wurde *Logos* genannt. Man könnte sie ebensogut Maß oder Proportion nennen, *Metra*. Eine Verwandtschaft zwischen den beiden griechischen Wörtern wird durch ihren gemeinsamen Bezug auf das Rechnen gestiftet. Die innerste Wahrheit des Ganzen muß in dem Gleichgewicht von Drücken gesucht und gefunden werden, einem Gleichgewicht, das der Fähigkeit jedes strebenden Dings, den Widerstand gegen seine Ausdehnung zu überwinden, Grenzen setzt. Innerhalb des Ganzen sind alle Dinge kommensurabel, daher können *metra* und *logos* einen Kosmos bestimmen. Dieser Deutung wird auch Empedokles beipflichten, der einen *logos* ins Auge faßt, welcher die Proportion ist, die den Einklang herstellt zwischen Liebe und Streit, welche beide unvermeidlich und für die Welt ebenso grundlegend sind wie die vier Elemente. Die vorsokratischen Denker wa-

---

8 Diels-Kranz 22B80, nach Origenes/Celsus.
9 Diels-Kranz 22B30, nach Clemens.

ren selbstverständlich keine naiven Reduktionisten, die im Kosmos keinen Raum ließen für duale oder andere Mannigfaltigkeiten, welche nicht transzendiert werden können.

Wir sehen undeutlich, welche Stellung Heraklit im Verhältnis zu Sokrates einnimmt: Heraklit erkannte sehr wohl, daß es auf der einen Seite die Philosophie und auf der anderen das gewöhnliche Verständnis der Menschen gibt, und weil die Mehrzahl nicht zum Licht hingeführt werden würde und könnte, verzichtete er, verbittert und unmäßig, auf ihre Gesellschaft und ihre Lebens- und Redeweise. Er war der maßlose Priester des Maßes, der für den Vorrang der Kommensurabilität im Kosmos keine Grenze sah und der zugleich den politischen oder gewöhnlichen Zustand des Menschen schmähte, weil der heilige *logos* in ihm mißachtet wurde. Er scheint nicht erwogen zu haben, daß die störrische Unwissenheit der Menschen, die seiner Esoterik zugrunde liegt (nur denen, die haben, soll gegeben werden), ein Aspekt des *logos* seines Einen Gottes ist. Welche politische Folgerung er aus alledem zog, wird uns schwach in seinem Diktum angedeutet: »Das Volk muß für das Gesetz (*nomos*) wie für die Stadtmauer kämpfen.«[10] Er klingt wie einer der frühen Entdecker der Hobbesschen Weisheit, jener Männer, die nicht auf das Eingreifen der Natur vertrauten, welche das Muster eines guten menschlichen Lebens liefern würde, sondern im Damm des Gesetzes oder der Konvention die Schutzmauer sahen, die der Mensch in einer Welt um sich ziehen muß, in der der schlichte Austausch von Leben gegen Leben die natürliche Regel ist. Man mag dafür halten, daß Heraklit das respektable Gesicht des Konventionalismus gesehen hat.

Was Sokrates angeht, so sehen wir ihn dabeistehen, ohne Einwände zu äußern, als Timaios ein universales Schema entwickelte, in dem die Proportion in der Tat das Gute konstituiert, allerdings in einem Kosmos, in dessen Innerstem Entitäten wie *pi* und die unvermeidlichen Quadratwurzeln aus zwei und drei zu finden sind, die geisterhaft an das Irrationale

---

10 Diels-Kranz 22B44, nach Diogenes Laertius IX, 2.

im Kern des Ganzen gemahnen. Sokrates' Rückzug von der politischen Menschheit, die sich von ihm zurückzog, war selbst maßvoll: ironisch und ohne die Ernüchterung, die nicht anders denn als Epilog zu einer Illusion auftreten kann. Seine gewaltigen Konzessionen an die Unerläßlichkeit politischer Einrichtungen, von Institutionen, die nicht nur nicht der Natur entspringen, sondern ihr zuwiderlaufen, werden mit frommer Ehrfurcht vor der *physis* vorgebracht, ähnlich wie es Aristoteles tun sollte, als er die Stadt zu einer natürlichen Größe erklärte, wobei er freilich einräumte, daß die aktuellen Städte mehr oder weniger monströse Abweichungen seien. Sokrates scheint einen Weg gefunden zu haben, zwischen den einander widersprechenden Elementen partieller Wahrheit die Waage zu halten, und damit der Welt ihr erstes Beispiel hoher Philosophie gegeben zu haben. Wer kann sagen, wie genau die Differenz zwischen Heraklit und Sokrates anhand einer so unbedeutenden Größe wie ihrem jeweiligen Bekanntsein für wunderliche Exzentrizität gemessen wird, worin sich das Urteil des Volkes über die Mäßigung eines hervorragenden Menschen äußert? Auf jeden Fall kann man getrost annehmen, daß Heraklit ein Ehrenplatz unter den Vorsokratikern gebührt, die jene Fragen aufwarfen, die zu Sokrates' Sache wurden.

Wir sollten auch Pythagoras Beachtung schenken, nicht so sehr wegen seines berühmten Zutrauens in die mathematische Grundlage des Ganzen, als vielmehr wegen seiner Sicht des Verhältnisses zwischen dem Weisen und dem Unaufgeklärten sowie zwischen Philosophie und Königtum, Themen, deren Bedeutung für die Orientierung des Sokratismus offenkundig ist. Pythagoras, von dem wir nur aus Berichten wissen, war der Hegemon eines regelrechten Kults, zu dem Stufen der Initiation in die Mysterien, Regeln strengster Geheimhaltung und Lehrsätze gehörten, die, wenn man sie in ihrer epigrammatischen Schmucklosigkeit nimmt, ob ihrer Verschrobenheit in Erstaunen setzen. Zum Beispiel: »Schüre nicht das Feuer mit Eisen«; »Wenn du dir die Schuhe anziehst, beginne mit dem rechten Fuß; wenn du dir die Füße wäschst, mit dem linken«; »Überschreite nie eine Sprosse«; »Setze dich nicht auf ein Viertelmaß«; »Spucke auf deine abgeschnittenen Haare und Fingernägel«[11] und manche andere. Es gibt hier viel Raum, sich in apologetischer Hermeneutik zu ergehen, für die wir auch etliche Belege besitzen, doch fällt es schwer, sich dem Eindruck einer bewußt kultivierten Mystifikation zu entziehen. Waren diese seltsamen Überbleibsel eine Nahrung für Novizen, oder waren sie für den Eingeweihten bestimmt? Wir wissen es nicht; wir wissen aber, daß Pythagoras nicht nur der Häuptling eines Kults, sondern auch so etwas wie ein Mathematiker und ein, wie es heißt, erfolgreicher Herrscher einer Stadt war, nämlich Krotons. Den Schlüssel zu seiner Bedeutung muß man, glaube ich, in seiner Eigenschaft als Mathematiker sehen. Obgleich er durch den nach ihm benannten Lehrsatz berühmt geworden ist, war doch die tiefste Beschäftigung seiner Anhänger eher arithmetischer als geometrischer Art. Dank der vielen Hinweise, die sich bei Aristoteles auf ihn und seine Schule finden, ist leicht zu ersehen, daß das Ganze nach Ansicht des Pythagoras einen absolut intelligiblen Kern besitzt: der empirischen Welt entspricht eine numerische Struktur der Wahrheit, die so tief und durchdringend ist, daß der arithmetisch[12] gefaßte Begriff des »Vollkommenen« selbst als auf die Moral wie auf die Physik, auf die menschliche und die nichtmenschliche Welt in gleicher Weise anwendbar verstanden werden muß. Aus dieser Perspektive betrachtet, liegt wenig daran, daß die pythagoreischen Dikta nach finsterstem Aberglauben schmecken. Auf ihre anfechtbare Weise »wußten« die Pythagoreer, daß die Gegensätze, die auch nach Ansicht Heraklits die Welt zu einem Ganzen fügen, von der einheitsstiftenden Wahrheit der Zahl aufgehoben werden.

---

11 Iamblichos in Diels-Kranz, nach Kirk und Raven, a. a. O.

12 Zehn, die vollkommene Zahl, ist die Summe der ersten vier ganzen Zahlen, die, qua Punkt, Gerade, Dreieck und Pyramide, jeweils primäre Entitäten sind. Vier ist selbst von göttlichem Gewicht. Es erscheint sonderbar, daß ein Mathematiker, der den »Pythagoreischen Lehrsatz« kannte, wenngleich er ihn gewiß nicht hervorbrachte, sich angesichts der irrationalen Zahlen, die der Lehrsatz in Erinnerung ruft, seinen numerologischen Optimismus bewahrt haben sollte.

Wie sollen wir die notorische Geheimniskrämerei und den Kultcharakter der pythagoreischen Bewegung, ihr Zutrauen in die einzige mathematische Wahrheit der menschlichen und der nichtmenschlichen Welt und die Neigung zur Herrschaft in der Stadt miteinander in Einklang bringen? Die plausible Antwort lautet, daß Pythagoras danach trachtete, die verdeckte Ordnung des Ganzen auf der Ebene der Politik zu konkreter Manifestation zu bringen, freilich mit einer offenkundigen Intention, das entscheidende Wissen auf eine Elite zu beschränken, die er kontrollieren konnte, sei es, um die Arkana der Macht zu monopolisieren, sei es, um die Wahrheit vor den Gefahren der Enthüllung zu bewahren. Die Kritik des pythagoreischen Projekts wird aus zwei Passagen von Aristoteles hinreichend deutlich.[13] Aristoteles schreibt: »Pythagoras unternahm es als erster, die Tugend zu erörtern, aber nicht in der richtigen Weise; denn dadurch, daß er die Tugenden auf Zahlen bezog, wurde seine Untersuchung unangemessen; denn die Gerechtigkeit ist keine Quadratzahl.« Und: »Die Pythagoreer hatten zuvor von einigen wenigen Dingen gehandelt, deren Definitionen sie mit Zahlen verknüpften – zum Beispiel das Zweckmäßige, das Gerechte oder die Ehe. Doch es war vernünftig von ihm [Sokrates], daß er das ›Was ist‹ untersuchte.« Aus diesen Bemerkungen, wenn nicht aus der *Nikomachischen Ethik*, können wir entnehmen, daß Aristoteles der Ansicht war, die Gerechtigkeit entziehe sich einer formelhaften Definition, wie sie der Stoff eines Handbuchs für Regierende sein könnte. Ferner braucht man nur die mitleidlose Anspielung auf die Reduktion der Ehe auf Arithmetik zu betrachten, und man kann unschwer erkennen, was einer solchen Satire auf die pythagoreische Wissenschaft zugrunde liegt, wie sie im Fiasko der »Hochzeitszahl« enthalten ist, die Platon für die Besserung der Menschheit anbietet. Wenn wir das Bild des Altertums weiter zu vertiefen suchen, indem wir die Disjunktion Vorsokratisch-Sokratisch einbeziehen, drängt sich der folgende Gedanke auf: Heraklit schwor der politi-

---

13 *Magna Moralia* 1182a11 und *Metaphysik* 1078b21, die von Kirk und Raven, a. a. O., nützlich zusammengebracht werden; Diels-Kranz Bd. I, S. 452.

schen Gesellschaft seiner Landsleute ab, und Pythagoras nahm sie bereitwillig an, jeder in der Zuversicht, er sei der Wahrheit des Ganzen auf den Grund gekommen. Sokrates stand zwischen ihnen; er hatte einen Weg gefunden, innerhalb und außerhalb der Stadt zu leben, und er hatte eine Weise des Sprechens entdeckt, die zurückhaltend war, ohne verdreht änigmatisch zu sein oder an ein Schibboleth zu gemahnen. Frei von Illusionen, die himmlische Ordnung auf die Erde herabzubringen, gab er doch niemals die irdische Ordnung auf, weil sie sich dem Transzendenten verweigerte. Können wir umhin, uns eines anderen Alten zu erinnern, Moses, dessen Aufgabe es war, hinaufzugehen und dann die himmlische Gesetzgebung für die Einrichtung des besten Regimes auf die Erde hinabzutragen?

Parmenides war ein weiterer der vorsokratischen gesetzgebenden Weisen Griechenlands. Es wird immer in Erstaunen setzen können, daß die Männer jener Richtung, die sich auf die Politik der Städte einließen und mit den Regierenden verkehrten – Solon, Pythagoras, Parmenides, selbst Platon und Aristoteles –, ihr Leben unbehelligt zu Ende lebten, während Sokrates durch die Stadt umkam, von deren Angelegenheiten er sich fernzuhalten bemühte – freilich waren seine Mitbürger gewitzt genug, die weitreichende Herrschaft zu spüren, die latent in seinen Gesprächen lag, an denen nur wenige teilnahmen, und auch scharfsichtig genug, intuitiv als Geringschätzung zu verstehen, was er als eine vorsichtige Präferenz für ein privates Leben vortrug.

Parmenides äußerte sich in Form eines Gedichts, das notorisch schwer zu interpretieren ist, und eröffnete sich damit den wenigen, die sich an den Weg der Wahrheit und des Seins halten, nicht aber den anderen, die den Weg des Nichtseins und der Meinung, wie es bei ihm heißt, oder des Werdens und der bloßen Wahrnehmung beschreiten. Er lehrte die Einheit des zeitlosen Ganzen, ein unteilbares und unbewegtes Sein, das in dem Strudel bloßer Erfahrung die Wahrheit sei. Er wird zu seiner Weisheit geleitet von den Töchtern der Sonne, die ihn in das Licht führen und sich bei der Gerechtigkeit selbst (*dike*) dafür verwenden, daß er zu dem Ort vorgelassen wird, zu dem man durch die Pforten von Nacht und Tag gelangt.[14] Es scheint, daß Parmenides seine große Erleuchtung in Gestalt einer Belehrung durch die »Töchter der Sonne« erfuhr, worunter wir jene Leuchten am Firmament verstehen können, die zu allen Zeiten Menschen in den *logos* des Universums eingeführt haben. Es ist die Gerechtigkeit, die den Zugang zur Wahrheit bewacht, ein Gedanke, der für uns dunkel bliebe ohne die Aufhellung durch jenen Vers des Parmenides, in dem es heißt, die Gerechtigkeit lockere ihre Herrschaft nicht so weit, daß sie irgend etwas vom Sein zum Werden oder zum Vergehen freigibt.[15] Zweifellos in Kenntnis von Anaximanders Gesetz des universalen Austauschs innerhalb eines Ganzen, in dem das Fließen anderenfalls Gesetzlosigkeit hervorzurufen drohte, bezieht Parmenides Stellung und zeigt er, daß die Gerechtigkeit bei jedem Austausch zwischen Sein und Werden die Grenze zieht. Nichts kann aus nichts entstehen, noch kann es eine wahre Vernichtung geben innerhalb des Ganzen, dessen absolute Einheit Parmenides so stark beeindruckte. Wenn wir nach der Differenz zwischen der Einsicht des Parmenides und beispielsweise der Anaximanders fragen, so gibt uns Platon in dem nach Parmenides benannten Dialog einen klaren Wink. Platon läßt es dort zu einer Begegnung zwischen Sokrates und Parmenides kommen und gibt – Thema ist der Status der Ideen – zu erkennen, daß Parmenides die Lehre von der Einheit des Ganzen in ihrer extremsten Form vertritt: Nur das Eine ist, das einzige Sein, das es gibt, ist das Sein des Einen, und diese Wahrheit ist die höchste Wahrheit des Ganzen. Anaximander ist fasziniert von dem System der »Gerechtigkeit«, das den Bestand des Ganzen dadurch sichert, daß es in ihm das Gesetz der strikten und gleichmäßigen Aufrechnung von Existenz gegen Existenz walten läßt. Parmenides ist fasziniert von dem System der »Gerechtigkeit«, das jeden Austausch zwischen dem Sein und dem sinnlosen, unintelligiblen Nichtsein verbietet. Anaximanders Lehre wird von der Physik, die des Parmenides von der Meta-

---

14 Diels-Kranz 28B1, S. 228.
15 Diels-Kranz 28B8, S.234.

physik angetrieben. Platons *Parmenides* offenbart, daß die Sokratische Ideenlehre, welche die Sokratische Orthodoxie zum Thema des Einen ist, das dem Vielen innewohnt, nicht so radikal ist wie die Einheitstheorie des Parmenides, in dem offenkundigen Sinne, daß es für Sokrates viele Einsen gibt, wenngleich es für Sokrates, zumindest in seiner Jugend, unklar ist, wie viele solcher Einsen es genau gibt. Lassen sie sich alle auf ein großes, erschöpfendes Eins reduzieren, und wenn ja, was wäre sein Name? Den abschließenden Höhepunkt von Platons *Timaios* bildet eine Definition des Guten, die enthüllt, daß das Gute ein Zusammengesetztes ist, welches durch die Proportion zusammengehalten wird. Wenn die Proportion dem Guten vorausliegt, sie aber gezwungen ist, auf immer in den Tiefen des Ganzen Seite an Seite mit dem irrationalen *pi* zu leben, dann ist die Einheit des Urprinzips des Ganzen eine Zweideutigkeit: die Proportion und das Inkommensurable werden zusammengehalten in einer welterzeugenden Konjunktion, die von der Proportion bestimmt sein muß, da sonst die Kraft, die die Welt schafft, versagen würde; aber »Proportion« ist der Name dessen, was sich mit seinem Gegenteil versöhnt. Wir hören Echos von Heraklit und Empedokles; aber hören wir sie in der Stimme des Sokrates? Nicht buchstäblich, denn es ist Timaios, der Astronom, der den kosmogonischen Diskurs zu seiner polemisch-irenischen Schlußfolgerung hinführt. Wenn wir Platons *Timaios* als Hilfe dafür in Anspruch nehmen sollen, das Verhältnis zwischen Sokrates und anderen zu beurteilen, dann müssen wir uns daran erinnern, daß der *Timaios* mit einem Sokratischen Diskurs über Politik (einer Zusammenfassung von Teilen der *Politeia*) beginnt, der den Gedanken enthält, daß die Stadt ihre charakteristischste Tat vollbringt, wenn sie Krieg führt. Es scheint, daß die polemische Prämisse des Sokratischen Auftrags, der den Dialog in Gang setzt, in großen Zügen mit der zweideutigen Schlichtung zwischen der Proportion und ihrem Gegenteil übereinstimmt, mit welcher der Dialog endet. Wenn wir dies sagen, müssen wir einmal mehr beachten, daß Sokrates den Argumenten des Timaios nur durch Stillschweigen zustimmt: er murmelt nicht einmal einen Vorbehalt. Wir dürfen daher folgern, daß Sokrates eine Lehre vom Einen und

Vielen vertrat, die weniger radikal war als die des Parmenides und emphatischer als die jener Schule, die lehrte, daß Alles Krieg sei. Wiederum erscheint Sokrates als ein Mann der Mitte. Es wäre ungerecht und unweise, diesen Aspekt der Frage, die Sokrates und Parmenides trennt, damit zu verlassen, daß wir Sokrates als dem gemäßigteren Denker stumm die Siegespalme verleihen, denn es könnte um etwas noch weit Ernsteres als um Mäßigung gehen. Parmenides strebte nach dem absoluten, all-einenden Einen, das außerhalb der Zeit ist, das notwendig sein muß und das der Geist nicht unterscheiden kann von dem unübertrefflichen Sein, das verschieden ist von jedem Ding, welches in bloßer Dinghaftigkeit oder Teilhaftigkeit existiert. Parmenides strebte nach dem Ersten und Höchsten, welches das ist, was geeignet ist, Gott genannt zu werden. Warum sollte er nicht höher geehrt werden als der Mann, der die Proportion nicht zu transzendieren vermag – es sei denn, Proportion ist ein Name für die absolute, unübertreffliche intelligible Klarheit, den zeitlosen *logos*, kraft dessen es ein Ganzes gibt, jenes noetische Unbewegliche, das das Erste und Höchste ist und das geeignet ist, Gott genannt zu werden? Warum am Ernst des Dialogs zwischen Parmenides und Sokrates zweifeln?

Kann man aus alledem etwas im Hinblick auf die menschliche oder politische Bedeutung von Parmenides' Denken ableiten? Vielleicht dieses: Parmenides ließ keinen Zweifel daran, daß er die Menschheit geteilt sah in solche, die dem Pfad der Wahrheit folgen, und solche, die den Weg der Meinung gehen – eine keineswegs bemerkenswerte oder originelle Sicht. Eine kosmische Ordnung und Gerechtigkeit gibt es in der Tat; aber wie findet sie Eingang in das menschliche Leben? Wenn die Beteiligung des Parmenides als ein ernster Akt und nicht als bloßer Ausdruck von Ehrgeiz zu verstehen ist (worüber wir keine Gewißheit haben können), dann dürfen wir vermuten, daß er die Herrschaft eines Philosophen – eines solchen, wie er einer war – zumindest als wirksam, wenn nicht als schlechthin unerläßlich für die Erhellung des verdunkelten Ortes erachtete, der der gewöhnliche Aufenthalt der Menschheit ist. Parmenides unterscheidet sich von Sokrates in dem offenkundigen

Sinne, daß Sokrates nicht regierte oder zu regieren suchte. Aber Sokrates räumte ein, daß ein guter Mensch den Wunsch haben könnte zu regieren, und sei es nur, um zu verhindern, daß er von Menschen regiert würde, die schlechter sind als er, wie jene, die ihn in Athen regierten, ihm sicherlich erschienen sein müssen. Warum können wir der Machtübernahme des Parmenides nicht diesen Grund zuschreiben? Und warum können wir nicht gleichermaßen annehmen, daß Sokrates sich der Herrschaft enthielt, weil sie über seine Kraft ging? Unsere Spekulationen darüber müssen ohne schlüssiges Ergebnis bleiben. Sollte das für unseren Versuch, die Konzeptionen beider von der Gerechtigkeit gegeneinander zu halten, weniger zutreffen? Parmenides billigte offenbar die überlieferte Definition der Gerechtigkeit als *quid pro quo*, mit der weitreichenden und gründlich erwogenen Einschränkung, daß es zwischen Sein und Nichtsein keinen Austausch geben könne. Sokrates, der diese Definition ausdrücklich verwarf, erklärte, Gerechtigkeit sei Festhalten an dem Seinigen oder Fürsichbleiben. Dies aber verweist, da es sich um die Grundlage der Arbeitsteilung handelt, unausweichlich auf Austausch, während es zugleich auf das Sichaneignen alleiniger und unbeschränkter Macht durch den Philosophen verweist, ein Besitz und eine Last, für die nur er geeignet ist. Ist der Gegensatz zwischen Parmenides und Sokrates ein metaphysischer ohne praktische Folgen, außer auf der Ebene des biographischen Zufalls? Sokrates behauptete, er habe das Studium der nicht-menschlichen Dinge aufgegeben und die meiste Aufmerksamkeit während seines Lebens auf das Studium der Menschheit und ihrer Lage verwandt. Parmenides scheint nach allem, was wir von ihm direkt wissen, das Umgekehrte getan zu haben. Doch es ist Parmenides, der eine Stadt regierte, und Sokrates, der vor der Politik zurückschreckte. Müssen wir uns auf eine so schwache Grundlage wie die Vermutung stützen, Sokrates hätte nichts Geringeres akzeptiert als die absolute Macht seines fiktiven Philosophen-Königs, wissend, daß die Gelegenheit, sie zu erlangen, ebenso wahrscheinlich ist wie der Erfolg einer »Hochzeitszahl« oder irgendeines anderen Plans des dogmatischen Rationalismus, wohingegen Parmenides bereit war, die Herrschaft in der Form zu übernehmen, wie seine Untertanen sie ihm anböten, und sie nach deren Belieben auszuüben, womit er einen Pragmatismus an den Tag legte, der alles andere als einen intransigenten rationalistischen Dogmatismus anzeigte. Wenn wir uns davon überzeugen könnten, daß Sokrates, je zielstrebiger er sich dem Studium der menschlichen Dinge widmete, um so mehr in der Überzeugung bestärkt wurde, daß die Unvernunft in sie genauso eingebettet ist, wie sie an der Seite der Rationalität des Ganzen steht, so *wüßten* wir, daß sein angeblicher simplistischer Rationalismus – und, daraus folgend, Optimismus – eine Vulgarisierung seines Denkens ist. Solange diese Frage im unklaren bleibt, wird die Trennungslinie zwischen Sokrates und dem gewichtigsten seiner Vorgänger im selben Maße undeutlich bleiben wie die radikale Originalität des Sokrates; was jedoch klar genug hervortritt, ist, daß die Frage der Herrschaft der Philosophie uns zu den tiefsten Fragen bezüglich der Stellung des Menschen im Ganzen hinführt – des Charakters des Ganzen als Heimat für den Menschen und damit notwendig der Existenz, der Bedeutung und des Charakters von Gott oder den Göttern.

Ein Wort sollte über das gesagt werden, was als die nebensächliche Erwägung der Art und Weise erscheinen könnte, in der Sokrates und seine Vorgänger sich ausdrücken. Parmenides, als ein herausragendes Beispiel, schrieb Dichtung. Die Dichtung kann in ihrer besten und ernstesten Form, das heißt so, wie sie an und für sich ist, den Anspruch erheben, die innere Wahrheit dessen zu sein, was sie berührt: die Artikulation reiner und unmittelbarer Einsicht, die nicht durch die Last der vernünftigen Schlußfolgerung behindert wird und so Zugang zu den verborgensten Tiefen hat, an deren Schwelle die Vernunft ebensooft auf Plausibilitäten wie auf Notwendigkeiten stößt und so von Zweifeln und Alternativen zurückgeworfen wird. In ihrer gewundenen Ausdrucksweise imitiert die Dichtung den Schleier, der das Innerste verhüllt, und indem sie das tut, zollt sie dessen Heiligkeit ihren Respekt; zugleich hüllt sie die Intuition in das Gewand der Schönheit. Die Sokratische Kritik an der Dichtung, die sich auf politische Gründe stützte, verblaßt zur Banalität, gemessen an der radikalen Kritik, die darin liegt, daß Sokrates sich der Dichtung als eines Mittels der philosophischen Äußerung enthielt. In seinem Handeln demonstrierte Sokrates die Kluft, die ihn von Parmenides trennte: Sokrates fragte, während Parmenides erzählte. Durch sein Fragen spielte Sokrates nicht nur auf eindrucksvollste Weise die Rolle des Anregers für das Denken anderer oder des Berichtigers ihrer Irrtümer. Er bestritt damit auch und vielleicht in erster Linie, daß die Menschheit durch unmittelbare Intuition zu den geheimen Orten des Ganzen vordringt und daß es die im Brustton vorgetragene, sich über die Alltagssprache erhebende assertorische Deklaration ist, durch welche sich die Menschheit die Wahrheit verkündet. Es war Sokrates der Fragensteller, der für sich die Weisheit beanspruchte, zu wissen, was er nicht wußte und daß er nicht wußte. Indem er die Mitte fand zwischen der Kapitulation vor der Unermeßlichkeit des Gebietes der Wißbegierde und der Zuversicht, daß dieses Gebiet sich durch eine intuitive Betrachtung abschließend ermessen lasse, könnte Sokrates die Philosophie erfunden haben.[16] Zur späteren Verwendung sei gesagt, daß er den Zweifel niemals aufgab.

Zwei Namen dürfen bei diesem kurzen Überblick über das Erbe, das Sokrates antrat, nicht übergangen werden: Protagoras und Gorgias. Protagoras ist berühmt für die Sentenz: »Aller Dinge Maß ist der Mensch, der seienden, daß (wie) sie sind, der nicht seienden, daß (wie) sie nicht sind.« Hätte er lediglich gesagt, der Mensch sei das Maß aller Dinge, so könnte man ihn dahingehend verstehen, daß es keine Gerechtigkeit oder Tugend oder gar Lust gebe außer in dem Sinne, in dem die Menschen diese Dinge definieren. Man hätte ihn möglicherweise, was Gerechtigkeit und dergleichen angeht, als einen radikalen Konventionalisten betrachten können, doch sehr viel wahrscheinlicher meinte Protagoras, daß es eine menschliche Aufgabe, daß es die Verantwortung der menschlichen Weisheit sei, zu unterscheiden zwischen dem, was ist, und dem, was nicht ist, oder Sein und Werden zu erforschen und zu bestimmen. Nimmt man seine Leugnung hinzu, über das Sein und den Charakter

---

16 Zenon hat nicht, wie manchmal behauptet wird, die Dialektik entdeckt; was er praktiziert und möglicherweise entdeckt hat, ist das demonstrative oder eristische Fragen.

der Götter Bescheid zu wissen oder daß vielleicht irgend jemand über sie Bescheid wissen könne, so bekräftigt er, daß ein Wissen von allem, was beanspruchen kann, ursprünglich zu sein, vielleicht das Sein selbst, nur menschliches Wissen ist. Sein Pantheon würde dem Olymp in keiner Weise ähneln, wenn das Erste und Höchste das Sein selbst wäre. Welche Stellung er im Verhältnis zu Sokrates einnimmt, wird wohl am besten durch die Art und Weise angedeutet, in der Platon den Dialog, der Protagoras' Namen trägt, beginnen und enden läßt. Anfangs stimmen die beiden insofern nicht überein, als Protagoras behauptet und Sokrates bestreitet, daß Tugend lehrbar sei, während sie zuletzt nicht übereinstimmen, weil sie ihre Positionen getauscht haben. Wie es scheint, muß, wenn einer von ihnen recht hat, der andere unrecht haben. Warum? In Platons *Theaitetos* wird Protagoras für die Auffassung verantwortlich gemacht, daß Erkenntnis Wahrnehmung sei, und daß sich folglich alles im Fluß befinde oder Bewegung sei. Wenn menschliche Erkenntnis notwendig auf Wahrnehmung reduzierbar ist, dann kann es kein wahres Wissen vom Sein geben ohne Rekurs auf ein Wissen, das das Fließen – das, was durch *aisthesis*, Wahrnehmung, gewußt wird – transzendiert oder den Menschen befähigt, es zu transzendieren. Nur wenn Protagoras von diesem Transzendenten wissen kann, kann er für sich beanspruchen, das Maß des Seins der Dinge zu sein, die sind; und dann wäre, vielleicht in der Sicht des Sokrates, sein öffentliches Bestreiten, von Gott zu wissen, ein Selbstmißverständnis – es sei denn, es wäre eine Ironie. Was es ist, ist sehr schwer zu sagen.

Von Gorgias ist relativ viel erhalten, doch für unseren Zweck braucht nur weniges beachtet zu werden. Er hatte ein übermäßiges Vertrauen in die Macht der Rede. Man könnte ihn das rhetorische Gegenstück zu Hippodamos nennen, der ebenfalls einen maßlosen Glauben an die Eignung der schematischen »Vernunft« für die praktische Politik besaß. Gorgias' Vertrauen in die Macht der Rede ging bis zum Glauben, er – oder vielleicht der Mensch »im Prinzip« – könne die unverschämteste Behauptung beweisen, zum Beispiel die, daß nichts existiere. Diese extreme Lehre, die mit ihrer Implikation, daß

Überredung mächtiger sei als Zwang, zunächst anziehend wirkt, erweist sich als anfällig für die Kritik, daß sie alles, was sie der Argumentation hinzufügt, der Vernunft nimmt: unverfroren rühmt sie sich der Gewalt des Menschen, das schwächere Argument zum stärkeren zu machen. Nicht weil ihr Anspruch ihre Macht übersteigt, sondern weil der Anspruch als solcher jedes Vertrauen in die Weisheit wie auch in die Gerechtigkeit bedroht, war die Anmaßung des Gorgias und seiner Freunde für Sokrates unannehmbar. Daß er am Ende geteert wurde mit dem Pinsel, der in das Pech getaucht war, das die Rhetoriker angerührt hatten, belegt nur die Klugheit, die Sokrates' Zurückweisung jeder Behauptung zugrundelag, die Rede habe unbegrenzte Macht. So wie die maßlosen »Rationalisten« ihn und die Philosophie in ihren sichtbaren Atheismus hineinzogen, so zogen die zu weit gehenden Rhetoriker ihn und die Philosophie in ihre arrogante Sophisterei hinein. An seinem bürgerlichen Sturz läßt sich viel über den Grund von Sokrates' Haltung im Verhältnis zu seinen Vorgängern ablesen.

Wir kommen schließlich zu dem Sophisten Antiphon. Ein längeres Zitat aus seinem erhalten gebliebenen Werk wird genügen, um das Notwendige zu verdeutlichen. »Gerechtigkeit besteht also darin, nicht zu übertreten, was das Gesetz der Stadt ist, in der man Bürger ist. Ein Mensch kann sich deshalb am besten im Einklang mit der Gerechtigkeit verhalten, wenn er, solange er in Begleitung von Zeugen ist, die Gesetze hochhält, und, sobald er allein und ohne Zeugen ist, die Edikte der Natur hochhält. Denn die Edikte der Gesetze sind künstlich auferlegt, aber die der Natur sind zwingend. Und zu den Edikten der Gesetze gelangt man durch Zustimmung, nicht durch natürliches Wachstum, während die der Natur nicht der Zustimmung unterliegen. – Wenn also der Mensch, der gegen den Gesetzeskodex verstößt, sich denen entzieht, die diesen Edikten zugestimmt haben, so vermeidet er sowohl die Schande als auch die Strafe; anderenfalls nicht. Wenn aber ein Mensch wider die Möglichkeit irgendeines der Gesetze verletzt, die in der Natur verwurzelt sind, so ist selbst dann, wenn er sich jeder Entdeckung durch die Menschen entzieht, das Übel um nichts geringer, und selbst dann, wenn alle es sehen, ist es um nichts größer. Denn er hat Schaden nicht aufgrund einer Meinung, sondern in Wahrheit. Die Untersuchung dieser Dinge wird im allgemeinen aus dem Grunde angestellt, daß die meisten der von Gesetzes wegen gerechten Handlungen im Widerspruch zur Natur vorgeschrieben sind.«[17] Der weise Spruch des Antiphon kann für unseren Zweck vervollständigt werden durch seine Bemerkung: »Aber das Leben gehört zur Natur, und der Tod ebenfalls, und das Leben leitet sich für sie her von Vorteilen und der Tod von Nachteilen. Und die durch das Gesetz festgelegten Vorteile sind Ketten für die Natur, aber die von der Natur festgelegten sind frei.« Was Antiphon jedem, der nach ihm kommen sollte, vollkommen klar gemacht hat, ist, daß die Berufung auf die Natur als höchste moralische Autorität in einem bestimmten Sinne reich an Gefahren ist, so wie die Berufung auf die Konvention es in einem anderen Sinne ist. Antiphon korrigiert die Weisheit des Anaximander, der in der Natur die unversöhnliche Moral sah, die ein Leben für ein Leben fordert. Antiphon verwandelt diese Einsicht mit der Entdeckung, daß das Leben, das gemäß der Natur gelebt wird, das Leben der Freiheit ist, daß die bürgerliche Existenz eine Form der Knechtschaft ist und daß das Gesetz der Stadt nicht autoritativer ist als die bloße Meinung, jene vielfach herabgesetzte Alternative zum Wissen, das im vorliegenden Fall aus einem Stoff besteht, der für das gesittete Leben verhängnisvoll sein könnte. Antiphon hinterließ seinen Nachfolgern diese unliebsame Antithese: einerseits ein Leben, das frei gelebt wird gemäß der kristallklaren Wahrheit der Natur (so wie es von dem blutbefleckten Ahnen des Gyges gelebt würde), andererseits ein Leben, das im Zwang gelebt wird, unter der Herrschaft von Verboten und Vorschriften, die von bloßen Menschen ausgehen, Menschen freilich, deren natürlicher Instinkt – wenn schon nichts anderes – sie lehrt, daß Weisheit und Wahrheit darin liegen, der natürlichen Lockung des Vorteils zu gehorchen. Wenn die natürliche Wahrheit des Vorteils in der Natur und in der bürgerlichen

---

17 Diese und die folgende Passage sind entnommen aus Kathleen Freeman: *Ancilla to the Pre-Socratic Philosophers*. Cambridge, Mass., Harvard University Press, 1957, S. 147.

Gesellschaft gleichermaßen souverän ist (weil Gerechtigkeit nur der Vorteil des Stärkeren ist), ist dann nicht das Projekt eines friedlichen und edlen menschlichen Lebens zum Scheitern verurteilt durch die Macht des natürlichen Ganzen, in das unsere Existenz unentrinnbar eingeschlossen ist? Bestünde unsere letzte Hoffnung in einer selbst eingeredeten Zuversicht, daß die Rede nahezu alles überwindet und eine Enklave des Anstands für uns schaffen kann in einem Universum, das seine Wahrheit bei Nacht offenbart – eine unsagbare Dunkelheit, in der Licht die Ausnahme und der helle Tag eine flüchtige Erleichterung ist? Dies mag in der Tat unsere menschliche Situation sein. Dann würden wir auf den Redner warten, der der Natur ihr Gift nähme, indem er erklärte, daß sie hinsichtlich der Macht, dem Menschen Gutes zu bescheren, allen Artefakten überlegen sei, während er zugleich die konventionelle bürgerliche Gesellschaft in ihrer reinsten Form entfaltete und als in der Natur gegründet beschriebe: die Politische Philosophie des besten Regimes. Wäre ein solches Projekt so zu beschreiben, daß um der Ziele der Menschheit willen die Neutralität der Natur gegen diese selbst zu wenden sei, dann entspräche diese Beschreibung offenbar den Plänen von Descartes und Hobbes, wie auch jenen der kunstreichen Erfinder der Olympier, die dem Menschen Beachtung schenkten. Wenn man aber sagen könnte, daß die Politische Philosophie die Versöhnung des Menschen mit seinem Kosmos unter Bedingungen sei, die sein Leben im möglichen Ausmaß edler machen, unter Zugrundelegung von Prämissen, welche die bloße Vernunft nicht übersteigen, dann kann man sagen, daß Sokrates die Politische Philosophie aus der Fülle dessen entwickelt hat, was er ererbte von jenen, die wir Vorsokratiker nennen, und daß er dies in einer Weise getan hat, die ihn von seinen modernen Nachfolgern unterschied, da er den Adel des Menschen stets als seinen Leitstern und Kompaß im Blick behalten hat.

Es ist angebracht, ausdrücklich festzustellen, was Sokrates nicht tat. Er entdeckte nicht die Disjunktion zwischen Einem und Vielem, zwischen einem phänomenalen Fließen und einem intelligiblen Unbeweglichen, zwischen einem ganzen Kosmos und dem ihm innewohnenden *logos*, zwischen Leib und Seele, zwischen dem Rationalen und dem Irrationalen, zwischen Wenigen und Vielen, zwischen Meinung und Erkenntnis, zwischen Natur und Konvention, zwischen vorsichtiger und unvorsichtiger Rede. Andere vor ihm hatten gesehen, daß sich das Ganze nicht auf etwas Einfaches reduzieren ließ, das frei war von Dualität. Er entdeckte nicht die Güte eines privaten Lebens, ebensowenig wie die Lehre von einer Unsterblichkeit und von einer zukünftigen Belohnung und Bestrafung; noch entdeckte er das Ärgernis des gemeinen Pantheons oder einer unwürdigen Flucht ins Übernatürliche oder auch die Frage, ob das Ganze von einem Prinzip des Guten regiert wird und, wenn ja, was dieses Prinzip oder diese Gerechtigkeit sein könnte. Er war nicht der erste, der die Dichter mit einem kritischen Auge prüfte.

Was tat er dann? Wie klärte er sein Zeitalter auf? Ich glaube, damit daß er die Politische Philosophie im oben vorgetragenen Sinne schuf, erwies sich Sokrates als der Mann, der die maßvollste und zugleich die erhebendste Lösung der Frage anbot: Welche Stellung nimmt der Mensch im Ganzen ein? Die Disjunktion zwischen dem Philosophen und der *polis* im Handeln geht bei ihm einher mit einer Konjunktion zwischen dem Philosophen und der *polis* im Reden. Heben sein Handeln und sein Reden sich durch den Widerspruch gegenseitig auf, oder verbinden sie sich miteinander, um uns eine Lehre zu erteilen? Ich glaube, daß sie in ihrer Verbindung die Substanz der ersten der profanen Aufklärungen der westlichen Welt verkörpern. Unter einer Aufklärung verstehe ich eine radikale Sammlung, Prüfung, Revision und Reorganisation des moralischen und intellektuellen Erbes in der spezifischen Absicht, die Menschheit näher an ein Leben heranzuführen, das von der Wahrheit der positiven Beziehung des Menschen zur Vernunft bestimmt wird. Das Handeln und das Reden des Sokrates lehren, daß die höchste Vernunft, Weisheit oder Philosophie maßgebend ist und doch nirgendwo herrscht. Im Kern des überwältigend rationalen Ganzen sitzt ein Wurm der Unvernunft, wie wir hätten vermuten können, wenn wir dem Einbruch des widerspenstigen *pi* ins Innerste der Mathematik selbst das gebührende Gewicht beigemessen hätten. Die Proportion selbst – man könnte auch Kommensurabilität sagen – hat ihre Grenzen; und was immer dies für das Schicksal des kosmischen Ganzen bedeuten mag, seine Tragweite für das vollkommene Aufeinanderabstimmen der Spielarten der menschlichen Seele in der politischen Gesellschaft ist für alle, die sich nicht selber blind machen, klar erkennbar.

Wie verhält sich die Sokratische Aufklärung zu der in der Verbreitung einer solchen Lehre latenten Demoralisierung? Die praktische Aufgabe des Sokrates wird definiert durch die beiden Aspekte seiner Einsicht: die Vernunft des Ganzen und die Unvernunft im Ganzen. Im *Politikos* läßt Platon Sokrates stillschweigend der Definition der Staatskunst als einer Kunst des Anfeuerns und Zurückhaltens beistimmen, die sich an dem orientiert, was den Regierten not tut. Im *Theaitetos* führt Sokrates eine an anderer Stelle wiederholte Übung aus, deren Erfolg von der Gelehrigkeit seines Gesprächspartners abhängt; er ermutigt den, der an seiner Untersuchung teilnimmt, sich ein Herz zu fassen und in dem Bemühen, zum Sein der Dinge vorzudringen, niemals nachzulassen; diese Anfeuerung gibt er, nachdem er seinen Gefährten in lähmende Verwirrung getrieben und ihn ermahnt hat, niemals aus den Augen zu verlieren, was problematisch oder rätselhaft bleibt. Sicherlich gibt es Dinge, von denen Sokrates sehr wohl wußte, daß er sie wußte; aber eines von ihnen war, was er nicht wußte und daß er nicht wußte. Seine Leistung läßt sich daher bezeichnen als eine Aufklärung der zurückhaltenden praktischen Erwartungen, die vorangetrieben wurde durch einen unauslöschlichen Vorsatz, seine Artverwandten dazu zu veranlassen, des Besten und des Höchsten eingedenk zu bleiben, dessen sie fähig sind. Mit einem Blick auf spätere Entwicklungen ließe sich die Sokratische Leistung auch als eine Aufklärung des residuellen Zweifels bezeichnen.

Es ist bemerkenswert, daß der Sokrates, den wir kennen, weit mehr ein Anthropologe und Psychologe als ein Theologe ist. Wenn er am Ende seines Lebens enthüllt, daß er das Studium des Nichtmenschlichen seit langem als nicht vielversprechend aufgegeben habe, um die menschliche Welt zu erforschen, so scheint er entweder einer Entmutigung erlegen zu sein, die seinem Philosophieren von da an eine andere Richtung gab, oder, aus welchem anderen Grund auch immer, beschlossen zu haben, sich der Erforschung der himmlischen Wesen zu enthalten. Wiederum mit einem Blick auf spätere Entwicklungen können wir bemerken, daß die Sokratische Aufklärung eine menschliche Orientierung besaß, es sich aber erlauben konnte, das Ausmaß, in dem sie die allgemein anerkannte Gottesvorstellung umging, weithin im Dunkeln zu lassen. In ihrer zetetischen Art und Weise widersetzte sich die Sokratische Aufklärung der assertorischen Geltendmachung unmittelbarer Einsicht und der dichterischen Offenbarung von Göttern, die in ihren Antrieben auf peinliche Weise natürlich und in deren Befriedigung zugleich wunderbar ungehemmt waren durch die Grenzen der Natur.

Wir werden uns an dieser Stelle unschwer erinnern, daß es sowohl ein sakrales als auch ein profanes Altertum gab, an das die moderne Aufklärung sich wandte, und daß es in jenem Bereich eine Entwicklung gab, die man durchaus als eine Aufklärung beschreiben könnte, ja, als die absolute Erleuchtung der Menschheit durch die Offenbarung. Man kann die biblische Aufklärung auf knappe Weise nur charakterisieren, indem man sie als die unmittelbare Offenbarung des Ersten und Höchsten beschreibt, das sich selbst als das absolute Eine zu erkennen gibt, das äußerste Prinzip des Universums, das mit dem Menschen in Verbindung tritt, aber für ihn völlig unbegreiflich ist, absolut rechtschaffen, allein hegemonisch, gesetzgebend für die Menschheit und deshalb sorgsam darauf bedacht, daß die Güte des Ganzen in der Existenz der Menschen wirksam gegenwärtig sei, gefeit gegen den Zwang der natürlichen Schöpfung des Menschen und für immer ein gewisses Maß an Unerforschlichkeit behaltend, womit es garantiert, daß das Universum stets ein Rätsel bleiben wird. Obgleich ein Rätsel, kann es dem Gesetz nach nicht ein Gegenstand der Forschung, sondern nur der Untersuchung der weiteren Bestimmungen des Gesetzes sein. Die biblische Aufklärung entband die Menschheit von dem schändlichen Glauben, das Erste und Höchste sei dem Auge zugänglich und könne so in einem Bild wiedergegeben werden, wenngleich es dem Ohr zugänglich blieb und so den rechtschaffenen *logos* des Ganzen mit der Bezähmung der Menschheit in Einklang brachte. Die biblische Aufklärung bot das Paradigma der vollkommenen Ordnung, die unter den Menschen aufgerichtet würde, wenn diese nicht – aus Gründen, die zweifelhaft bleiben müssen – der Verderbnis ausgesetzt worden wären. Auf ganz anderen Wegen, als sie Sokrates beschritt, maß die älteste biblische Aufklärung die Weisheit eines Ganzen aus, in dessen Zentrum eine Vollkommenheit lag, deren Logos dem menschlichen Geist für immer verborgen und deren Güte für immer ein unnachahmlicher Gegenstand menschlichen Trachtens bleiben muß. Die spätere biblische Aufklärung erweiterte die Verheißung einer Annäherung der menschlichen an die kosmischen Verhältnisse gewaltig; sie verkürzte die Distanz zwischen Himmel und Erde, indem sie die Geburt und den Tod Gottes zeigte, und stellte seine Rückkehr ins Leben als das Gute dar, das für die einfachsten Menschen erreichbar sei. Am Ende wird die Intimität des Göttlichen und Kosmischen mit dem Menschlichen und Irdischen besiegelt werden durch die Tausendjährige Herrschaft Gottes über die Menschen auf Erden. Inzwischen wird der schließliche Triumph der Geringsten durch ihre Unterwerfung unter das Gebot der Liebe gewährleistet, das von der Gottheit ebendeshalb mit dem größten Nachdruck geltend gemacht wird, weil nur die Macht, die über die Natur hinausgeht, die Forderung stellen kann, welche die (gefallene) Natur verweigert. Die christliche Aufklärung ist auf ihre Weise der große Aufschrei gegen die Natur, jene verheerende Enttäuschung für eine Menschheit, die sich nach einem behüteteren Heimischwerden im Universum sehnt.

Wenn wir von Altertum und Moderne und von der Reaktion der Moderne auf das und gegen das Altertum sprechen, sollten wir so weit wie möglich mitbedenken, was die Giganten der modernen Aufklärung selbst ins Auge faßten, wenn sie auf die Vergangenheit zurückblickten. Es ist für uns nicht unmöglich, ihre Sicht zu rekonstruieren. Machiavelli sah bei seinem Rückblick ein profanes Altertum, das viel von der Natur erwartete, und ein sakrales Altertum, das wenig von ihr akzeptierte. Ich will damit sagen, daß er die entscheidenden Heiden als Entwerfer »imaginärer Republiken« mißverstand, die als Paradigmata für konkrete bürgerliche Gesellschaften gemeint waren, während es tatsächlich ein Werk der Sokratischen Aufklärung war, einen Standort zwischen denen zu gewinnen, die eine schlechthin vollkommene kosmische natürliche Ordnung verkündeten, welche sich in die *conditio humana* übertragen läßt, und jenen, die die vollkommene Illustration der natürlichen Ordnung im Dschungel sahen. Gut verstand Machiavelli hingegen die Theologie, die den Ruhm Gottes auf der Herabsetzung von Gottes natürlicher Schöpfung beruhen sah: nicht nur muß der Mensch gegen seine Natur umgeformt und über sie hinausgehoben werden, im selben Geiste soll die Natur insgesamt nicht als die Instanz verstanden werden können, die das Mögliche definiert. Die höchste Vortrefflichkeit besteht darin, der Natur zu trotzen, so wie die höchste Wahrheit im wunderbaren Widerspruch zur natürlichen Verursachung in Erscheinung tritt. Wenn eine Renaissance des Altertums die Wiege der Moderne war, dann muß gesagt werden, daß die Renaissance das christliche Altertum, das sie kannte, und das profane Altertum, das sie nicht sorgfältig studiert hatte, ineins verschmolz, vielleicht weil sie die christliche Aneignung der heidnischen Philosophie leichthin als ihr dienstbar akzeptierte. Die Moderne wurde aus einer tiefen Einsicht und einem weitreichenden Mißverständnis geboren.

Hobbes wird behaupten, und Spinoza wird bestätigen, daß die Bibel nichts enthalten könne, was der Vernunft widerspricht, falls die Bibel eine Emanation eines würdigen Gottes ist. So entwickelte sich eine immense rationale Exegese, zu der auch Descartes und Locke beitrugen. Diese Exegese hatte das allgemeine Ziel, den Widerspruch der Offenbarung zur Natur zu beseitigen, im wesentlichen wieder darauf zu bestehen, daß das natürliche Ganze würdig ist, als vom *logos* dessen erfüllt zu gelten, was verdient, Gott genannt zu werden. Wenn Descartes in den *Meditationen* den Ausdruck »Erstes und Höchstes« nicht selbst benutzt hätte, um damit offenbar die innerste Wahrheit des Ganzen zu benennen, so könnten wir zögern, ihn in die

Darstellung der Suche einzuführen, die die Moderne selbst unternahm nach dem, was ich als das bezeichnet habe, das Gott genannt zu werden verdient. Im Falle von Hobbes wird klar gemacht, daß die wahre Verbesserung der *conditio humana* davon abhängt, daß das entscheidende Wissen über die Natur auf die Ebene der Alltagsexistenz der Menschheit übertragen wird. Dieses Wissen ließe sich summarisch folgendermaßen beschreiben: das Wohl des Menschen erfordert in der Tat eine Überwindung der Natur, mit Mitteln, die nicht oberhalb, sondern mit Mitteln, die innerhalb der Natur zu finden sind. Seit der Zeit der Hebräer waren die Menschen ermutigt, wenn nicht gezwungen worden, die letzten Ursachen der Dinge außerhalb der Natur zu suchen. So erschufen sie sich eine Welt, in der es nicht möglich war, daß sie einander den Beweis für ihre teuersten Glaubensüberzeugungen lieferten; sie waren auf die archaische Form des Diskurses zurückgeworfen, auf die assertorische, und die Verifikation der Wahrheiten blieb zwangsläufig Feuer und Schwert überlassen – das alles in einer Welt, in der das Diktat der Natur selbst nur zu offenkundig den Krieg vor dem Frieden begünstigte. Ehe nicht die wahre Stellung des Menschen innerhalb der Natur von Souverän und Untertan gleichermaßen hinreichend verstanden sei, werde es keinen Frieden geben, keine Erweiterung des Geistes und folglich keine Steigerung des Wohlergehens für den Leib. Das Haupthindernis für den Fortschritt der Vernunft gründete nach Hobbes' Ansicht mehr im sakralen als im profanen Altertum, wenngleich er Aristoteles den Vorwurf machen mußte, er habe die Scholastiker ermutigt, die Substanzen zu vermehren, wo es nur Akzidenzien gibt. Hobbes beklagte ferner, Aristoteles habe der Volksherrschaft Vorschub geleistet, indem er gegen die Tyrannei und für einen natürlichen Standard des Rechts gepredigt habe, auf den sich jeder Unruhestifter gegen das stets bedrohte Bollwerk der Souveränität berufen könne, das die Natur in Schach hält. Vielleicht liegt Gerechtigkeit in dem Odium, in dem Hobbes, ein Architekt der Emanzipation, von Parteigängern der Freiheit gehalten wird, als Vergeltung dafür, daß er Aristoteles als eine Hilfsquelle für Demagogen darstellte. Mit mehr Berechtigung nahm Hobbes seinen Platz unter den modernen Autoren ein, die sich gegen die Aristotelische und scholastische Erweiterung der Natur über die tatsächlichen Grenzen hinaus wandten, so daß sie die berühmten formalen und finalen Ursachen einschloß, wobei Aristoteles selbst bis zu dem absurden Extrem ging, entgegen der sich geradezu aufdrängenden Evidenz, die natürliche Sozialität des Menschen zu verkünden. Mit dem Verwerfen dieser Ursachen wurde jener Übertreibung der Philanthropie der Natur ein Stoß versetzt, von der die Modernen beharrlich behaupteten, sie im profanen Altertum zu finden. Der Stoß traf auch die Theologen und andere Gläubige, die imstande waren, in jedem Geschenk der Natur einen Beweis für die Fürsorglichkeit des Urhebers der Natur zu sehen. Es muß gesagt werden, daß die Schlichtheit, mit der die moderne Aufklärung das heidnische Altertum interpretiert, bei Hobbes ebenso sichtbar wird, wenn er Aristoteles so versteht, als traue dieser der Natur zu, den Menschen zu zivilisieren, wie sie in den Sarkasmen zutage trat, die Machiavelli gegen die Alten richtete, die visionäre Republiken entwarfen.

Die fruchtbaren Beiträge Descartes' zur Geburt der Moderne und der modernen Aufklärung entspringen einem einzigen philosophischen Bestreben, nämlich, zum Guten des Menschen Gewißheit der Erkenntnis zu erlangen. Das Erlangen von Gewißheit ist ein Ausdruck, dessen negatives Äquivalent die Beseitigung des Zweifels ist. Descartes stellte sich vor, alles zu bezweifeln sei die Voraussetzung dafür, nichts zu bezweifeln. Sein Beweis für die Existenz Gottes und für die unsterbliche Seele hatte seinen Ursprung selbstverständlich im Zweifel, was er jedoch aus Gründen der Schicklichkeit verhehlte. Als seine Arbeit sich am Sechsten Tag seiner *Meditationen* ihrem Ende zuneigt, ist es evident, daß er die Existenz des Ersten und Höchsten tatsächlich bewiesen hat: die Wahrheit und den *logos* des Ganzen, offenbart in der Mathematik. Descartes kann mit voller Überzeugung sagen: Am Anfang war der *logos*, und der *logos* war bei Gott, und der *logos* war Gott, und indem er es sagt, kann er sich als der Prophet der wahren Religion verstehen, deren Kommunikanten gegen die Blasphemien des Götzendienstes und jede Form des

Aberglaubens gefeit sind. Die Befreiung des Menschen von Krankheit, Mühsal, Verwirrung und den Tyranneien des Eifers ist die Verheißung, die im Buch der Entfaltung der Natur enthalten ist. Niemand hätte aufrichtiger als Descartes glauben können, daß die Wahrheit die Menschen, wenn sie sie erkennen, frei machen wird. Da Descartes uns als sein Urteil wissen ließ, daß die Verteilung der Intelligenz vollkommen sei, denn jeder sei mit seinem Anteil zufrieden, kann als gesichert angenommen werden, daß Descartes nur begrenztes Vertrauen in irgendein Projekt der Aufklärung in dem Sinne hatte, daß jeder Geist von den Wahrheiten der höchsten Philosophie durchdrungen sein sollte.

In den Augen der Philosophen der modernen Aufklärung setzten ihre Vorgänger aus der profanen Aufklärung des Altertums ein übermäßiges Vertrauen in eine Natur, die zu verstehen sie nicht die Mittel besaßen, und ihre Vorgänger aus der sakralen Aufklärung des Altertums setzten ein übermäßiges Vertrauen in eine Übernatur, die kein Mensch jemals würde verstehen können. Die moderne Aufklärung kann behaupten, sie habe die Methode gefunden, den Zweifel bezüglich des natürlichen Ganzen zu beseitigen, indem sie dessen Grenzen neu festlegte und dabei das Zweifelhafte ausschloß; sie hat dadurch aber nicht erreicht – und sie meint auch nicht, dies erreicht zu haben –, daß das Ganze unserer universalen Situation durch die Wissenschaft erschöpft werden kann: die Moderne wiederholt auf ihre Weise die Weisheit des Sokrates, die darin bestand, zu wissen, daß er nicht wußte.

Als Kant darauf bestand, die Tugend von jedem Gedanken an das daraus folgende Gute zu reinigen, schuf er eine ebenso radikale Fremdheit zwischen unserer Güte und unserer Natur, wie es die Theologen des Sündenfalls getan hatten, wenn auch nach eigenem Selbstverständnis als ein Prophet der wahren Religion, die der bloßen Vernunft zugänglich ist. Er gab uns damit einen weiteren Grund, uns zu fragen, ob die Geschichte der Moderne, um vollständig zu sein, nicht eine Diskussion der Frage enthalten muß, wieviel von der modernen Aufklärung eine unwissentliche Wiederentdeckung zeitloser Möglichkeiten ist, so wie wir uns früher zu der Frage veranlaßt sahen, wieviel von der Sokratischen Aufklärung ein Aufnehmen und Zusammenbringen der vorsokratischen Weisheit war. In einer Hinsicht können wir jedoch der Originalität der Orientierung der modernen Aufklärung sicher sein: sie war besessen von einem Anfall von Optimismus bezüglich des Schicksals des Menschen, für den es kein profanes Vorbild gibt. Je mehr sie die Macht des Menschen über die Natur festigte, um so mehr lockerte sie die Macht der Natur über den Menschen, mit der Verheißung nicht eines endzeitlichen, sondern eines unmittelbar bevorstehenden Sieges über den natürlichen Satan. Die von Rousseau formulierte historische Plastizität der menschlichen Natur fand mühelos Eingang in den Sozialismus, der Freiheit verhieß vom Mangel, vom Zwang, vom falschen Glauben, von der Unvernunft im institutionellen wie im häuslichen, im öffentlichen wie im privaten Leben. Angesichts dessen, was aus der modernen Aufklärung geworden ist, darf daran erinnert werden, daß die Moderne mit der Herabsetzung der visionären Republiken begann. Machiavellis Aufforderung an den Menschen, er solle Herr über sein Schicksal werden, fand eine so enthusiastische Aufnahme, daß sie zur Inspiration für eine Vision wurde, die sich jetzt als Phantasmagorie offenbart.

Läßt sich etwas über die Lebensweise der unzähligen Millionen sagen, die in diesen oder neben diesen alten und modernen Bemühungen gelebt haben, das Ganze, das sie einschloß, zu verstehen oder zu akzeptieren? Die alten Hebräer müssen in Gottesfurcht gelebt haben, bezeugte doch die Härte des Exils den Unwillen eines Vaters, von dem sie eine Wiederaufnahme in seine Gnade erst dann erhoffen konnten, wenn er ihnen seinen Gesalbten schickte, damit er sie wieder in einer gottgefälligen Weise regiere. Die Christen wurden in dieser Hoffnung bestärkt, denn Gott hatte einen Teil seines Versprechens vor ihren Augen erfüllt; im übrigen müssen sie ihr Los mit Geduld tragen und Christus nacheifern, indem sie nach dem Vorbild, das Christus ihnen am Kreuz gab, die Welt ertragen. Wie die heidnischen Massen lebten, wissen wir nicht. Lebten sie im Schatten der Olympier, von Wesen, die irgendwie die Kräfte der Natur waren, aber auch als Anthropoiden auftraten und so die Kluft zwischen dem Menschen und dem natürlichen All überbrückten? Wir müssen uns vielleicht mit der Spekulation begnügen, daß ihr Leben von ihrer Dichtung, ihren Gesetzen und ihrer Arbeit begrenzt wurde. Wir können im Hinblick auf sie die große Frage stellen, die, wenn sie beantwortet wird, viel über das Leben in jeder menschlichen Epoche aussagt: Was war das charakteristische Rätsel, das sie umtrieb? Was ging in ihrer alltäglichen Existenz über ihren Verstand? Ihre Gesetze waren ihnen klar, und ihre Arbeit war an ihr selbst nur zu offenbar. Was gab es, das sie vor ein Rätsel stellen konnte, außer die Natur selbst – eine gewaltige seismische Katastrophe, die Himmelsrotation, die Geburt von Lebewesen? Bei aller Aufgeklärtheit der Weisen Griechenlands – und übrigens auch Ägyptens und anderer Länder – muß das Erstaunen der Menschen des Altertums den Rätseln ihrer natürlichen Umwelt gegolten haben. Das trifft nicht mehr zu. Im Zeitalter, das von der modernen Aufklärung beherrscht wird, sind es nicht die Rätsel der Natur, sondern die der Kunst, die uns am nächsten sind, die uns buchstäblich umstellen. Sie sind so rätselhaft für uns, daß uns selbst ihre Rätselhaftigkeit für uns verborgen ist. Um zu arbeiten und um eine Pause von der Arbeit zu machen, müssen wir handhaben, was wir nicht verstehen können. Wie viele von uns wissen wirklich, was sie tun, wenn sie eine der zahllosen Gerätschaften und Einrichtungen in Betrieb setzen, die unsere Existenz beherrschen? Sehr wenige. Es ist ein Paradoxon der Aufklärung, daß sie uns in das undurchdringliche alltägliche Dunkel der Artefakte versetzte, während sie uns das Gefühl nahm, daß die Natur das wahre Rätsel ist. Wenn dies der Preis war, der für die politische Befreiung, eines der Juwele in der Krone der Moderne, zu bezahlen war, dann mag er sehr wohl wert gewesen sein, bezahlt zu werden.

Wir dürfen uns fragen, ob es zur *conditio humana* gehört, daß den Menschen etwas rätselhaft ist, und ob die Differenz zwischen einer Epoche und einer anderen in der Identität des Rätsels beschlossen liegt. Aber wenn wir dies fragen, sehen wir uns unfreiwillig auf die Weisheit der Sokratischen Aufklärung zurückgeworfen: wir Menschen werden dahin gebracht, uns selbst – mit und ohne Bezug auf unsere historische Situation – zu erkennen, indem wir erkennen, was es ist, das wir nicht wissen.

(Aus dem Amerikanischen übersetzt von Friedrich Griese und Heinrich Meier)

Über die Autoren

DANIEL BELL, geboren 1919 in New York City. Studium am City College of New York (B. S. S. 1939) und an der Columbia University (Ph. D. 1960). In seiner Laufbahn waren Journalismus und wissenschaftliche Lehre zunächst eng miteinander verbunden. Er war Redakteur und später geschäftsführender Herausgeber der sozialdemokratisch orientierten Wochenzeitung *The New Leader* (1940–1944), Dozent für Sozialwissenschaft an der University of Chicago (1945–1948) und Herausgeber des Magazins *Fortune* (1949–1958). Gleichzeitig amtierte er für mehr als ein Jahr als Director of Seminars des Congress for Cultural Freedom (1956–1957). Seit 1959 Professor an der Columbia (bis 1969) und Harvard University (1969–1989), wo er zuletzt Henry Ford II Professor of Social Sciences war; jetzt Emeritus. Er lehrte am Salzburger Seminar of American Studies; 1976–1977 Visiting Fellow an der London School of Economics und 1987–1988 Pitt Professor of American Studies sowie Professorial Fellow am King's College, Cambridge. Verfasser und Herausgeber von 14 Büchern, u. a. *The End of Ideology* (1960, 1987 mit einem Nachwort neu aufgelegt), *The Coming of Post Industrial Society* (1973) und *The Cultural Contradictions of Capitalism* (1976). Die beiden letztgenannten Bücher wurden in zahlreiche Sprachen übersetzt, darunter auch ins Deutsche.

JOSEPH CROPSEY, geboren 1919 in New York. Studium der Wirtschaftswissenschaften an der Columbia University, wo er die akademischen Grade B. A. (1939), M. A. (1940) und Ph. D. (1952) erwarb. Doctor of Humane Letters, honoris causa, des Colorado College. Nach seinem Militärdienst

(1941–1945) nahm er an den Seminaren von Leo Strauss an der Graduate Faculty der New School for Social Research, New York teil (1946–1949). Er war Fellow des Programms der Rockefeller Foundation für Rechtsphilosophie und Politische Philosophie (1957–1958 und 1962–1963). Von 1946–1957 lehrte er Wirtschaftswissenschaften am City College of New York und Politische Philosophie an der New School. Seit 1958 Mitglied des Department of Political Science der University of Chicago, dem er jetzt als Distinguished Service Professor Emeritus angehört. Mitherausgeber, Herausgeber und Verfasser von *History of Political Philosophy* (gemeinsam mit Leo Strauss, 1963; erweiterte Neuausgabe 1972; dritte, auf einen Umfang von 980 S. angewachsene Ausgabe 1987), *Ancients and Moderns* (1964), *A Dialogue between a Philosopher and a Student of the Common Laws of England* von Thomas Hobbes (Kritische Edition 1971), *Polity and Economy. An Interpretation of the Principles of Adam Smith* (1957, 2. Auflage 1977) und *Political Philosophy and the Issues of Politics* (1977, 2. Auflage 1980).

HANS-MARTIN GAUGER, geboren 1935 in Freudenstadt, aufgewachsen im oberschwäbischen Saulgau, Studium, ab 1954, der romanischen, englischen und deutschen Philologie und der Philosophie in Tübingen. Promotion 1962 über die Anfänge der französischen Synonymik im 18. Jahrhundert und das Problem der Synonymie. Aus der Dissertation gingen hervor die beiden Bücher: *Zum Problem der Synonyme* (1972) und *Die Anfänge der Synonymik: Girard (1718), Roubaud (1785). Ein Beitrag zur Geschichte der lexikalischen Semantik* (1973). Habilitation 1968; der Habilitationsschrift entsprechen die drei Bücher: *Wort und Sprache. Sprachwissenschaftliche Grundfragen* (1970); *Durchsichtige Wörter. Zur Theorie der Wortbildung* (1971); *Untersuchungen zur französischen Wortbildung* (1971). Seit 1969 ordentlicher Professor für romanische Philologie (Sprachwissenschaft) an der Universität Freiburg i. Br.; von 1972 bis 1974 Prorektor der Universität; seit 1981 Mitglied der Deutschen Akademie für Sprache und Dichtung, seit 1983 deren Vizepräsident; von 1981 bis 1982 im ersten Jahrgang Fellow am Wissenschaftskolleg zu Berlin. Weitere Veröffentlichungen: *Sprachbewußtsein und Sprachwissenschaft* (1976); *Einführung in die romanische Sprachwissenschaft* (zusammen mit W. Oesterreicher und R. Windisch) (1981); *Sprachgefühl und Sprachsinn* (zusammen mit W. Oesterreicher) in: *Sprachgefühl? Vier Antworten auf eine Preisfrage* (1982); *Der Autor und sein Stil. Zwölf Essays* (1988); *Vergleichende Grammatik Spanisch-Deutsch* (zusammen mit N. Cartagena) (1989). Außerfachlich literarische Veröffentlichung: *In den Rauch geschrieben. Mitteilungen eines, der suchte, das Rauchen zu verlernen* (1988).

AGNES HELLER, geboren 1929 in Budapest, Schülerin und langjährige Assistentin von Georg Lukacs, war über eine Dekade hinweg Mitglied der Ungarischen Akademie der Wissenschaften, bis sie 1973 wegen »Abweichung« ausgeschlossen wurde. 1977 verließ sie Ungarn und wanderte nach Australien aus. Von 1978–1986 lehrte sie Soziologie an der La Trobe University, Melbourne. Seit 1987 Hannah Arendt Professor of Philosophy an der Graduate Faculty der New School for Social Research, New York. 1981 erhielt sie den Lessing-Preis der Stadt Hamburg. Sie veröffentlichte zahlreiche Bücher in elf Sprachen. Darunter *Aristotle's Ethics; Der Mensch der Renaissance; Das Alltagsleben; Theorie der Gefühle; A Theory of History; The Power of Shame; Beyond Justice*. Zuletzt erschienen *The Postmodern Political Condition* (mit F. Feher) und *General Ethics. A Philosophy of Morals*.

JEAN-FRANÇOIS LYOTARD, geboren 1924 in Versailles. Studium der Literatur, Psycho-Physiologie und Philosophie an der Sorbonne, Paris. Agrégé de philosophie (1950), Docteur d'État (1971). Maître-assistant de philosophie an der Sorbonne und in Nanterre (1959–1968). Maître de conférences, dann Professor an der Université de Paris VIII (Vincennes, Saint Denis, 1970–1987). Distinguished Professor an der University of California (seit 1987). Gastprofessuren an den Universitäten von San Diego, Berkeley, Johns Hopkins, Milwaukee, Minneapolis, Binghampton, Stony Brook (USA); Montreal (Kanada), Saô Paulo (Brasilien), Siegen (BRD). Veröffentlichungen

u. a.: *La phénoménologie* (1954); *Discours, figure* (1971); *Économie libidinale* (1974, dt. Übers. 1984); *Les transforma-teurs Duchamp* (1977, dt. Übers. 1987); *La condition postmo-derne* (1979; dt. Übers. 1982 und 1986); *Au juste* (1979), *Le mur du Pacifique* (1979, dt. Übers. 1985); *Le différend* (1983, dt. Übers. 1987); *Tombeau de l'intellectuel* (1984, dt. Übers. 1985); *L'enthousiasme* (1986, dt. Übers. 1987); *Le postmo-derne expliqué aux enfants* (1986, dt. Übers. 1987); *Heidegger et »les juifs«* (1988, dt. Übers. 1988); *L'inhumain* (1988, dt. Übers. 1989).

HEINRICH MEIER, geboren 1953 in Freiburg i. Br., studierte Philosophie, Politische Wissenschaft und Soziologie. Promo-tion an der Universität Freiburg i. Br. Seit 1985 leitet er die Carl Friedrich von Siemens Stiftung in München. Buchveröffent-lichungen: Jean-Jacques Rousseau: *Discours sur l'inégalité/ Diskurs über die Ungleichheit*. Kritische Edition mit deutscher Übersetzung, einem Essay über die Rhetorik und die Intention des Werkes sowie einem ausführlichen Kommentar (1984; 2., durchgesehene und ergänzte Auflage 1990); *Carl Schmitt, Leo Strauss und »Der Begriff des Politischen«. Zu einem Dialog un-ter Abwesenden* (1988, französische Übersetzung 1990, japani-sche Ausgabe 1990). Als Herausgeber: *Die Herausforderung der Evolutionsbiologie* (1988, 2. Auflage 1989).

KENNETH MINOGUE, geboren 1930 in Neuseeland. Studium in Australien und Großbritannien. Den größten Teil seiner aka-demischen Laufbahn absolvierte er an der University of Lon-don, wo er Professor für Politische Wissenschaft an der London School of Economics and Political Science und gegenwärtig Chairman des Department of Government ist. Verfasser der Bücher *The Liberal Mind* (1961), *Nationalism* (1967), *The Con-cept of a University* (1974) und *Alien Powers: The Pure Theory of Ideology* (1985). Außerdem zahlreiche Artikel in wissen-schaftlichen Zeitschriften und anderen intellektuellen Organen wie dem *Encounter* und der *Times*. Er war Visiting Research Professor an der Research School of Social Sciences der Aus-tralian National University in Canberra und verbrachte ein Jahr am Netherlands Institute of Advanced Studies. An zahlreichen Universitäten Australiens, Europas und Nordamerikas hat er Vorträge gehalten.

Winfried Schulze, geboren 1942 in Bergisch Gladbach. Seit 1965 Studium der Mittleren und Neueren Geschichte und der Politischen Wissenschaften an der Universität zu Köln und an der Freien Universität Berlin. 1970 Promotion und wissenschaftlicher Assistent am Friedrich-Meinecke-Institut, 1973 Assistenzprofessor am Institut für Wirtschafts- und Sozialgeschichte der Freien Universität Berlin, 1975 Habilitation. 1974 Professor an der Gesamthochschule Kassel, 1976 wieder an der FU Berlin. Seit 1978 Professor für Europäische Geschichte der Frühen Neuzeit an der Ruhr-Universität Bochum, 1984/85 Stipendiat am Historischen Kolleg München. Buchveröffentlichungen: *Landesdefension und Staatsbildung* (1973); *Soziologie und Geschichtswissenschaft* (1974); *Reich und Türkengefahr im späten 16. Jahrhundert* (1978); *Bäuerlicher Widerstand und feudale Herrschaft* (1980); *Einführung in die Neuere Geschichte* (1987); *Deutsche Geschichte im 16. Jahrhundert. 1500–1618* (1987); *Der 14. Juli 1789. Biographie eines Tages* (1989); *Deutsche Geschichtswissenschaft nach 1945* (1989). Als Herausgeber: *Europäische Bauernrevolten der Frühen Neuzeit* (1982); *Aufstände, Revolten, Prozesse* (1983); *Ständische Gesellschaft und soziale Mobilität* (1988). Mitherausgeber von »Geschichte und Gesellschaft« und »Geschichte in Wissenschaft und Unterricht«.

Schriften der Carl Friedrich von Siemens Stiftung

Südliches Schloßrondell 23, 8000 München 19

Im Buchhandel lieferbar:

Band 1:
Der Mensch und seine Sprache
1979. 380 Seiten

Band 2:
Der Ernstfall
1979. 240 Seiten

Band 4:
Kursbuch der Weltanschauungen
1980. 448 Seiten

Band 5:
Reproduktion des Menschen
1981. 330 Seiten

Band 8:
Peter R. Hofstätter
Psychologie zwischen Kenntnis und Kult
1984. 212 Seiten

Band 9:
Psychologie – Psychologisierung – Psychologismus
1985. 160 Seiten

Band 10:
Einführung in den Konstruktivismus
1985. 159 Seiten

Band 11:
Armin Mohler (Hrsg.)
Wirklichkeit als Tabu
1986. 200 Seiten

Oldenbourg

Heinrich Meier (Hrsg.)

Die Herausforderung der Evolutionsbiologie

Mit Beiträgen von Richard D. Alexander, Norbert Bischof, Richard
Dawkins, Hans Kummer, Roger D. Masters, Ernst Mayr, Ilya Prigogine
und Christian Vogel.
294 Seiten mit 28 Abbildungen. Serie Piper 997

Keine wissenschaftliche Revolution der Moderne hat das
Selbstverständnis des Menschen sichtbarer verändert und in den Augen
vieler tiefgreifender erschüttert als die Umwälzung, die Darwin und
seine Nachfolger bewirkt haben. Die Herausforderung der
Evolutionsbiologie reicht daher über den Streit der Wissenschaft weit
hinaus. Sie richtet sich nicht nur an die Humanwissenschaften und die
Philosophie, für die sie neue Perspektiven eröffnet. Eine Wissenschaft,
die sich anschickt, den Ursprung des Menschen zu erhellen und seine
Natur zu erforschen, stellt auch eine religiöse und politische
Herausforderung dar.

»Heinrich Meier, der 35jährige Leiter der Münchner Carl Friedrich von
Siemens Stiftung, nennt das dezent: ›Die Herausforderung der
Evolutionsbiologie‹. Davon hat er eine Elite der einschlägigen
Wissenschaften im regelmäßig überfüllten Nymphenburger
Kavaliershaus der Stiftung Zeugnis ablegen lassen. Seinen akademisch
geschulten Gästen dort hat es mitunter den Atem genommen. Jetzt,
weiter präzisiert im Buch, gewinnt das eine noch stärkere Brisanz.«

Der Spiegel

PIPER

Die Zeit

Dauer und Augenblick
Mit Beiträgen von Jürgen Aschoff, Jan Assmann,
Jean-Pierre Blaser, Hubert Cancik, Carsten Colpe,
Manfred Eigen, David Epstein, Otto-Joachim Grüsser, Peter
Häberle, Hans Heimann, Edgar Lüscher, Ernst Pöppel,
Ferdinand Seibt und John A. Wheeler.
411 Seiten mit 51 Abbildungen. Serie Piper 1024

Die Zeit ist das Thema dieses Buches. Gemeint ist hier nicht
»unsere Epoche« oder »die Gegenwart«, vielmehr eine
Dimension, die Zeit in ihrer Bedeutungsvielfalt. Diskutiert wird
die Zeit als Thema von Geistes- und Naturwissenschaften. Die
Autoren der Beiträge sind renommierte Forscher, die Texte
überarbeitete Beiträge einer Vortragsreihe aus dem Jahr 1981.
Veranstaltet wurde diese Reihe von der Carl Friedrich von Siemens
Stiftung in München.
Neben der Physik (Blaser, Lüscher, Wheeler), der physikalischen
Chemie (Eigen), der Physiologie (Aschoff, Grüsser), der
Psychiatrie (Heimann) sind die Psychologie (Pöppel), die
Ägyptologie (Assmann), die klassische Philologie (Cancik), die
Theologie (Colpe), die Rechtswissenschaft (Häberle), die
Geschichtswissenschaft (Seibt) und die Musikwissenschaft
(Epstein) vertreten. Dies macht deutlich, daß eine angemessene
Auseinandersetzung mit dem Thema Zeit nur interdisziplinär
erfolgen kann.

PIPER